Aimer l'art puis s'ennuyer...

Brigit Bosch

Aimer l'art puis s'ennuyer...

Roman

©2021 Brigit Bosch

Édition : BoD – Books on Demand,
12/14rond-point des Champs Élysées, 75008 Paris

Impression : BoD – Books on Demand, Norderstedt, Allemagne

Illustration de couverture :

Daniel Déjean
©2022 Daniel Déjean

ISBN : 9782322376964
Dépôt légal : Mars 2022

L'art est ce qui rend la vie plus intéressante que l'art

Robert Filliou

1

mercredi 13 mars

Toulouse

C'était la seconde fois aujourd'hui que Marcus manquait l'occasion d'aborder Jason Gloves de passage à Toulouse pour l'inauguration de l'« Exposition ». Phénomène incontournable de la sphère mondiale de l'art contemporain, Gloves était un extraordinaire créateur d'expositions, un redoutable critique, conseiller des plus grands collectionneurs que comptait la planète et premier directeur artistique de cette nouvelle manifestation biennale. Tous (ou presque) s'interrogeaient sur les raisons qui avaient bien pu le pousser à s'affairer dans cet inattendu et obscur événement surgi des cendres encore tièdes d'un festival avorté et brûlé furieusement sur le bûcher de… l'insatisfaction politique.

Tous ! Sauf Marcus qui voyait dans l'opportunité de croiser le chemin de Jason Gloves une saisissable perche enfin tendue à son ambition. Toutes ces années à tenter d'élever un espace alternatif au rang de centre du petit monde de l'art contemporain local avaient grignoté son enthousiasme, son charisme, son intelligence, sourdement et lentement effacés par la manière, la distance, le calcul, parfois le cynisme.

– Oui. C'est Marcus. Tu peux me rappeler plus tard ? Je suis occupé. Vraiment occupé…

Il avait manqué la conférence de presse à laquelle il avait pourtant réussi à se faire inviter et n'avait pas l'intention d'être invisible à la soirée d'ouverture. Alors, pas question à présent de se charger d'une quelconque besogne associative. Il avait préparé avec précision sa rencontre avec l'homme et ne doutait pas un seul instant qu'elle serait fructueuse. Il maîtrisait parfaitement (du moins le croyait-il) son pouvoir de séduction. Dix-neuf heures trente. Les visiteurs commençaient à s'assembler en grappes devant les grilles du musée. L'air était exceptionnellement glacial en ce milieu de mars et l'on pouvait deviner en regardant les innombrables fumées de vapeur d'eau s'effilochant des bouches des uns et des autres que les conversations étaient animées. Il repéra l'attachée de presse qui aspirait nerveusement sa cigarette électronique en écoutant distraitement une bavarde. Marcus s'avança en sa direction le sourire aux lèvres tout en distribuant quelques bises aveugles et signes de la main convenus aux personnes qu'il lui semblait utile de saluer. Il fut un peu déçu par l'accueil poli, mais détaché qu'elle lui réserva.

— Bonsoir Marcus. Les portes ne sont pas prêtes à s'ouvrir. Tu vas devoir patienter.

— J'ai tout mon temps. Gloves est arrivé ?

— Oui à l'instant. Et de sale humeur.

— Un problème avec la mairie ?

Marcus savait toujours poser la mauvaise question pour obtenir la bonne réponse.

—Non, une journaliste récalcitrante apparemment. Vraiment dommage que tu n'aies pas pu venir ce matin.

Elle vapota une fois encore nerveusement avant de décocher un sourire étudié à la galeriste Yvonne Chastel qui avait exceptionnellement quitté son fief parisien pour l'occasion. Elles disparurent derrière les portes fumées du musée. L'événement avait attiré un certain nombre de personnalités du monde de l'art et quelques « stars » du milieu avaient fait le déplacement.

Marcus enrageait d'avoir raté la rencontre. Suzanne Bourdaon avançait à grands pas vers lui. Elle ne manqua pas à son tour de lui rappeler son absence du matin tout en se gaussant du grand intérêt que Gloves avait manifesté aux recherches de l'Atelier Curature, un club très fréquenté qui accueillait depuis deux ans de jeunes commissaires d'exposition en quête d'une première programmation. Il avait espéré une invitation pour la dernière saison. En vain. Plus assez jeune peut-être…

Il pestait de ne pas encore être à l'intérieur du musée avec les autres et il grimaça presque lorsqu'il aperçut Sue, une artiste américaine qu'il avait pris sous son aile quelques mois auparavant et qu'il avait tenté de séduire à grand renfort de promesses de rencontres et de collaborations diverses. Il finit par lui sourire discrètement. Sue était une jeune femme intelligente qui sous une apparence frisant parfois la naïveté, savait pertinemment dans quel milieu elle évoluait et surtout à quoi elle aspirait. Elle n'était pas dupe des manœuvres maladroites de Marcus et ne put s'empêcher de sourire en le voyant presque collé à la porte d'entrée.

Celle-ci s'ouvrit brutalement. Jason Gloves sortit précipitamment, blême, les yeux agrandis par la stupeur ou la colère, un filet de sang comme un trait lui coulant du nez avait taché le revers de sa veste grise. Il s'éloigna rapidement de la foule et se mit à l'écart en tournant vers l'arrière du bâtiment. Il se pencha en avant en posant les mains sur les genoux et souffla bruyamment avant d'esquisser lentement un sourire énigmatique. C'est dans cette posture que Marcus, qui l'avait reconnu et n'avait rien raté de la scène, le trouva au moment où il s'approcha de lui.

— Excusez-moi. Tout va bien ? Puis-je vous aider ?

Gloves redevint instantanément un peu distant, un peu absent.

— Non, je vous remercie. Je vais retourner à l'intérieur dans quelques instants.

Marcus lui tendit un mouchoir tandis qu'il pointait le doigt en direction de son nez et de sa veste. Gloves réalisa alors qu'il saignait, il toucha sa lèvre avec délicatesse et regarda quelques secondes la trace rouge carmin sur son index.

— Merci. Monsieur ?

— Garbot, Marcus Garbot, directeur du Chignon, centre d'art. Je n'ai pas pu être parmi vous ce matin, j'en suis désolé... Mais...

— Ne le soyez pas ! Je suppose que nous nous reverrons ce soir. Excusez-moi.

Il s'essuya le nez, passa une main distraite dans ses cheveux et reprit la direction de l'entrée sans autre égard. Marcus était perplexe. Quelle première rencontre inattendue ! Il avait vu Gloves à quelques reprises, un discours d'ouverture à la biennale de Rome, une bousculade à la descente d'un train à Paris, mais surtout dans de nombreux interviews et interventions diffusés sur les réseaux sociaux qu'il affectionnait particulièrement.

Cette intimité inopinée avait parasité l'image de froideur et de suffisance qui se dégageait inlassablement du personnage. Gloves était mince, grand, d'une élégance naturelle. Son regard acier était plus énigmatique que glaçant et éclairait un visage anguleux et vif sous une chevelure souple et grisonnante. Il venait d'avoir cinquante ans et Marcus ne put s'empêcher de constater à quel point il était encore bel homme. Dans cette situation qui aurait pu le mettre mal à l'aise, il n'avait montré que décontraction et maîtrise de soi, même la tache de sang sur son revers s'était accrochée là comme un bijou discret.

Lorsque Jason Gloves rejoignit le groupe qu'il avait quitté précipitamment, une vague de murmures l'accueillit. Jacques Petisel, le directeur du musée s'avança vers lui.

— Comment allez-vous, cher ami ? Nous étions inquiets.

— Bien, bien, merci. Où est-elle ?

— Elle n'a pas souhaité rester. Logique ?

— Je ne sais pas. Merci de communiquer à mon assistante son mail et son numéro de téléphone.

— Bien, mais…

— J'y tiens.

— Vous aimeriez peut-être vous changer ?

— Non, je vous remercie. Nous pourrions à présent accueillir le public non ?

— Mais vous souhaitiez attendre le maire, il me semble.

— Tous ces retards m'exaspèrent. Allons-y !

— C'est un peu délicat Jason, mais… bon bon très bien, parfait !

Contre toute forme de protocole et à la surprise générale c'est Gloves qui écarta les deux battants de la porte d'entrée du musée avec un large sourire. L'attachée de presse faillit trébucher tant elle s'ouvrit précipitamment. Les hôtesses coururent derrière lui et s'empressèrent de canaliser la foule qui ne prit pas garde au petit événement en train d'advenir. Seul Marcus, qui avait rejoint au plus vite son poste d'éclaireur le reconnut en portier. Lorsqu'il franchit l'entrée, il tenta un signe de la main auquel Gloves répondit en hochant la tête discrètement. Incroyable, inespéré, Marcus jubilait. Rien d'autre n'existait à cet instant que cette proximité conquise en quelques secondes avec un mouchoir en papier blanc. Suzanne Bourdaon n'avait pas raté la scène. Elle s'avança vers Marcus.

— Tu ne m'avais pas dit que tu connaissais Gloves ?

— J'ai mes petits secrets, Suzanne…

Il perçut alors le silence inhabituel ou plutôt le faible niveau sonore, trop faible pour ce genre d'événement. Un musée avec près de trois cents personnes affluant après presque une heure d'attente dans le froid résonnait normalement d'un autre type de bourdonnement. Il émergea de son rêve éveillé et s'avança à son tour. Ce qu'il vit le laissa comme tant d'autres sans voix.

L'intégralité des murs était recouverte d'un papier peint très sombre aux motifs floraux et végétaux entremêlés, déployant dans tout l'espace une inextricable jungle de fleurs et de feuillages aussi attirante que vénéneuse. L'éclairage dont on ne savait dire d'où il provenait, soulignait la monochromie de l'ensemble et distillait une sensation indicible de malaise. Les hauts plafonds du musée disparaissaient dans une obscurité cotonneuse et vibrante. Rien d'autre, et pourtant l'effet était puissant. Les visiteurs baissaient le ton au fur et à mesure qu'ils avançaient dans les salles métamorphosées. L'impression insidieuse que les murs étaient mouvants se faufilait immanquablement dans chacun des esprits. Ces habitués des dispositifs les plus singuliers de la création contemporaine et parfois les plus spectaculaires ne parvenaient pas à identifier le trouble qui s'emparait d'eux au fil de la déambulation. On attendait l'apparition d'une image, la stridence d'un son ou l'intervention originale d'une performance pour éclairer le sens de tout cela. Mais rien. Rien que ces interminables murs sombres à la végétation luxuriante et étouffante sous une chape brumeuse et ténébreuse. Aucun repère ne permettait de savoir dans quoi et pourquoi l'on était là. Pas un texte, pas un titre, pas un cartel n'accompagnait l'errance du visiteur. Jason Gloves avait soigneusement évité d'intituler la manifestation autrement que l'« Exposition » et la presse n'avait pas manqué d'ailleurs de fustiger cette attention si élitiste à ses yeux.

Seuls les noms des artistes étaient projetés en un tremblement permanent vert pâle sur une grande cimaise noire comme une fumée sombre. La liste était impressionnante, éloquente : David Hockney, Mikka Rottenberg, Michel Majerus, Sigmar Polke, Kara Walker, Bill Viola, Zhang Xiaogang, Tracey Emin, Edward Ruscha, Laure Prouvost, Fiona Rae, Olafur Eliasson, Annette Messager, Wolfgang Tillmans, Rachel Whiteread, Damien Hirst, Jeff Wall, Genesis Bellanger, Matty Bovan, John Baldessari, Joana Vasconcelos, Gérard Duchêne, Cindy Sherman, Thomas Grünfeld, Sophie Calle, Sarah Szè, Taus Makhacheva, Philippe Parreno, Yue Minjun, Rachel Rose, Pipilotti Rist, Kananginak Pootoogook, Nan Goldin, Nevin Alaldag, Dirk Braeckman, Jordi Colomer, Lisa Reihana, Steve McQueen, Njideka Akunyili Crosby, Martin Parr, Thomas Ruff, Peter Doig, Ai Weiwei, Rebecca Horn, Francis Alys,

Gillian Wearing, Pierre Hyugue, Barbara Kruger, Jimmie Duhram, Tacita Dean, Laurent Grasso, Katharina Grosse, Banksy, Seth Price, Marlène Dumas, Takashi Murakami, Mosengo Shula, Laura Owens, Jacob Hashimoto, Kehinde Wiley, Artur Jafa, Liam Everett, Paola Pivi, Mohamad Shuraideh Aka, France-Lise McGurn, Nick Cave, Georges Rouy, Rachel Howard, William Kentridge, Jiha Moon, Lynette Yyadom-Boakyé, Adrian Ghenie, Marion Verboom, Alex Prager, Ouka Leele, Adriana Varejao...

Gloves était resté à l'entrée du musée et semblait attendre patiemment la suite des événements. Lorsque le premier sifflet réprobateur retentit dans l'une des salles, il sourit imperceptiblement et regarda sa montre. Un peu plus de dix minutes s'étaient écoulées depuis l'ouverture des portes. La première réaction avait été plus rapide qu'il ne l'avait prévue et comme si le public l'avait espéré, les conversations reprirent et glissèrent en quelques instants du chuchotement inquiet au brouhaha presque vindicatif. Le timing était parfait. C'est alors que Gloves s'avança tout en faisant un signe discret de la main vers un homme posté derrière la banque d'accueil du musée.

Un bruit fracassant de tonnerre envahit soudain l'espace, faisant sursauter la majeure partie des visiteurs qui après n'avoir pu retenir des cris de stupeur, retourna immédiatement à un silence interrogateur. Rares étaient ceux qui prononçaient encore une parole. Ceux qui levèrent la tête virent que les plafonds s'animaient. Bientôt tous eurent les yeux rivés là-haut. Alors que le noir brumeux se dissipait dans la sensation sonore d'une pluie battante, une vision effarante se précisait : des centaines d'œuvres, peintures, sculptures, meubles, objets, images en mouvement descendaient lentement dans un léger frémissement.

L'incroyable enchevêtrement n'avait rien à envier à celui de la flore qui envahissait l'ensemble des murs. Il semblait inconcevable que toutes ces pièces suspendues puissent ainsi se frôler, se bousculer, se côtoyer sans pour autant paraître en danger. Le public averti ne mit pas longtemps à comprendre que certaines d'entre elles étaient inestimables. Tout ce que l'art contemporain pouvait compter d'artistes et de repères incontournables ou révélateurs avait été réuni là, savamment proposé aux regards des visiteurs dans une scénographie si sophistiquée que l'on en oubliait la totale extravagance. Lorsque les œuvres stoppèrent leur descente, elles flottaient à environ un mètre au-dessus de la tête des spectateurs subjugués. Quand le son de la pluie cessa, un silence pesant s'installa.

Marcus sut qu'il assistait à un événement hors du commun. Comment Gloves avait-il réussi ce tour de force, cette provocation, avec cette inconcevable audace ? Et pourquoi ici dans ce musée de province ? Le critique avait un tel réseau qu'il aurait pu jouer la carte d'un festival ou d'une biennale internationale. Alors qu'il essayait de comprendre les dessous de ce fantasque choix, il aperçut à l'entrée de la première salle une silhouette qui lui semblait familière. Grande, un long imperméable noir, une écharpe bleue, un large sac gris, droite et les bras croisés sous la poitrine… Estelle Rambrant ? Oui, c'était elle assurément, il ne pouvait pas se tromper. Elle avait quitté soudainement ses fonctions au Bloc, centre d'art dont elle était directrice et presque aussi soudainement la ville quelques années auparavant. La surprise avait été totale et aucun des éminents représentants du petit monde artistique d'alors n'avait su ce qu'il s'était passé ni ce qui lui était arrivé depuis, peu d'entre eux d'ailleurs ayant cherché à le savoir.

Décidément, cette journée réservait bien des surprises. Marcus était prêt à s'avancer vers elle lorsqu'il aperçut Gloves s'approcher d'elle. Quand il les vit tomber dans les bras l'un de l'autre et rester ainsi un long moment, il n'en crut pas ses yeux.

— Estelle, je ne peux pas croire que tu sois là !

— Je n'aurais raté cela sous aucun prétexte. Désolée pour le retard.

Les deux amis étaient face à face et se tenaient les mains, bras presque tendus. Ils se connaissaient depuis très longtemps. Ils avaient fait ensemble leurs études d'histoire de l'art à Londres et ne s'étaient plus perdus de vue. Ils ne se voyaient que rarement, mais avaient entretenu une relation épistolaire originale qui nourrissait leur indéfectible lien.

Estelle vivait à Belfast depuis plusieurs années. Après de nombreux aller-retour sur la côte nord de l'Irlande et des séjours multipliés dans la ville portuaire auprès de ses amis irlandais Lorna, Michael et Murray, elle avait décidé de s'y installer. Elle aimait cette ville complexe qui avait grignoté sur la mer sa place si particulière. Joyeuse et tendue, affairée et décontractée, la cité qu'Estelle n'avait pu atteindre dans les années quatre-vingt lui donnait aujourd'hui une énergie et une confiance qu'elle n'avait trouvées nulle part ailleurs. Elle s'échappait régulièrement dans un petit port de la côte nord, dans la maison de ses amis face à la mer d'Irlande, un endroit à part, comme le bord du monde, unique, où elle se reconnaissait. Elle avait réduit son activité et ses déplacements étaient beaucoup moins fréquents, concentrés la plupart du temps en Italie et de temps en temps en Californie. Elle entretenait d'ailleurs avec cette partie du globe une relation de midinette que ses amis lui moquaient souvent.

Elle n'était pas venue en France depuis un moment et n'y serait pas à présent si Jason Gloves n'avait pas réussi cette folie. Il l'avait informée de la finalisation de ce projet plusieurs mois auparavant, « un déluge » d'œuvres d'art comme il l'avait évoqué, mais il ne lui avait pas précisé les détails de sa réalisation. Il lui avait communiqué une liste des pièces qui constitueraient l'exposition en sollicitant son commentaire « avisé ». Estelle savait qu'il avait dû prendre de grands risques personnels et financiers pour achever un tel projet. Si les artistes lui faisaient confiance, nombre de professionnels n'appréciaient ni l'homme ni ses méthodes et certains d'entre eux n'hésitaient pas depuis plusieurs années à tenter par des moyens peu glorieux de discréditer ses recherches et ses événements. Jason avait même reçu récemment quelques menaces anonymes qu'il avait préféré ignorer. Il était là aujourd'hui, contemplant Estelle avec bonheur, rayonnant, malgré cette pointe permanente d'inquiétude dans le regard, tel qu'il avait toujours été.

— J'ai raté les discours ?

— Il n'y en aura pas. Le vrai tour de force tu le sais c'est ça. Je ne me suis pas fait que des amis tu imagines... Mais c'est là. Que les œuvres, leurs bruits, leurs sons, pas des fantômes, des ombres ou des illusions, non les œuvres qui frottent, qui pleuvent, qui pourraient peut-être nous combler ou nous étouffer. J'ai cru devenir fou avec cette histoire, failli abandonner tant de fois. Mais je n'ai pas besoin de te dire cela.

— Dix ans que tu évoquais cette extravagance. Je suis heureuse d'être là ce soir et d'avoir pu contribuer modestement à cette réussite. Mais je devrais peut-être aller voir non, avant de te féliciter ? Je suppose qu'il ne t'a pas échappé qu'il y a une tache de sang sur le revers de ta veste ?

Il sourit alors qu'Estelle se dirigeait déjà vers l'exposition. Sa présence effaçait toute la tension de l'événement et le malaise que lui avait laissé sa rencontre houleuse avec Maarit, Maarit... Il avait oublié son nom. La sombre journaliste finlandaise n'avait guère apprécié son arrogance, inutile au demeurant il le savait, et l'avait giflé avec entrain, le laissant brièvement dans un état de colère outrée qu'il n'avait pas connue, ni même savourée, depuis des années. Il faudra qu'il la contacte rapidement pour lui présenter ses excuses.

Dans les salles d'exposition, les visiteurs n'avaient pu supporter plus longtemps le silence et avaient recommencé à murmurer. L'étonnement se lisait encore sur la plupart des visages. Estelle venait juste d'entrer dans la première « jungle » levant la tête vers un portrait de John Baldessari par David Hockney incroyablement penché à l'horizontale lorsque Marcus s'approcha d'elle.

— Estelle ! Quelle surprise ! Tu as une mine splendide.

Estelle ne s'attendait pas du tout à croiser Marcus et n'avait pas réellement envie de converser avec lui. Elle demeura malgré elle distante et le salua plutôt froidement.

— Oh bonsoir Marcus, il y a si longtemps. Tu ne m'en voudras pas si je disparais tout de suite dans la jungle… On se retrouve un peu plus tard.

— Non… Oui bien sûr…

Marcus accusait le revers. Il se rappelait qu'Estelle n'avait jamais mâché ses mots et qu'elle n'affectionnait pas particulièrement les vernissages et leurs inévitables mondanités. Il sentait bien qu'il fallait à présent et à tout prix rester dans le cercle de ces deux-là.

*
**

Ballintoy, Irlande du Nord

Cillian s'était assis dans le canapé blanc en face de la grande baie vitrée et regardait la Sheep Island. Il y avait quelque chose de l'ordre de la fascination dès que l'on demeurait plus d'une minute à contempler cet endroit précis où la mer d'Irlande et l'Océan atlantique se rencontraient. Et la mer était de mauvaise humeur. Des vagues nerveuses et indisciplinées balayaient les rochers, la couleur noire du basalte avait détouré les contours de l'île et même les nuages en tumulte que tentaient de percer quelques surprenants rayons de soleil après l'orage accentuaient la silhouette obscure et massive du relief.

Il connaissait la planque où était cachée la clef et il n'avait eu aucune difficulté à pénétrer dans la maison qui n'avait plus aucun secret pour lui. Il avait attendu toute la journée et la nuit suivante. Les biscuits et les céréales, le café et le whisky trouvés dans la cuisine avaient calmé un tant soit peu sa faim et sa soif. Il commençait à se demander si quelqu'un viendrait vraiment ce matin. Il était pourtant certain d'avoir vu ce petit homme entrer dans la maison deux jours plus tôt alors qu'il remontait de la falaise et certain qu'il ne s'agissait ni de Michael ou l'un de ses amis.

Celui-là avait passé un temps fou devant la porte d'entrée avant de s'introduire dans la maison. Aucune lumière n'avait été allumée ensuite. Intrigué par l'intrus, il était resté posté à l'arrière du garage, n'osant pas se déplacer plus à découvert. Il ne se passa rien, pas de bruit, pas de faisceau de lampe et l'homme réapparut à la porte une demi-heure plus tard restant une fois encore de longues minutes à tenter de la refermer correctement sans laisser de trace. Puis il avait marché sur l'herbe tendre devant la maison évitant le roulement bruyant des galets qui jonchaient l'allée principale. Cillian put voir son ombre disparaître dans le virage sur la route qui montait vers le village. Il n'avait pas cherché à entrer après l'avoir épié, mais il pressentait qu'il reviendrait à Bendhu, et rapidement. Il avait alors décidé d'y faire le guet dès le lendemain soir.

Bendhu signifiait la pierre noire. Rien d'étonnant ici sur cette côte basaltique, la maison était aussi blanche que son nom était sombre. Elle surplombait les falaises et le petit port de Ballintoy comme une sentinelle et sa silhouette si excentrique ponctuée sur sa façade par d'élégants et improbables yuccas faisait oublier un instant que l'on se trouvait sur la côte nord de l'Irlande. Elle était l'œuvre du remarquable artiste cornouaillais Newton Penprase qui à l'âge de quarante-sept ans entreprit de construire la plus moderniste et invraisemblable des maisons d'Ulster, défiant les coups de vent de l'Atlantique comme l'hostilité épisodique des habitants du village. Une œuvre globale qui avait poussé au gré de ses visions et qui englobait avec brio l'architecture, la sculpture, le design, le mobilier… Le béton pour se frotter à la pierre, pour braver la mer.

Penprase ne put venir à bout de la construction avant sa mort en mille neuf cent soixante-dix-huit. Michael Ferguson acheva l'édifice vingt ans plus tard, respectant la fantaisie et l'invention du créateur et comme pour faire pénétrer toute la lumière sans cesse dansante du ciel, ouvrit cinquante fenêtres dans le bâtiment, petites et grandes, ouvrantes, fixes, allongées, basses, au plafond, chacune d'entre elles, quel que soit l'emplacement ou la taille, se métamorphosait où que l'on regardât, en un tableau vivant et unique multipliant avec audace les points de vue et les horizons.

Cillian aimait cette maison et l'esprit qui y régnait. Il aimait aussi ses propriétaires qu'il avait rencontrés une vingtaine d'années plus tôt lorsqu'il était encore un adolescent turbulent, intrépide et fantasque. La mystérieuse demeure au bord de la falaise avait été un terrain de jeux propice à l'imaginaire d'une bande d'enfants qui aimaient croire aux fantômes, pirates sanguinaires, bestioles et autres créatures fantastiques inspirés par les œuvres abandonnées dans la grande carcasse de béton et de briques. Cillian avait cru longtemps à ces histoires qu'ils inventaient tous en frissonnant autant de peur que de plaisir.

Puis les Ferguson étaient arrivés et avaient commencé le faramineux chantier de restauration. Finis les frayeurs mêlées aux fous rires, les courses, les planques, les chuchotements, les vaines attentes d'inquiétantes apparitions… Quand Michael avait proposé aux jeunes gens de Ballintoy de venir l'aider dans ses travaux, il avait été le seul à retourner dans la maison noire. Poussé d'abord par la curiosité, il avait rapidement appris à apprécier l'homme passionné qui redonnait vie et âme aux lieux. Lorna son épouse était un esprit généreux et ouvert et il avait trouvé auprès d'elle une affection sincère qu'il n'avait plus connue depuis la disparition de sa mère quelques années plus tôt. Il était fier d'avoir participé à ce projet insensé. L'amitié scellée lors de cette aventure était indéfectible et s'était métamorphosée en lien quasi filial.

Mais il n'aimait rien tant que d'être sur un bateau, son visage fouetté par le vent et les embruns ou chauffé par un soleil ardent. Il avait écumé quelques mers et océans. Devenu un skipper doué et recherché, il avait accompagné pendant quelques années de riches plaisanciers dans toutes les eaux du monde sur des voiliers insensés. Il n'appréciait que poliment leur compagnie et ne faisait rarement plus que ce qu'il convenait d'effectuer pour fournir les supposées sensations fortes et marines qu'attendaient ses clients. Il n'avait pas refusé de temps à autre les avances de quelque femme que l'ennui et le soleil rendaient attirante pour de courts moments de corps à corps haletants. Lassé par ces passagers et ces navigations qui se ressemblaient tous un peu, il était rentré en Irlande quatre ans plus tôt avec suffisamment d'argent pour créer une école de voile à Ballycastle et s'installer à Ballintoy dans la petite maison familiale dont il avait hérité et qu'il avait restaurée avec l'aide enthousiaste et experte de Michael.

Il avait retrouvé ses amis à Bendhu et rencontré Estelle, leur chère amie française, drôle et attentive, gaie et mystérieuse, qui venait presque toutes les semaines pour écrire, marcher et partager de chaleureux moments avec eux. Elle aimait Ballintoy et le whiskey irlandais, la couleur de ses yeux était changeante comme le ciel. Il aimait sa silhouette, sa compagnie, il aimait la voir, l'entendre. Il ne pouvait s'empêcher de venir quand il la savait là. Il était embarrassé et presque étonné par cette émotion confuse qui l'avait envahie au fur et à mesure de leurs rencontres.

La veille de la nuit avait engourdi son esprit et son corps. Alors qu'il dépliait ses longues jambes, il entendit un bruit de clefs dans la serrure de la porte d'entrée. Il bondit vers le petit escalier en béton qui menait à la chambre cabine. Malgré les heures d'attente, il n'avait pas anticipé l'attitude à adopter lors du retour du petit homme. La porte venait de se refermer et les pas sonores de l'intrus indiquaient qu'il descendait vers ce qui était en réalité le rez-de-chaussée de la maison. Il entreprit de se poster en haut de l'escalier en verre qui menait à l'appartement du bas. Il était aussi excité qu'inquiet et cette filature improvisée lui rappela alors les joyeuses frayeurs de son enfance en ces lieux. Il entendit les tiroirs grinçants de l'armoire de la chambre d'enfants et sut que l'homme y cherchait quelque chose. Estelle, qui écrivait régulièrement dans le salon face à la mer, disposait là d'un long compartiment de rangement dans lequel elle déposait ses dossiers et documents pour ne pas encombrer la pièce durant ses absences.

Cillian n'osait pas avancer plus, ne sachant si l'homme était installé face vers la porte ou vers la fenêtre. Il sursauta lorsqu'un objet touchant le sol se brisa soudain. Du verre cassé, la petite lampe de chevet du lit près du mur, dont le socle était fendu. Il avait dû tenter d'allumer, il était donc vers le fond de la chambre et avait certainement dû s'asseoir sur le petit lit avec le tiroir. Il crut un instant que cet incident changerait les plans du curieux, mais il entendit distinctement les sons caractéristiques de papiers feuilletés, de livres rapidement parcourus et jetés sur le sol. Il décida d'intervenir. Il prit une longue inspiration et entra brusquement. Il fit face à l'homme assis et besogneux.

— Puis-je savoir ce que vous faites ici ?

Tout en pointant calmement vers Cillian un pistolet Beretta, l'homme se leva et le regarda en souriant.

— Je vous attendais. Vous semblez bien connaître cette bâtisse et je suppose les personnes qui la fréquentent. Gardien peut-être ? Ami fidèle et dévoué ?

Il y avait une pointe de mépris dans sa façon de s'exprimer qui ne laissait aucun doute sur ses intentions. Il se leva doucement et indiqua d'un regard le tiroir en désordre.

— Je ne suis pas sûr que vous sachiez exactement quelle est la nature des recherches d'Estelle Rambrant, mais vous pourrez certainement me dire s'il y a d'autres documents lui appartenant dans la maison. Je sais que vous êtes proches, pas autant que vous le souhaiteriez peut-être, mais…

L'homme avait accompagné ces derniers mots d'un regard salace. Cillian aurait voulu lui sauter dessus et lui coller son poing dans la figure, mais l'arme braquée à moins d'un mètre de son visage était suffisamment dissuasive. Estelle lui avait confié quelques semaines plus tôt une clef usb prétextant son incorrigible négligence. Il avait alors apprécié la confiance qu'elle lui manifestait et avait consciencieusement rangé le petit objet chez lui dans un tiroir de la cuisine. Le face-à-face tendu dans la chambre lui rappela brutalement cet épisode.

— Est-ce que le nom de Jason Gloves vous dit quelque chose ? Peut-être l'avez-vous déjà vu ici ?

— Ni vu ni connu. Mais vous n'avez pas eu non plus le plaisir de rencontrer Estelle ? Je n'ai aucune idée de ce que vous cherchez, mais j'ose croire que vous ne lui souhaitez aucun mal. J'en serais très peiné. Je ne sais pas qui vous êtes à l'inverse de vous qui semblait nous connaître tous. Vous avez l'avantage aujourd'hui. Mais je n'ai malheureusement aucune des réponses que vous attendez.

— Dommage mon cher, il faudra bien que vous m'aidiez, que vous le vouliez ou non. Commençons par exemple par explorer tous les endroits de cette maison où l'on pourrait dissimuler un dossier, un CD, une clef, un ordinateur… après vous.

Il lui indiqua la porte d'un hochement de tête. À peine Cillian avait-il tourné les talons qu'il le frappa violemment avec la crosse de son revolver. Cillian s'écroula lourdement sur le sol, son grand corps étrangement immobilisé dans le cadre de la porte. L'homme dut faire un effort inattendu pour l'enjamber. Sans un regard pour sa victime, il disparut dans le couloir.

La première chose qu'il aperçut dans la brume de son réveil fut une étoile dorée gigantesque juste au-dessus de sa tête dont les flèches multiples, qui lui semblaient trembler légèrement, pointaient vers des figures animalières étranges et néanmoins familières. Un battement douloureux cognait ses tempes. Il détacha son regard du plafond fantastique et baissa les yeux vers les deux fenêtres de la pièce qui laissaient entrer une lumière grise. Il se rappela alors la pathétique altercation qu'il avait eue avec le petit homme et une onde de colère traversa son corps étendu. Qui l'avait allongé dans la chambre au Zodiaque ? Le visage souriant de Lorna apparut au même moment au coin de la porte. Elle s'avança, s'assit près de lui au bord du lit et lui prit la main avec tendresse.

— Comment te sens-tu ? Nous avons eu si peur.

— Lorna, je suis désolé, je n'aurais pas dû être ici. Je… J'ai vu cet homme l'autre soir et j'ai voulu savoir. Estelle est en danger, il la cherche, il cherche des documents. Où se trouve-t-elle en ce moment ?

Il était agité, ne savait quoi dire à Lorna malgré son malaise et par-dessus tout il voulait voir Estelle, la savoir en sécurité, la ramener ici et la regarder écrire là-haut face à la mer. Il se sentait épuisé et ridicule, il se sentait impuissant et ridicule. Submergé une fois encore par la véhémence de ce sentiment attisé par la scène de la veille, il enrageait de perdre ainsi le contrôle de lui-même en pareille circonstance. Lorna l'observait avec un sourire bienveillant et il ne faisait aucun doute à cet instant qu'elle avait perçu le trouble qui le secouait. Il se redressa trop rapidement et grimaça de douleur en posant les doigts à la base de son crâne. Le coup avait été précis et violent. Le professionnel savait exactement ce qu'il devait faire pour assommer un homme de sa carrure et le laisser inconscient durant quelques heures.

— Je vous dois quelques explications à présent… Avec un whiskey, du pain et du fromage… Je redeviendrai moi-même et je retrouverai mon vocabulaire non ?

Quelles que fussent les circonstances, il trouvait toujours une pirouette pour minimiser la gravité, plaisanter avec l'inquiétude, masquer ainsi ses propres angoisses ou ses fragilités. Il sourit gentiment à Lorna qui le laissa sortir du lit. Lorsqu'il rejoignit l'étage, Michael lui tendit avec un regard pétillant un généreux verre de whisky. Du pain et du fromage étaient posés sur la table basse. Décidément, il n'échangerait pour rien au monde ces instants précieux que ses amis créaient avec tant de naturel. Après son récit qu'il éclaira de nombreux détails, le doute qui s'était emparé de tous était palpable. Les interrogations que soulevait cette brutale incursion étaient multiples, mais le mystère qui entourait à présent les activités d'Estelle était au cœur de la discussion. Avant de la contacter et de l'alarmer inutilement, ils avaient tous les trois décidé de vérifier le contenu de la clef qu'elle lui avait confiée. Peut-être sa lecture leur permettrait-elle, à défaut d'agir, d'au moins comprendre la menace. Lorna ne souhaitait pas que Cillian rentre chez lui. Qui savait ce qu'il pouvait encore lui arriver…

C'est Michael qui alla donc la chercher et ils s'empressèrent de la connecter à l'ordinateur du salon. Un seul dossier y figurait intitulé

Jason. S'ils ressentaient une pointe de curiosité coupable à découvrir le contenu du document, ils demeuraient persuadés par cette nécessité. Ils ouvrirent l'un après l'autre trois fichiers. Le premier était une liste de cent noms d'artistes et cent titres d'œuvres marqués d'une date. Le second une liste de cent noms avec des coordonnées complètes. Les initiales devant chaque nom correspondaient à celles des artistes et il fut aisé de conclure qu'il s'agissait certainement de la liste des propriétaires des œuvres citées.

Ils connaissaient tous trois les activités professionnelles d'Estelle et ces documents n'étaient à priori rien d'autre que des fiches de préparation pour une des expositions dont on lui confiait régulièrement la direction artistique. Le troisième fichier bizarrement nommé « Farces et Attrapes » se révéla bien plus énigmatique. Plusieurs pages de notes avaient été scannées. Si l'on reconnaissait l'écriture ample d'Estelle, il était impossible de déchiffrer l'ensemble des schémas, flèches, soulignements et symboles qui reliaient, cernaient ou raturaient différents noms propres, et dates. Aucun lien apparent ne pouvait être établi avec les précédentes pièces. Aucun nom, aucune date à recouper. Le titre lui-même laissait les trois amis perplexes sauf à penser qu'il s'agissait bien d'une autre énigme à résoudre.

Il était peut-être temps de prévenir Estelle. Le petit homme n'avait pas trouvé ce qu'il cherchait à Bendhu, cela signifiait certainement que ces fichiers étaient la seule copie des recherches qu'elle avait faites. Des recherches suffisamment délicates pour en confier l'unique exemplaire à un ami digne de confiance. Elle avait dû comprendre l'importance de ce travail, mais apparemment en avait sous-estimé les conséquences. Trop de questions soudain embrouillaient l'esprit de Cillian. Lorna avait évoqué Jason Gloves, elle savait qu'il était une sommité du milieu de l'art contemporain, un ami très proche d'Estelle depuis leurs études et qu'il la sollicitait régulièrement pour des conseils avisés sur ses projets. D'ailleurs, elle était en ce moment en France pour assister à l'une des plus grandes expositions que le critique ait jamais réalisées.

Toulouse

Jason était fatigué. Trop d'adrénaline, trop d'alcool, trop de monde, de mondains. Le dîner était interminable, mais la présence d'Estelle et de Marcus l'éclairait un tant soit peu. C'était comme d'habitude un exercice fastidieux auquel il savait depuis des années se prêter avec un détachement naturel. Il avait fini par inviter Marcus Garbot. Ce garçon l'intriguait et il avait espéré qu'il saurait le dérober à l'ennui de cette soirée. Estelle lui avait dressé un portrait sévère, mais sans méchanceté de l'homme de quarante-deux ans qui rêvait encore d'une carrière internationale, intelligent, cultivé mais qui... n'avait jamais quitté Toulouse.

Marcus s'était installé presque en face de lui entre l'attachée de presse et un sombre et alcoolique journaliste du quotidien local qui n'avait pas osé adresser la parole à Gloves. Il s'était montré un connaisseur sans faille de sa vie. Dates, lieux, articles, artistes... Il savait tout de sa biographie, même des détails qu'il avait oubliés depuis longtemps. Il pointait sous tout cela une forme de vénération quasi adolescente que Gloves trouvait presque attendrissante. L'homme était maladroit et avait du mal à cacher la jubilation qu'il éprouvait à être là. Ses voisins de table tentaient de masquer leur agacement par des sourires forcés, de lents soulèvements d'épaules qui contenaient leurs soupirs.

Mais rien n'aurait pu entamer son enthousiasme. Rien si ce n'est l'instant où Gloves s'était levé en saisissant tranquillement sa chaise et avait rejoint Estelle un peu plus loin. Il avait quitté sa place sans prévenir, sans énervement et ce n'était pas tant Marcus et son flot de paroles que le maire et sa cour, leur prétention et leur ignorance qui avaient eu raison de sa patience et de sa politesse. Marcus s'était soudain senti abandonné et ne put réprimer un haussement de sourcils interrogateur auquel Gloves répondit avec un sourire énigmatique. Il comprit alors qu'il n'était pas en cause et se tournant vers sa voisine s'écria comme pour lui-même « Quel talent ! ».

Le dîner s'étiolait lentement. Gloves n'avait pas quitté Estelle et les deux amis semblaient hors de portée. Marcus tentait, presque en vain, de détacher son regard. Il aurait aimé avoir la décontraction de Gloves et s'approcher d'eux en feignant de venir partager un dernier verre avant son départ... Contre toute attente, c'est Gloves qui lui fit discrètement signe de se joindre à eux. Il prit soin de ne pas montrer à quel point il aurait voulu bondir à cet instant et fit un geste étudié de la main. Il regarda presque avec inquiétude Estelle lorsqu'il vint les rejoindre. Elle lui tendit un whisky avec un sourire.

— Sec, si je me souviens bien ?

— Oui bien sûr. Quelle mémoire !

— Marcus, pourquoi n'as-tu jamais quitté cette ville ?

La question le surprit autant que le ton naturel et sans agressivité d'Estelle. Il la regarda un instant en silence, le temps de récupérer, de composer, de tenir son rôle... Mais à quoi bon avec elle qui avait choisi depuis si longtemps de ne plus se plier à certains codes.

— Tu n'as rien perdu de ta franchise Estelle. Celle qui m'agaçait tant.

Marcus avait prononcé cette dernière phrase presque avec tristesse, comme pour lui-même.

— Quoi te dire ?...

— Rien si tu n'en as pas envie. Je ne cherche pas à t'embarrasser. Excuse ma maladresse, ce n'est peut-être pas le moment approprié.

Estelle jeta alors un rapide regard à Jason qui lui sourit imperceptiblement. Il savait comment elle avait acquis cette façon d'être, cette forme de distance polie, mais impitoyable qu'elle entretenait avec tous les professionnels qu'elle côtoyait de près ou de loin et qui n'entraient pas dans le cercle très fermé de ses amis. Cela n'avait pas toujours été ainsi, sa gentillesse, sa décontraction et sa franchise lui avaient valu quelques revers et quelques trahisons qui l'avaient beaucoup affectée à une certaine époque. Elle possédait un manque de confiance en soi très discret, intermittent, absolument maîtrisé, indétectable pour ceux qui ne la connaissaient pas. On aurait pu dire à ce point qu'il était parfaitement inutile, mais cette construction si particulière l'avait enveloppée malgré elle d'une aura singulière.

Marcus saisit son whisky et le tendit lentement vers Gloves et Estelle. Ils firent tinter les verres sans un mot. Il savourait cette connivence inattendue, mais savait à quel point elle serait éphémère. Il n'avait plus envie de calculer, de flatter, de paraître, juste apprécier la compagnie de ces personnes uniques. Il sentait le moment de la séparation arriver et cherchait le moyen de prolonger la fin de soirée.

— J'ai aperçu Joachim da Silva tout à l'heure. Je suis étonné qu'il ne soit pas ici ce soir…

— Joachim ? Je ne savais pas qu'il était là. Il ne passe pourtant pas inaperçu. C'est invraisemblable, incompréhensible qu'il ne se soit pas manifesté. Vous connaissez Joachim ?

— Pas personnellement évidemment, mais je connais ses recherches, ses travaux sur la fin de l'exposition, ses critiques sur vos méthodes…

— Il était seul ?

— Je ne sais pas. Oui je crois… Vous semblez contrarié…

— Plutôt surpris en fait.

Joachim da Silva avait fait ses études avec Jason Gloves. Fils unique d'une riche famille lisboète, il avait grandi dans une immense demeure au milieu d'œuvres d'art que ses parents avaient collectionnées avec passion et compulsion pendant plus de cinquante ans. Les deux hommes ne s'appréciaient guère et avaient pris des chemins aussi différents que prestigieux dans le vaste domaine de l'art contemporain.

Si Marcus parut soudain excité d'en savoir plus sur Da Silva, Gloves décida de ne pas s'étendre sur le sujet. Estelle avait bien observé l'ombre de contrariété qui avait glissé sur son visage et ne fit aucune remarque. Elle se souvenait de l'esprit de compétition permanente et tendue qui s'était installé entre les deux hommes dès leurs premières années d'études et qui ne les avait plus quittés durant toute leur carrière. Il était décidément temps de clore cette soirée et Estelle prit les devants.

— Je vais rentrer à mon hôtel, j'ai prévu quelques rencontres demain avec de vieux amis et il est déjà tard. Où es-tu descendu, Jason ?

— Au Mamma.

— Moi aussi. Prenons le petit déjeuner ensemble si tu veux, nous aurons certainement un tas d'histoires à nous raconter…

Elle lui adressa un sourire complice. Elle se leva en même temps que ces deux compagnons de table. Marcus sembla un instant hésiter, sentant la fin de cette incroyable rencontre puis s'approchant d'elle sans plus savoir s'il fallait lui tendre la main ou l'embrasser, il s'entendit lui dire.

— Peut-être aurais-tu un moment pour passer au centre ?

— Avec plaisir Marcus, mais ce sera une brève visite, je ne reste que quarante-huit heures. Demain en fin d'après-midi te convient-il ?

— Absolument, oui, bien sûr… Dix-sept heures trente ?

Estelle acquiesça d'un hochement de tête tout en s'approchant de Marcus quelque peu empoté, la main à moitié tendue. Elle lui donna une brève accolade qui le laissa décontenancé. Elle qui n'appréciait guère la pratique de la bise avait jugé cette forme de salut très appropriée et savait doser depuis longtemps son usage à chaque situation.

— Marcus, j'ai été ravi de vous rencontrer. À bientôt peut-être !

C'est Gloves cette fois qui lui serrait fermement la main. Il eut à peine le temps de lui tendre sa carte de visite et de bredouiller une fade formule de politesse. Jason embrassa Estelle avec tendresse, la main droite posée sur son cou avant de repartir nonchalamment en traînant sa chaise vers la table des officiels qui avaient peu à peu déserté le dîner.

Helsinki

« *Jason Gloves est certainement le plus arrogant, le plus déroutant et le plus doué des curators sur cette planète. Cette improbable exposition à Toulouse en France illustrera je n'en doute pas une fois encore son incroyable audace et son profond engagement auprès de la création contemporaine. J'emploie le futur, car l'autisme de Gloves atteint parfois les limites du mépris et le différend qui nous a opposés peu avant le début de l'inauguration publique de l'« Exposition » ne m'a pas laissé le loisir d'apprécier l'événement dans toutes ses dimensions.*

Nous savons à quel point cet imprévisible professionnel est capable non seulement de surprendre, mais d'atteindre pour chacun de ses projets un degré jamais égalé de perfection et un niveau de questionnement sur l'art toujours renouvelé.

Mais devant une telle provocation, on peut tout de même s'interroger sur les moyens et les réseaux dont il dispose pour mener à bien de si extravagantes entreprises. Le mystère est entier quant à ses partenaires, ses collaborateurs, ses financeurs, ses collectionneurs. On ne réunit pas un tel ensemble d'œuvres dans des conditions particulièrement inédites sans de sérieux appuis. Les dossiers de presse de Gloves sont si peu bavards qu'il est toujours presque impossible de savoir à quoi s'attendre… »

Une heure qu'elle tentait en vain d'écrire cet article. Maarit Heikkineen savait qu'elle n'aurait pas dû gifler Gloves et surtout pas avant de découvrir l'exposition. Sa réaction avait été excessive, elle regrettait son départ précipité de Toulouse, tellement impulsif et puéril. Elle était rentrée directement à Helsinki dans la nuit. Il était quatre heures, fatiguée, exaspérée, les yeux brûlants devant l'écran blafard de son ordinateur, elle mesurait à quel point sa situation de journaliste artistique était en danger, à quel point elle-même l'était peut-être.

En acceptant de la part de ce mystérieux commanditaire de rédiger un article qui mettrait en cause les réseaux et les méthodes de Gloves, elle avait d'abord été flattée, flattée que l'on reconnaisse ses talents de critique et de journaliste d'investigation dans la sphère si fermée de l'art contemporain international, flattée aussi par la somme faramineuse qui accompagnait le contrat et dont la moitié avait déjà été déposée pour elle dans une banque étrangère. Mais le doute la tenaillait. Elle n'avait pas envie de discréditer Gloves, elle se demandait même à cet instant si cela était vraiment possible. Et la peur commençait à se distiller imperceptiblement dans son cerveau. Dans cet état de tension montante, elle tentait d'imaginer des solutions de repli pour mettre fin à cette mésaventure, se soustraire à une situation qui lui échapperait quoiqu'il advienne.

Appeler Gloves ? Lui révéler la machination et rendre l'argent à… ? À qui d'ailleurs ? Elle n'avait aucun moyen de prendre contact avec son commanditaire. Elle ne connaissait même pas son nom. Elle possédait la carte d'un certain Jacques Berthelot, avocat dont le numéro de téléphone s'était avéré incorrect dès le premier appel qu'elle avait essayé de passer. Elle s'en était étonnée sur le moment, mais n'avait pas cherché à résoudre la question, il ne s'agissait alors que de le remercier de la ponctualité du versement des honoraires.

La luminosité de l'écran dans la pièce sans éclairage accentuait sa pâleur. Elle décida d'aller se servir un verre de vin. L'alcool soulagerait un moment son angoisse et l'aiderait peut-être à finir son article. À l'instant même où elle se levait retentit la petite musique d'un email entrant. Par réflexe, elle ouvrit le message dont l'expéditeur lui était inconnu.

Chère Madame Heikkineen, Il serait vain de renoncer à honorer votre contrat. Nous sommes surpris de vous savoir déjà de retour à Helsinki. Nous doutons que vous ayez pu apprécier l'exposition à sa juste démesure. Nous vous invitons à reprendre contact avec Jason Gloves le plus rapidement possible et trouver les réponses qui vous permettront d'achever votre mission. Nous nous mettrons en relation avec vous, où que vous soyez, dans une dizaine de jours afin de récupérer votre article. Cordialement.

Maarit demeura figée un moment devant l'écran avant de prendre conscience qu'elle avait commencé à trembler de tous ses membres. Malgré la profonde expiration qu'elle réussit à prendre, il lui fut difficile de se calmer. Elle se leva enfin, courut presque dans la cuisine qu'elle laissa dans l'obscurité, attrapa un grand verre à vin posé sur le bar éclairé par les lumières de la ville, le cala sous le distributeur de glaçons. Une bouteille de whisky écossais traînait sur la table et elle en recouvrit les cubes glacés dans son verre. Elle prit une rasade dans un geste peu élégant qui ne lui était pas coutumier. Elle avala en grimaçant le breuvage qu'elle appréciait peu habituellement. Elle appellerait Gloves demain.

*
**

Toulouse

La sonnerie du téléphone retentit. Jason mit un temps incroyable avant de décrocher tout en se redressant péniblement dans son lit. Son portable affichait six heures.

— Bonjour Jason, c'est Joachim. Désolé de t'appeler si tôt.

L'effet de surprise fut de courte durée.

— Ton irrésistible désir de me voir ne pouvait pas attendre quelques heures ?

— Je rentre à Lisbonne un peu plus tard et j'ai besoin de te parler.

— Tu ne pouvais pas me parler hier ?

— J'ai hésité longtemps, je ne voulais même pas te voir…

— J'ai su que tu étais là. Je me suis étonné de ne pas t'avoir croisé ou au moins de ne pas avoir entendu parler de toi…

— Je t'en prie Jason. Dis-moi juste si tu peux m'accorder un moment. Je peux te rejoindre dans une demi-heure ?

Le ton de Da Silva était inhabituel, marqué d'une pointe d'incertitude que Jason ne lui avait jamais connue.

— Je t'attends. Chambre deux cent neuf.

La communication s'interrompit aussitôt. Il était perplexe, pas tout à fait sûr d'avoir participé à cette conversation. Il fut tenté de s'étendre à nouveau. La nuit avait été courte. Il était insomniaque et passait le plus clair de ses longs moments d'éveil nocturnes à regarder des films de Jackie Chan. Il aimait franchement et sans explication cet homme jovial, d'une souplesse inconcevable et appréciait le plaisir et la détente réels que lui apportaient ces histoires invraisemblables tricotées autour de scènes épiques de combat, des histoires qui autorisaient son cerveau à baisser la garde. Il nourrissait le rêve secret de rencontrer l'acteur un prochain jour. Personne évidemment ne connaissait cette passion, non pas qu'elle lui semblait inavouable, mais elle ne pouvait pas être partagée, du moins en était-il persuadé. Il avait bien failli en parler à Estelle qui lui avait raconté en toute simplicité au détour d'une conversation son addiction régulière à certaines séries romanesques et costumées dans lesquelles elle oubliait toute réalité… Oui décidément, il faudra qu'il lui dise prochainement. Il connaissait absolument toute la filmographie de Chan et savourait même avec une indulgence adolescente les nombreux «nanars» dans lesquels l'acteur avait tourné. Il avait donc visionné entre deux et quatre heures du matin pour la énième fois un de ces films acrobatiques avant de se laisser enfin gagner par le sommeil. Il sentait à présent la fatigue, mais l'étrange appel de Joachim avait piqué sa curiosité. Il eut à peine le temps de se rafraîchir qu'il entendit frapper à la porte. Da Silva avait un physique qui ne passait pas inaperçu. Il était plus grand que la moyenne des hommes. Du haut de ses deux mètres, sa carrure athlétique, sa démarche féline, son visage grave dessiné par un long nez et d'immenses yeux sombres ne laissaient personne indifférent. Ses costumes, redingotes et autres accessoires de dandy qu'il portait avec un naturel et une aisance déroutants ajoutaient à la fascination qu'il exerçait le plus souvent sur son entourage.

Jason ne s'attendait pas à le voir mal rasé, ses grands yeux cernés par un manque évident de sommeil. Il grimaça en guise de salut alors qu'il entrait dans la chambre. Toute sa superbe s'était évaporée au profit d'une posture si peu familière qu'il était difficile d'imaginer qu'il s'agissait du même homme.

— Que se passe-t-il ?

Da Silva était passé devant lui sans le regarder et s'était assis très doucement sur le sofa. Il desserra le nœud de sa cravate et passa ses longues mains dans ses cheveux décoiffés avant de lever enfin la tête vers Gloves.

— Je ne sais pas par quoi commencer Jason… Je crois bien avoir fait une énorme connerie.

— Oui et depuis quand ressens-tu le besoin de m'informer de tes coups tordus ? Jusqu'ici, d'autres s'en chargeaient toujours très bien ?

— Depuis que je sais t'avoir mis en danger.

— Rien ne t'en avait empêché jusqu'à présent…

— En danger personnel Jason… Je… Je ne suis pas certain d'apprécier ce qui est en train de se passer…

— Mais qu'est-ce que tu racontes ?

Da Silva tremblait imperceptiblement. Son discours était confus et il apparut soudain fragile. Jason était perplexe. Il s'assit sur le lit en face de lui.

— Joachim, je suis désolé, mais tout cela te ressemble si peu. Que s'est-il passé ?

— J'ai été contacté il y a quelques mois par un avocat d'affaires français nommé Jacques Berthelot pour le compte d'un club très select et très fermé de collectionneurs, pas de nom, presque une confrérie qui se réunit une fois par an à Paris. Ils vouent d'après lui une haine indescriptible pour l'art contemporain ou ce qu'ils croient qu'il est. Ils n'ont de cesse de discréditer de grands événements et tous ceux qui y participent. Leurs méthodes sont redoutables, leur réseau immense, impénétrable. Le toit qui s'écroule cette année à l'Armory Show et la fermeture de l'exposition est leur dernière fierté. Lorsque Berthelot m'a parlé de toi et de ton projet, j'ai adoré l'idée d'avoir les moyens de griller tes recherches. Les moyens oui, d'énormes moyens, c'est à peine imaginable... Ils savent tout de toi, ils savent tout de moi, de notre histoire commune, de nos différends, de nos compétitions. Ils m'ont proposé beaucoup d'argent, une équipe, des bureaux là où je souhaitais qu'ils soient. Il s'agissait non pas d'empêcher la réalisation de ton exposition, mais d'inventer la rumeur pour te détruire définitivement... Une rumeur qui ferait de toi la pire des ordures. Ils ont contacté les artistes avec qui tu as l'habitude de travailler, des journalistes, certains de tes partenaires et collaborateurs, enfin ceux qu'ils ont réussi à trouver et persuader et bien sûr certains de tes ennemis (et tu en as quelques-uns évidemment) qui rêvent de te voir plonger... Parmi eux, il y a moi en qui ils ont vu l'incarnation de leurs folles perspectives.

Il écoutait da Silva en regardant la tête baissée de l'homme qu'il avait tant de mal à reconnaître. Il essayait de ne pas imaginer que tout ceci soit encore une de ces farces sophistiquées qu'il avait souvent concoctées. Mais jamais jusqu'ici le critique portugais ne s'était physiquement impliqué dans une affaire et surtout pas face à lui. Il était un professionnel exceptionnel, un intrigant expert, mais un piètre acteur. Il se demandait quel sentiment marquait sa voix et lui faisait courber la nuque. Da Silva s'était brusquement tu, sentant certainement le regard dubitatif de Jason posé sur lui.

— Je ne devais pas venir ici aujourd'hui. Encore moins te parler de tout cela évidemment. Ils savent que je suis ici et ils me l'ont fait savoir, à leur manière. Un message, ou plutôt une messagère qui m'a interpellé au musée…

— Estelle ?

Jason avait prononcé son nom avec inquiétude.

— Non bien sûr que non ! Estelle n'a rien à voir dans tout ça. Une femme corpulente toute vêtue de noir qui s'est approchée de moi en souriant comme si nous nous connaissions. Elle s'est arrêtée devant moi, a approché son visage du mien et m'a presque murmuré : bonsoir, monsieur Da Silva, il n'était pas mentionné dans vos prérogatives que vous veniez assister au vernissage de l'exposition de Gloves… Vous la connaissez mieux que lui-même… Je lui répondais sèchement que j'avais toute liberté d'action pour mener à bien la mission qui m'avait été confiée et qu'il me semblait nécessaire d'être là précisément afin d'apprécier l'effet de l'événement sur le public… Elle ne m'a pas laissé finir ma phrase, m'a tendu un billet d'avion pour Lisbonne m'informant que j'étais attendu à treize heures demain à la Fondation Calouste-Gulbenkian… Enfin tout à l'heure. J'ignore ce qui va se passer. Ils me font à peine confiance.

Alors que Da Silva devenait à nouveau silencieux, Jason sentit soudain le trouble qui l'envahissait à la pensée d'Estelle, une sensation pressante, urgente et incompréhensible de la voir. Ce n'était pas tant le doute qui avait pu le saisir pendant le récit de Joachim — il s'en voulait même d'avoir pu imaginer une quelconque trahison de sa part — mais plutôt une révélation de son absence et du désir de poser une fois encore ses doigts sur sa nuque comme à l'instant de leur séparation quelques heures plus tôt. Il balaya d'un clignement d'yeux l'étrangeté de cette pensée.

— Joachim, je ne suis pas certain de comprendre ce que tu me racontes. Tout cela est tellement invraisemblable. Es-tu en train de me dire que tu renonces à collaborer avec une assemblée mystérieuse qui soudainement s'en prendrait à moi ? Es-tu en train de me dire que je suis menacé et que tu es menacé ? J'ai du mal à croire à cette fiction de complot contre l'art contemporain piloté par une société secrète de riches collectionneurs passéistes et fortunés prêts à tout pour détruire ma carrière… Mais c'est ridicule non ? Tu me connais si bien, Joachim. S'ils ont tant de moyens que cela, pourquoi auraient-ils besoin de me faire du tort pour poursuivre leur but ? Et pourquoi toi ? Et qu'est-ce qui te fait si peur ? Éclaire-moi. Je crains de ne pas être convaincu, même si tout cela me surprend, même si TU me surprends.

Da Silva s'était redressé et sembla pendant un bref instant avoir retrouvé une contenance, mais sa voix teintée d'agacement trahit à nouveau son malaise.

— Je n'avais pas espéré que tu cèdes à mes doutes ou même que tu croies à tout cela. Je sais que j'ai porté cette compétition imbécile entre nous vers des limites que je n'aurais pas dû franchir. Cette histoire me le rappelle cruellement… au nom de quoi d'ailleurs, de nos façons de regarder l'art, de regarder le monde, de qui serait le meilleur… Quelle prétention ! Je me sens mal aujourd'hui moins parce que je suis là devant toi à geindre que parce que je n'ai pas vu venir ce qui se passe et que je ne maîtrise plus la situation au point de m'interroger sur ce qu'il adviendra dans les prochaines semaines. Crois-moi ou pas Jason, mais je ne sais plus si j'ai l'intention de me compromettre plus longtemps avec ces fous. Je n'ai plus beaucoup de temps alors laisse-moi te dire ce que je sais de leurs intentions et de leurs méthodes. Je ne t'aime pas beaucoup, mais j'hésite encore à faire ce qu'on m'a demandé de faire…

Même si Jason refusait de croire à cette sombre histoire il n'imaginait pas que Da Silva ait pu l'inventer. Comme pour se protéger d'une menace qu'il sentait imminente, il ne l'écouta pas plus longtemps.

— S'il te plaît, épargne-moi ça ! Je veux bien imaginer que tu sois dans un sale pétrin et que tu cherches à t'en sortir. Mais ne me mêle pas à tout cela. L'humilité et le repentir te ressemblent si peu. Si tu as vraiment besoin de mon aide pour discréditer ses illuminés tu peux compter sur moi, mais ne me menace pas.

Joachim soupira avant de se lever. Il traversa la chambre en silence en secouant son long manteau. Juste avant de sortir, il tourna la tête vers Jason avec une lueur de colère dans les yeux.

— Tu devrais prendre des nouvelles de ta nièce…

La porte se ferma sur ses paroles et Jason eut soudain froid.

Estelle attendait Jason au bar de l'hôtel, un café à la main. Il était huit heures trente et elle s'étonnait qu'il ne soit pas encore là. Il était matinal comme elle. Elle l'aperçut enfin, quelques sofas plus loin lui faisant un signe discret de la tête. En s'approchant de lui, elle sentit la tension qui émanait de son corps. La nuit avait dû être agitée.
— Allons faire un petit tour dans le jardin japonais, c'est à deux pas. Tu pourras exercer ton sourire ravageur sur quelques carpes koïs dodues et ondulantes. Tu as l'air épuisé, mauvaise nuit ?

Il se leva en souriant malgré la fatigue, attrapa sa veste et prit Estelle par le bras. Ils furent tous deux surpris par la douceur de l'air, le froid mordant de la veille encore dans leurs mémoires. Gloves apprécia la fraîcheur plus qu'il ne s'y attendait et la compagnie silencieuse d'Estelle comme un cadeau. Ils marchèrent quelques minutes sans prononcer un mot jusqu'à ce qu'ils rejoignent l'étang central du jardin où serpentaient nonchalamment quelques poissons écarlates et noirs.

— Da Silva m'a rendu visite tôt ce matin.

Estelle s'était mordu la lèvre inférieure. Elle ne dit rien.

— Il a tenu des propos incohérents. Il était méconnaissable. Je… Je ne sais pas quoi penser. Je sais qu'il est doué, mais il n'a pas pu inventer une histoire aussi farfelue.,

— Il ne l'a pas inventé Jason…

Il s'arrêta et la regarda avec stupéfaction se remémorant son doute lors de sa conversation avec Da Silva quelques heures plus tôt. Il n'eut pas l'occasion de lui en faire part. Estelle se campa bien en face de lui comme pour s'encourager à lui dire ce qu'elle savait.

— Jason, je ne suis pas venue juste pour assister au vernissage et te féliciter même si je suis sincèrement heureuse d'être avec toi ici. Je voulais te parler… J'aurais préféré le faire avant Joachim. J'aurais peut-être dû le faire avant, mais je craignais que tu abandonnes ce magnifique projet. En faisant les recherches pour ton exposition, j'ai découvert tout à fait par hasard qu'un des collectionneurs qui allait te prêter une œuvre achetait sous couvert d'une société-conseil des œuvres de Pontormo. Ne me demande pas tout de suite comment je l'ai su. J'ai été surprise, tu t'en doutes, ma curiosité titillée et j'ai voulu en savoir plus et… Ce que j'ai découvert m'a déconcerté, j'ai commencé à mener ma petite enquête, comme un complément de recherches, juste pour m'étonner une fois de plus des caprices et des excentricités de certains de nos grands et fortunés amateurs. Mais je me suis prise au jeu, un jeu de plus en plus énigmatique et inquiétant qui m'a conduite après quelques mois d'investigations à soupçonner l'existence d'un réseau international de sabotage et de muselage de l'art contemporain. Je pense même avoir trouvé le nom de cette organisation. Tu ne vas pas le croire…. « Farces et attrapes ».

Bien qu'elle parlât sérieusement et calmement de sa découverte, on sentait poindre dans sa voix une note d'excitation qu'accompagnaient un regard brillant et un rictus qui ressemblait presque à un sourire. Jason peinait à croire qu'elle évoquait le même sujet que Da Silva et ne put s'empêcher de se souvenir qu'elle pouvait parfois être fantasque.

— Estelle, tu n'es pas sérieuse. Ça n'a franchement pas l'air d'une plaisanterie. Tu n'as pas vu Da Silva comme je l'ai vu, je t'assure qu'il n'avait pas le sourire aux lèvres. Tu n'as pas été menacée ? Contactée ? Il faut que tu m'en dises plus maintenant.

Le téléphone d'Estelle retentit à cet instant et la sonnerie lui indiquait qu'il s'agissait de Lorna. Lorna n'appelait jamais sans une raison valable.

— Excuse-moi Jason, je dois répondre.

Elle décrocha tout en s'éloignant.

— Lorna ? Oui. Je suis encore à Toulouse. Jusque ce soir.

L'expression de son visage se durcissait au fur et à mesure que Lorna l'informait de l'incursion et de l'agression de Cillian à Ballintoy.

— Lorna, je ne peux pas rentrer maintenant, j'ai un rendez-vous demain à Inverness que je ne peux absolument pas remettre. Il ne faut pas vous inquiéter.........Je........ Comment va Cillian ?... Je suis rassurée d'entendre çà, dis-lui que je pense à lui, dis-lui merci.......Non.......Je vous appelle dès que je suis en Écosse... Oui, ce soir .... Au Colomba Hôtel... Je vous embrasse.

Elle revint en soupirant près de Jason.

— Un problème ?

— Eh bien… Je viens d'être démasquée, je crois, et j'ai mis mes amis en danger. Un homme s'est introduit dans leur maison en Irlande pour y chercher des documents m'appartenant. Cillian était là et s'est fait menacer et assommer… Je lui avais confié une clef avec mes recherches… Un pressentiment sans doute.

— Cillian ?

— Un ami proche de Lorna et Michael, un ami.

Tout se bousculait dans la tête d'Estelle. Elle prenait soudain conscience que cette aventure n'était pas sans risque à présent et qu'elle devait prendre quelques rapides décisions. Elle réalisait aussi que les êtres qu'elle aimait par-dessus tout venaient d'être menacés par ses recherches. Elle n'avait pas prévu un tel événement.

— Estelle, je n'arrive pas à y croire, tu dois rentrer. Tu n'aurais même pas dû venir ici. Je suis le seul à ne rien savoir de ces agissements, tout entier absorbé par la fierté d'avoir réussi… Tu dois arrêter tout ça, maintenant !

Sa voix était plus forte et plus profonde en même temps. Il regardait Estelle qui demeurait incroyablement calme. Elle prit ses deux mains glacées dans les siennes et parla doucement, avec une détermination affichée dans son regard bleu-gris.

— Je ne peux pas arrêter tout ça Jason. On doit LES arrêter ! Et remercie Da Silva de t'avoir contacté…

Il n'osa pas répéter la dernière phrase qu'avait prononcée Da Silva à propos de sa nièce. Il avait encore du mal à croire qu'il s'agissait d'une menace réelle même si les révélations d'Estelle corroboraient l'étrange récit de Joachim. Il contacterait Cassandre dès qu'elle serait rentrée d'Anchorage où elle était actuellement en résidence.

Jason avait tellement envie de se reposer. Il avait programmé un court séjour chez son ami Stefano au sud de Syracuse. S'il vouait une passion dévorante pour New York, la cité où il vivait depuis plusieurs années, il savait qu'il devait fuir son rythme électrique de temps en temps. Il avait prévu de partir directement de Paris dans trois jours pour rejoindre la Sicile. Ce projet insensé l'avait épuisé et il doutait d'avoir la force de s'engager dans un nouveau combat dont il craignait de ne pouvoir accepter ou comprendre les règles.

— Je sais que tu es fatigué, que tu aimerais croire qu'il s'agit d'une mauvaise blague. Je suis tellement désolée Jason, je n'avais pas imaginé que nous allions être personnellement affectés par cette histoire. C'est…

— Il va falloir que tu me dises absolument tout ce que tu sais. Je t'accompagne à Inverness si tu n'y vois pas d'inconvénient bien sûr. Je parviendrai peut-être à me faire une idée de ce qui nous attend. À quelle heure as-tu prévu de partir ?

— Mon vol est à seize heures, je crois, mon rendez-vous à l'Université des Highlands demain à dix heures. Je rencontre Angus Craig, spécialiste et ami de Peter Doig avec qui j'aimerais faire une édition. Craig est aussi un éminent professeur de gaélique. Il m'a laissé un énigmatique petit message quand il a confirmé notre rencontre et je suis presque sûre qu'il a été contacté par les « Farces ».

— Tu les appelles les Farces ?

Estelle haussa les épaules en guise de réponse.

— Et… Je ne vois pas d'inconvénient à ce que tu m'accompagnes…

Jason sentait l'inquiétude et la tension des dernières heures diminuer, estompées par la détermination et la bienveillance d'Estelle. Il ne parvenait pas encore à prendre la mesure de cette décision, mais il lui faisait confiance et il n'était plus question de la laisser continuer seule à présent. Alors qu'il croisait son regard, il la prit maladroitement dans ses bras et la pressa contre lui avec une tendresse qui la surprit au point qu'elle se figea en une posture un peu raide et inconfortable. Jason n'était pas démonstratif et elle ne s'attendait pas à cette soudaine et délicate proximité. La fatigue, l'agitation, l'avalanche de questions ne devaient pas être étrangères à ce geste inhabituel. Il lâcha son étreinte.

— On part ce soir ?

— J'ai deux rendez-vous, dont celui avec Marcus que j'aimerais honorer, il y a si longtemps que nous nous sommes vus… Tu sais, je me demandais s'il était… enfin, s'il avait quelque chose à voir avec tout cela. Il était tellement… tellement, tellement… hier soir non ? Et son allusion à Da Silva… Mais je n'arrive pas à me persuader de son implication, Marcus a un côté cupide, mais pas au point de se laisser corrompre par…

— Tu es trop sévère avec lui. C'est un homme intelligent qui n'a pas su saisir les bonnes occasions. Il fait son boulot avec les artistes et plutôt bien d'après ce que tu m'as dit. Il aspire certainement à de nouvelles rencontres. Te revoir a dû lui plaire…

— Faire ta connaissance encore plus… Allons le retrouver ensemble alors. Je crois qu'il y a un autre vol pour Inverness en fin d'après-midi par Édimbourg, nous n'y serons pas avant tard ce soir, mais pourquoi pas. Cela nous laissera du temps demain après avoir rencontré Craig. Brainstorming et révélations au bord du Loch Ness, tout un programme… Je l'appelle.

Jason ne put s'empêcher de sourire en hochant la tête. Tout s'était parfaitement organisé pour qu'ils puissent prendre un vol plus tard dans l'après-midi. Jason s'était rendu au musée pour régler quelques détails avec Petisel. Il avait ressenti une certaine appréhension en retournant dans les salles d'exposition. Les dernières révélations de Da Silva et d'Estelle l'avaient alerté et il avait malgré lui imaginé un sombre et malveillant scénario de sabotage... Mais tout semblait vibrer à perfection. Il insista auprès du directeur pour que la surveillance de l'exposition soit sans failles soulignant le montage technique particulièrement complexe du dispositif. Petisel l'assura de l'indéfectible vigilance de son équipe.

Quand il avait rejoint Estelle pour le déjeuner avec Marcus, on l'avait conduit à l'étage d'un ancien bâtiment industriel dont la structure métallique accentuait la rigueur et l'acoustique un peu cassante. Il les trouva attablés devant un guéridon rouge dans une petite pièce aux murs bleu outremer sur lesquels étaient accrochés dans le plus grand désordre des centaines de portraits photomaton noir et blanc. La seule fenêtre était occultée par un lourd rideau du même bleu que les murs. Une plaque de verre sur des tréteaux en bois rouge supportait un ordinateur autour duquel s'entassaient dans un capharnaüm inimaginable plusieurs piles de dossiers plus ou moins ouverts au bord de l'écroulement. Un petit canapé en cuir noir faisait office de bibliothèque, submergé par des centaines de livres. L'ambiance était surprenante, chaotique et chaleureuse, électrique et captivante. Dès que Marcus le vit, il se leva avec entrain pour lui serrer la main.

— Je ne pensais pas vous revoir aussi rapidement, mais je m'en réjouis. Je...je suis ravi de vous accueillir ici.

Estelle semblait préoccupée et tout en invitant Jason à s'asseoir elle lui tendit une enveloppe sur laquelle était écrit « à l'attention de Marcus Garbot ».

— Regarde ça !

— J'ai trouvé cette lettre ce matin en arrivant. Si j'avais encore un tant soit peu d'amour propre, j'aurais été très vexé... Quand Estelle m'a appelé pour avancer notre rendez-vous je m'apprêtais à faire de même pour la prévenir de ce message.

Jason se saisit de la lettre et la déplia. Le message était clair, déconcertant et menaçant.

Monsieur Garbot, vous avez eu le plaisir d'assister au très démonstratif et très réussi vernissage de l'exposition de Jason Gloves hier soir. Quels n'ont pas été votre surprise et votre ravissement d'avoir eu le privilège de partager avec lui et sa très chère amie Estelle Rambrant un dîner si précieux au cours duquel vous avez pu apprécier une proximité rêvée et inespérée.

Nous ne doutons pas que vous souhaitez pouvoir partager à nouveau cette intimité avec des personnes dont vous admirez tant le parcours et les recherches. Nous serions heureux de vous aider à poursuivre cette relation en vous permettant d'être à leurs côtés autant qu'il vous plaira. Nous pouvons mettre à votre disposition les moyens nécessaires à vos déplacements. Vous pourriez, tout en savourant des instants uniques auprès de vos nouveaux amis, recueillir des informations sur leurs projets, informations précieuses qui seraient utiles aux nôtres.

L'intérêt que nous portons à Estelle Rambrant et Jason Gloves s'inscrit dans un vaste programme artistique international auquel vous choisirez sans aucun doute de participer. Il va de soi évidemment que votre collaboration avec notre organisation leur restera inconnue. Nous avons pu remarquer votre surprenante connaissance du monde de l'art contemporain et sommes désolés qu'elle ne puisse s'exprimer au niveau qu'elle mérite.

Dès que vous nous aurez rejoints, nous vous ferons part de notre cause qui vous réjouira de toute évidence. Si par hasard vous décidiez de ne pas coopérer, nous serions très peinés d'apprendre la disparition prématurée et accidentelle d'un petit centre d'art de province. Nous vous prions de prendre contact le plus rapidement possible avec maître Jacques Berthelot au 0688914456. Cordialement.

Jason se passa la main dans les cheveux en soupirant. Il leva la tête vers Marcus qui semblait attendre son commentaire avec impatience.

— Je suis désolé Marcus. Tout devient soudain si compliqué pour moi, en si peu de temps. Da Silva, Estelle puis vous… Je vous suis reconnaissant de nous avoir informés avant même de savoir…

— Gloves, cette lettre claque comme une vérité sous bien des aspects. Je ne vous cacherai pas que vous rencontrer et partager ce mystère avec vous et Estelle sont en effet inespérés et je suis aux anges si l'on peut dire. C'est vrai que je rêve souvent de terrains de jeux plus grandioses pour mes activités. Mais ma convoitise s'arrête là. Leur flatterie facile et leur mépris insidieux me rappellent cruellement mes entêtements. Je n'ai pas l'intention de succomber au chant de ces sirènes, aussi aguicheuses soient-elles. Estelle m'a fait part de ses doutes et des pistes qu'elle suivait. Je ne laisserai pas un petit centre d'art de province aux mains de ces fanatiques. Je ne suis pas un héros, mais je suis intelligent, ce n'est pas moi qui le dis… Je vais accepter leur proposition.

Jason observa Marcus avec curiosité avant de baisser un instant la tête. Puis il y eut un court silence durant lequel tous trois s'interrogèrent du regard. Estelle se leva, impatiente.

— C'est de la folie ! On ne sait pas de quoi ils sont capables, mais je crains qu'ils n'aient pas beaucoup de limites. C'est trop dangereux, tu ignores où tu vas mettre les pieds. Da Silva semblait affolé, Cillian se fait assommer… Je n'ai pas encore suffisamment d'informations. Aucun nom, aucun lieu, que des suppositions, des indices.

— Bonnes raisons pour infiltrer l'organisation.

Jason se leva à son tour.

— Ils savent peut-être déjà que vous avez pris cette décision Marcus ? Peut-être même l'attendent-ils. Comment connaissent-ils tant de nos vies, de nos failles, de nos élans ? C'est diabolique. Mais je comprends peut-être…

Marcus amorça un léger sourire. Tout en se levant, il saisit la lettre que Jason avait posée sur la table et composa le numéro de Jacques Berthelot. Le haut-parleur du téléphone était allumé et ils entendirent ce message en anglais : *Jacques Berthelot est absent pour le moment. Il prendra contact avec vous dès que possible.*

— Je suis Marcus Garbot. J'ai reçu votre surprenant courrier ce matin. Merci de l'attention que vous manifestez à mes activités. Votre proposition m'intéresse. Je quitte à l'instant Estelle Rambrant et Jason Gloves qui ont beaucoup apprécié mon petit centre d'art provincial. Dans l'attente de votre appel, je vous salue.

Il raccrocha, l'air satisfait. Estelle et Jason le regardaient, l'expression de leurs visages hésitant entre inquiétude et amusement. Marcus perçut cet étonnement.

— Une pointe d'arrogance leur plaira, j'en suis certain.

*
**

Lisbonne

Un taxi attendait Joachim da Silva à l'aéroport de Lisbonne. Il avait somnolé dans l'avion et un sérieux mal de tête lui barrait le front. Il grimpa dans la voiture et le chauffeur démarra immédiatement. Il comprit très vite qu'ils ne roulaient pas vers la ville mais prenaient la direction de la côte. Une demi-heure plus tard, on le déposait devant l'entrée d'un gigantesque hôtel situé aux pieds d'un des plus élégants golfs de Cascais, la station balnéaire huppée des Lisboètes. Il préférait personnellement Sintra, plus accordée à son dandysme.

L'hôtel était vide, semblait-il. Un vieil homme encravaté jouait du piano dans l'immense patio du bar, une soupe plus ou moins jazzy, tremblante et soporifique. Cet endroit devait grouiller de golfeurs de tous horizons durant l'été, mais en plein mars, il y avait comme un air de catastrophe survenue récemment, laissant les espaces, les cours, les couloirs et les jardins intérieurs empruts d'une solitude accidentelle.

Il n'avait posé aucune question au chauffeur qui ne lui aurait certainement pas répondu d'ailleurs. Il doutait qu'il puisse encore en poser une seule après le risque déplacé et inutile qu'il avait pris en rencontrant Gloves. On lui avait réservé une chambre. Un message sur le lit lui souhaitait la bienvenue et lui indiquait qu'il serait contacté dans les plus brefs délais après son arrivée. La chambre était spacieuse, mais totalement insipide. Seule la grande terrasse lumineuse était agréable. Il s'y installa en allumant un cigare. Il regarda presque sans le voir l'un des petits lacs nichés sur le golf qui s'étirait devant lui, stoppé par un mur sombre de pins maritimes et surplombé par la ligne grise de l'océan atlantique. Le soleil se voilait imperceptiblement et une légère brise lui rappela que le printemps n'était pas encore tout à fait là. La sonnerie du téléphone le sortit de sa rêverie momentanée. Il décrocha.

— Monsieur Berthelot vous attend au bar.

— Merci, je descends.

Il se rendit dans la salle de bains et se planta devant le miroir. Il ramena ses cheveux noirs en arrière en les pressant sur son crâne puis appuya ses doigts sur ses globes oculaires pendant quelques secondes. Il scruta son visage durant quelques secondes. Il prit la bouteille d'eau sur la tablette et but lentement tout son contenu. Il essuya une goutte qui glissait sur son menton.

— Cher Joachim ! Quel plaisir de vous revoir !

Jacques Berthelot s'était levé et lui tendait la main en souriant généreusement. Da Silva la saisit sèchement et la secoua fermement en guise de réponse. Berthelot ne semblait pas se formaliser de ce peu d'enthousiasme.

— Ravi que vous ayez pu venir, mon cher. Nous aurions été très… attristés de ne pas vous retrouver aujourd'hui. Comme vous le savez, nous devons préciser certains détails de votre mission et en particulier la manière dont vous allez réussir à faire accuser Jason Gloves d'abus sexuel sur sa nièce Cassandre Jeanson.

— Êtes-vous vraiment certain que cette méthode soit judicieuse ? Vous avez jusqu'ici agi dans la stricte sphère de l'art contemporain, avec brio d'ailleurs, intelligence et avec un sens du sensationnel qui me plaît beaucoup. Comment une telle rumeur nauséabonde sur une improbable histoire de fesses pourrait-elle l'atteindre ?

— Nous vivons des temps où des histoires sordides font vaciller et tomber les plus puissants ou les plus innocents Joachim... Fondées ou pas, il suffit parfois qu'elles circulent... Gloves est un homme comme les autres après tout...

— Peut-être pas tout à fait justement. Mais soit. Et comment imaginez-vous convaincre sa nièce de l'accuser d'une telle bassesse ? Ils sont très liés, il est son oncle, mais il est aussi son mentor. Cette jeune femme a un caractère bien trempé et elle a toujours refusé d'utiliser le réseau de Gloves qui serait évidemment pour une jeune artiste, un tremplin doré pour sa carrière. Alors, dites-moi ! À moins de lui l'obliger à écrire une lettre d'accusation sous la menace et de la faire ensuite disparaître de la surface de la Terre.... Je ne parviens pas à esquisser la moindre méthode. Vous oubliez aussi que je connais Cassandre Jeanson et réciproquement et qu'elle sait tout de l'animosité entre Gloves et moi... Je pensais l'atteindre sur un tout autre terrain.

— Joachim ! Joachim ! Vous vous emportez sans raison ! On ne vous demande pas d'assassiner cette jeune femme. Nous voudrions que vous activiez votre réseau et le nôtre afin qu'elle puisse rencontrer certaines personnes susceptibles de lui donner un petit coup de pouce qu'elle ne saura pas refuser...

— Vous aurez du mal à la convaincre je vous assure...

— Imaginez Joachim, une grande galerie qui ne collabore pas avec Gloves. Elle serait tellement fière de lui prouver que sa peinture n'a que faire de la renommée de son célèbre et néanmoins merveilleux oncle...

— Admettons que cette phase soit envisageable. Que faites-vous de la suite du programme ? Je ne ferai personnellement aucun mal à Cassandre Jeanson et j'ose espérer que vous ne toucherez à aucun de ses cheveux pour parvenir à vos fins.

— Vous devenez sentimental Joachim.

— Certainement pas. Je suis une ordure, qualifiée et reconnue, mais une ordure. Mais je le suis uniquement dans le cadre de mes activités professionnelles.

— Peut-être que votre toute nouvelle mission vous aidera à élargir vos compétences. Mais ne vous inquiétez pas pour la nièce de Gloves. Nous usons de méthodes persuasives, mais qui ne portent jamais atteinte à la vie de nos « sujets ». Soyez-en assuré. Vous savez, une histoire d'amour passionnée pourrait la déstabiliser non ?

— Je suppose alors que vous n'ignorez pas qu'elle est lesbienne…

— Bien sûr que non.

Da Silva savait maintenant qu'il ne pouvait plus se dérober à cette réalité. Il fallait jouer le jeu autant qu'il le pouvait sans ruiner totalement la vie de cette jeune femme. C'est Gloves qu'il avait toujours voulu atteindre et il était plus que jamais à sa portée.

— De combien de temps disposons-nous pour attirer Cassandre vers nous ?

— Le plus rapidement possible ! Plusieurs actions importantes sont en cours et le discrédit total de Gloves pourrait faire avancer notre cause d'un grand pas.

— J'ai besoin de quelques semaines…

— Bien ! Je ne vais pas vous retenir plus longtemps Joachim. Nous comptons sur vous pour nous tenir informés de l'évolution de ce programme. Je suppose que vous visiterez vos parents à Lisbonne ?

— Je ne pense pas. J'aimerais rentrer à Londres le plus rapidement possible. Je resterai ici cette nuit, j'ai besoin de dormir.

— Parfait ! Votre billet d'avion sera à la réception demain matin.

— Berthelot ! Vous avez contacté Estelle Rambrant ?

— Pas exactement ! C'est une femme curieuse et très perspicace.

Nous aimerions beaucoup savoir ce qu'elle connaît de nos activités, car nous avons depuis peu la certitude qu'elle s'intéresse à notre projet. Au revoir Joachim.

Il lui serra la main presque joyeusement. Joachim le regarda s'éloigner tristement. Pour la première fois de sa vie il doutait, non pas de ce qu'il faisait, mais de la méthode pour le faire. Il regrettait la conversation qu'il avait eue le matin même avec Gloves et qui résonnait à présent comme une faiblesse. Il commanda un autre verre de vin. Le vieux pianiste venait de reprendre sa douceâtre musiquette.

,

*
**

New York

La jeune femme observait fixement depuis plusieurs minutes une grande toile de Laura Owens. Graphies et nappes de couleurs acidulées flottaient dans un carré blanc entraînant le regard dans une narration multiple et aérienne qui laissait l'esprit vagabond et serein. Il y avait peu de visiteurs au Whitney Museum à cette heure de la matinée. Elle était arrivée dès l'ouverture et s'était rendue directement devant l'œuvre.

Elle était vêtue d'une courte et sobre robe noire que seul un grand sautoir en perles de résine rose éclairait. Elle se tenait parfaitement immobile, ses jambes fines tendues, hissées sur des bottines grises à talons hauts. Ses bras étaient croisés sous la poitrine et si ce n'est son regard qui balayait incessamment et nerveusement la toile on aurait pu croire qu'il s'agissait d'une sculpture. La gardienne qui stationnait à l'entrée de la salle n'eut pas le temps de réagir pour empêcher la fille de se jeter soudainement sur la peinture en hurlant, tous ongles dehors, griffant et déchirant. Sous l'effet du choc, la peinture était tombée du mur. La furie se débattait de plus belle crevant le textile tendu à coups de bottines et de poings. Le châssis craquait bruyamment, la toile gémissait. L'alarme du musée s'était déclenchée et trois autres gardiens accouraient vers le carnage. Il fut extrêmement difficile de maîtriser la rebelle. Malgré sa minceur, la force et la sauvagerie de ses assauts continuaient de détruire la toile et frappaient brutalement et sans discernement les hommes qui tentaient de l'attraper. L'un d'eux eut le nez explosé par un coup de pied et dut lâcher prise, son sang pissant sur la peinture. L'incroyable chahut continua quelques minutes sans que la fille semblât faiblir. Puis soudain elle s'arrêta net, interrompant sa furieuse gesticulation alors qu'elle assénait un dernier coup de poing dans la toile. Les gardiens furent si surpris que l'un d'entre eux vacilla et tomba lourdement sur ce qui restait de l'œuvre de Laura Owens.

Elle s'était assise en tailleur en fermant les yeux. Elle respirait en longues inspirations et expirations, la bouche grande ouverte. Ses mains portaient de nombreuses égratignures dont certaines étaient en sang. Sa lèvre inférieure saignait également, mordue certainement pendant le violent effort. Les hommes toujours sous le choc de cette tornade n'osaient plus s'approcher d'elle redoutant un dernier sursaut féroce. Ils la regardaient hébétés et haletants. Deux policiers arrivèrent enfin. Ils avancèrent lentement vers elle en essayant d'éviter de piétiner plus encore la toile et la saisirent par les bras. Elle ne manifesta aucune résistance, à peine ouvrit-elle les yeux, se laissant soulever, les deux pieds traînant au sol. Elle n'était pas essoufflée ni épuisée, juste totalement absente. Après le tumulte, un silence pesant s'était installé dans l'espace. Personne n'osait parler, les regards demeuraient stupéfaits en suivant la forme en loques que soutenaient les deux hommes. Avant de sortir de la salle, la fille tenta de tourner la tête pour apercevoir une dernière fois la peinture saccagée. À cet instant, des larmes coulaient sur son visage ahuri. La police avait trouvé son manteau et son sac à la consigne du vestiaire. Elle s'appelait Elizabeth Morgan et avait vingt-deux ans. Elle étudiait l'histoire de l'art à la

Colombia University de New York.

*
**

Oslo

Le responsable des publics venait de passer devant le gardien avec un grand sourire en hochant la tête en guise de bonjour. Gustav avait bien remarqué la masse énorme qu'il avait des difficultés à porter, mais il avait appris à ne plus s'étonner des diverses inventions des médiateurs pour expliquer aux visiteurs le comment et le pourquoi des œuvres exposées ici. Gustav aimait son travail et le musée dans lequel il l'exerçait depuis mille neuf cent quatre-vingt-treize. Comme un grand bateau au port tout au bord du fjord, le Astrup Fearnley Museum lui avait plu immédiatement et continuait de le combler depuis toutes ces années.

Bientôt trente ans qu'il arpentait les salles, les couloirs et les escaliers sous cette immense voile de verre. Ce qu'il préférait c'était les vernissages. Bien sûr il appréciait la coupe de champagne qui était offerte au personnel, mais par-dessus tout il adorait rencontrer les artistes. Il était fasciné par leur talent, leur culot, leur personnalité et l'on peut dire qu'il avait croisé quelques célébrités au fil des expositions. Lui-même était avenant et n'hésitait jamais à se présenter à eux comme le gardien heureux de leurs œuvres. Il parvenait toujours à échanger quelques mots et obtenir une marque ou un autographe sur son précieux cahier orange à spirales Astrup Fearnley Museet Oslo, acheté à la boutique du musée. Gustav connaissait parfaitement la collection.

S'il veillait consciencieusement à la sécurité des œuvres et des personnes dans le musée il avait un don reconnu pour approcher le public et convaincre les plus récalcitrants d'entre eux que ce qu'ils contemplaient était un cadeau, une chance de regarder des choses différentes. Il ne manquait jamais d'ajouter une anecdote sur l'artiste

51

dont il décrivait toujours le physique avec moult détails pour captiver encore plus son auditoire. Certains de ses collègues n'entendaient rien à son comportement et le considéraient presque comme un simple d'esprit. Il savait que le directeur avait été informé de son attitude avec le public et qu'il la saluait comme salutaire et exemplaire. Il en était fier, mais cela ne changeait rien à son humilité naturelle, sa curiosité insatiable pour l'art et son amour incomparable pour les êtres humains. Gustav était persuadé de l'importance et de l'évidence de sa mission. Elle embellissait sa vie, chaque jour, à chaque instant et lorsqu'il finissait sa journée de travail et se baignait à l'occasion dans l'eau fraîche du fjord qui caressait la petite plage au pied du musée, il détendait ses pieds un peu endoloris et serrés dans les chaussures et se remémorait les belles et étonnantes rencontres qui avaient éclairé son service.

Il était arrivé comme d'habitude trente minutes à l'avance. Aujourd'hui il était affecté au premier étage dans la salle des Damien Hirst, une longue galerie où « Mother and child », la vache et son veau, coupés tous deux dans le sens de la longueur, attendaient figés pour toujours dans quatre caissons en acier et fibre de verre remplis de « formol ». L'œuvre ne manquait pas d'interpeller le public, pris entre dégoût et fascination et l'expérience du passage entre les boîtes translucides dévoilant les intérieurs étonnamment blancs des os, de la chair et des entrailles ne laissait personne indifférent devant le spectacle réel et sublimé de la vie et de la mort. Gustav avait rencontré Damien Hirst lors de son exposition personnelle quelques années plus tôt au musée. Ils étaient nés le même jour, le sept juin mille-neuf-cent-soixante-cinq. Il avait tout de suite aimé ce petit homme jovial qui s'était rendu disponible pour une conversation animée et joyeuse à propos de son œuvre. Incontestablement provocateur, businessman intelligent, il était un boulimique de travail, malicieux et prolixe, philanthrope à l'occasion. Il avait signé le cahier orange avec enthousiasme et noté son numéro de portable en invitant Gustav à l'appeler s'il décidait de venir à Londres. Ce jour n'était pas encore arrivé.

Alors qu'il montait l'escalier vers l'étage en ajustant sa veste, il entendit un bruit sourd qui résonna étrangement dans l'enceinte du bâtiment. Il tourna instinctivement la tête vers l'extérieur, mais rien ne semblait anormal. Un second coup retentit, il s'agissait bien cette fois du son d'un impact. Il n'y avait pas encore de public à l'intérieur du musée. Des travaux peut-être ? Tout le personnel était averti dès qu'une intervention technique, un accrochage ou tout autre événement perturbaient les espaces. Il accéléra son pas malgré lui. Un troisième coup accompagné par ce qui ressemblait à un gémissement résonna plus fort. L'inquiétude s'empara de lui lorsqu'il arriva en haut de l'escalier. Il hésitait à s'avancer ne sachant pas exactement d'où venaient les déflagrations. Puis un hurlement rauque précéda l'impact suivant, sec et menaçant. Alors Gustav courut vers la galerie. Il s'arrêta à l'entrée et reconnut tout de suite la silhouette d'Anders Hansen qui l'avait salué ce matin. La masse ! Il comprit soudain ce qui venait d'arriver. Il s'avança doucement.

Hansen était assis sur le sol adossé à l'un des caissons contenant une moitié de la vache. Il toussait et suffoquait. Plus il s'approchait plus il sentait cette odeur âcre et piquante produite par le formaldéhyde qui remplissait le réservoir. Il connaissait le degré de toxicité du liquide. Il ne pouvait pas continuer à avancer sans risquer lui-même une intoxication, mais il ne pouvait abandonner Hansen dans cet état. Il prit le grand mouchoir qu'il avait dans sa poche, le porta à sa bouche et poursuivit sa progression. Ses yeux piquaient à présent, il voyait cependant le verre fêlé d'où s'écoulait le liquide nocif. Hansen était juste sous l'impact et ses vêtements étaient trempés. La peau de son visage était rouge et brillante, il respirait mal, il toussait et crachait, ses yeux pleuraient ce qui ressemblait à des larmes de sang. Ses mains tremblaient violemment. Gustav le saisit par les pieds et le traîna vers le milieu de la galerie. Il ne pourrait pas aller plus loin. Ses yeux aussi brûlaient et l'odeur acide qui envahissait l'espace un peu plus chaque seconde pénétrait brutalement ses poumons. Il s'élança vers l'entrée de la salle et tout en pleurant, toussant et crachant, il tenta de déclencher l'alarme. Il ne parvenait pas à se résoudre à laisser Hansen sur le sol même s'il savait qu'il devait quitter les lieux et fermer les deux portes immédiatement. Dans un dernier effort, il tira le corps alourdi juste derrière la plus proche. Il courut pour fermer la seconde. Il était nauséeux et au bord de l'évanouissement, mais il sortit enfin et claqua la porte coupe-feu avec fracas. Il écrasa sa main sur le bouton de l'alarme. Son bruit strident envahissait tout le bâtiment. Hansen puait l'acide et suffoquait en émettant un râle continu et éraillé. Les hommes de la sécurité apparurent en haut de l'escalier. Gustav leur fit un signe les dissuadant de s'approcher. Sa gorge était en feu, mais il parvint à crier en avançant lentement vers eux.

— Il faut appeler les pompiers et une ambulance ! Tout de suite ! Il y a une fuite de formol dans la salle Damien Hirst.

Le musée venait juste d'ouvrir ses portes et il fut facile d'évacuer les premiers visiteurs qui n'avaient pas encore eu le temps d'atteindre les différentes galeries d'exposition. Gustav toussait toujours et sentait un méchant mal de crâne bloquer ses arcades sourcilières. Il s'était assis sur la première marche du grand escalier, la tête entre les mains. Le pompier du musée venait de s'agenouiller près de lui et lui fixa un masque à oxygène sur le nez. Il lui pencha la tête en arrière pour lui verser quelques gouttes de collyre dans les yeux.

— Ça va, je vais bien. Allez voir Hansen s'il vous plaît.

— Je ne peux pas l'approcher pour l'instant, Monsieur, je n'ai pas l'équipement adéquat. L'équipe de décontamination est en route.

— Mais on ne va pas le laisser comme ça tout de même.

— Ne vous inquiétez pas, il va être pris en charge dans quelques minutes. Vous allez m'accompagner maintenant. Vous pouvez marcher ?

Il avait soudain envie de pleurer. L'incompréhension, la colère et la culpabilité le submergeaient. Pourquoi ? Pourquoi Hansen ? Il n'était pas préparé à un tel accident et se sentait impuissant.

Trois silhouettes blanches venaient d'apparaître en haut des marches. Masques à gaz et combinaisons étanches habillaient les experts qui s'avançaient dans une démarche lunaire. L'une d'entre elles s'approcha de Anders Hansen, les deux autres ouvrirent la porte de la galerie. Le pompier continuait de lui parler. Si ce fichu mal de tête n'avait pas battu un rythme d'enfer dans ses tempes, il aurait certainement pu tenir la conversation. Il avait baissé le masque pour pouvoir répondre et une quinte de toux le surprit. Il n'eut pas l'occasion de poursuivre tant il avait du mal à respirer. Le pompier lui remit le masque sur le nez en lui lançant un regard réprobateur. Il tourna la tête vers Hansen. L'homme à la combinaison blanche était en train de le déshabiller sans ménagement et jetait les vêtements dans une grande caisse. Dès qu'il fut totalement nu, et cela arriva en un temps record, le couvercle de la boîte fut fermé brutalement émettant un bruit de succion désagréable. Gustav regardait le corps marbré de plaques rougeâtres. Ses épaules comme son visage semblaient sur le point de s'enflammer. Tout son être frissonnait, mais il demeurait à présent dans une forme de léthargie qui avait effacé tous les effets violents de l'empoisonnement. L'homme enfin couvrit le visage de l'accidenté avec un masque. Il l'enveloppa dans un grand linge humide tel un suaire avant de le soulever et de l'installer sur une civière translucide qui venait de s'auto gonfler. Un second expert arriva à ce moment pour emmener Hansen. Une coque de protection le recouvrait sur le brancard. Il croisa son regard lorsqu'il fut évacué par le grand escalier et ne put ressentir qu'une obscure compassion pour cet homme qu'il croyait connaître et l'acte imprévisible qu'il venait de commettre.

L'un des spécialistes entré dans la galerie venait de réapparaître. Il tenait fermement l'énorme masse qui avait servi à perforer l'aquarium. Il la posa au pied de l'escalier. Gustav vit alors l'arme sous un autre angle. L'engin n'était pas commun, une masse dont l'une des faces était munie d'une monumentale pointe de diamant, ou du moins une forme et un matériau qui y ressemblaient. Difficile d'imaginer pareille structure sans s'interroger sur sa provenance. On ne trouvait certainement pas ce genre d'outil dans un quelconque magasin de bricolage. L'objet avait été fabriqué dans l'unique perspective de cet attentat. Mais qui pouvait bien inventer un tel équipement ? Qui avait persuadé Hansen de commettre cette attaque ?

Trop de questions se bousculaient dans l'esprit brumeux de Gustav. Il essaya de fixer son regard sur le fragment de ciel qu'il apercevait pour tenter de faire une pause, de reprendre son souffle, mais l'invraisemblable réalité lui serrait la tête et il rejouait depuis un moment sans même s'en rendre compte la scène matinale où Hansen l'avait salué en souriant, l'assommoir implacable en bandoulière. Il n'avait pas su repérer l'anomalie, mais comment imaginer... Alors qu'il était pris d'une soudaine nausée, il eut juste le temps de retirer son masque avant de vomir. Le pompier s'approchait de lui lorsque sa vision se troubla, il sentit sa tête se poser doucement sur la poitrine de l'homme alors qu'il perdait connaissance.

Il fallut trois semaines pour débarrasser le musée du formaldéhyde et de ses vapeurs, récupérer la demi-carcasse de la vache et déplacer le caisson. Trois semaines sans public, sans Gustav qui avait été interrogé à plusieurs reprises par la police et qui se remettait plus ou moins bien. On lui demanda expressément de citer Anders Hansen uniquement comme une victime de l'attentat. La presse informée le jour même ne connut jamais la véritable identité du forcené.

***

Paris

Il y avait deux voitures de police au soixante rue de Turenne et quelques badauds s'étaient agglutinés, espérant un spectacle à venir. Gabrielle avait rendez-vous avec le directeur de la Galerie pour réaliser une interview qu'elle avait obtenue il y a plusieurs mois non sans mal. Elle s'inquiétait du grabuge en approchant et imaginait une solution pour ne pas être refoulée. Elle était arrivée de Nantes le matin même et il n'était pas question de rentrer sans avoir rencontré le galeriste. Gabrielle était maligne et avait l'esprit vif. Elle avança d'un pas décidé vers les deux véhicules tout en réfléchissant à la tenue qu'elle portait et au scénario qu'elle allait inventer pour franchir le barrage. Elle s'adressa directement à l'un des policiers en faction devant l'entrée.

— Bonjour Monsieur, que se passe-t-il ?

— Vous ne pouvez pas rester ici madame. Circulez s'il vous plaît.

Elle joua l'inquiétude affairée.

— Mais je suis l'agent de Paola Pivi, l'artiste qui expose dans la galerie. Gabrielle de Cassagnac. Il n'est rien arrivé au moins. Monsieur Porretin est là j'espère.

Bien que perplexe, le policier fut impressionné par l'assurance parfaitement feinte de Gabrielle. Il s'écarta légèrement et l'invita à s'avancer avec une emphase quelque peu démesurée.

À présent qu'elle était à l'entrée de la cour, elle hésitait sur la suite à donner à son intrusion. Elle espérait sincèrement qu'elle ne se trouverait pas devant une scène de crime ou autre désastre du genre. Elle se rassura en se disant qu'elle n'aurait pas eu l'autorisation policière s'il s'était agi d'un vrai drame. N'empêche qu'il fallait bien pénétrer dans la galerie à présent… Elle n'était plus si sûre d'elle. Elle grimpa les quelques marches qui la séparaient du perron et franchit le seuil sans plus attendre. Il régnait un silence incroyable. Gabrielle était seule ou du moins, lui sembla-t-il. Elle s'avança un peu. Il y avait une forte odeur, un mélange de peinture fraîche et de goudron. Elle se sentait mal à l'aise et ne savait plus trop si elle devait rester. Malgré son envie de faire demi-tour, elle avança encore et sentit sa chaussure s'enfoncer dans un liquide gluant. Elle recula par réflexe et baissa les yeux. Une énorme flaque noire et visqueuse s'étalait à ses pieds. Elle leva alors son regard et ce qu'elle vit lui fit venir les larmes aux yeux. Les grandes sculptures d'ours polaires de Paola Pivi, d'habitude multicolores et chatoyantes, étaient toutes engluées dans une mixture sombre et malodorante qui dégoulinait mollement le long des plumes qui les recouvraient. La scène était d'ordinaire baroque et fabuleuse, composée par ces ours si réalistes, mais aux attitudes si improbables. Leurs plumages et leurs couleurs vives s'étaient transformés en une chorégraphie macabre et incompréhensible. Les coulures progressaient et défiguraient petit à petit les yeux, le museau et la gueule des grandes bêtes, les plumes se collaient les unes aux autres et dessinaient de nouvelles silhouettes faméliques mouchetées de duvets épars colorés, étrangement épargnés par la matière noire. Sur le mur du fond, une inscription avait été grossièrement peinte.

« *The joke is over !* »

Gabrielle avait retiré sa chaussure qu'elle tenait du bout des doigts au-dessus de la flaque. Elle pleurait sans retenue devant ce spectacle de désolation. C'est ainsi qu'Emmanuel Porretin la trouva quelques minutes plus tard.

— Mademoiselle ?

Elle sursauta légèrement et se retourna aussitôt. Elle essuya son visage trempé de larmes.

— Je… je suis Gabrielle de Cassagnac et nous avions rendez-vous… Je… Je suis désolée… Je ne savais pas ce qu'il se passait… Je vais partir…

Elle se remit à pleurer. Porretin fut touché par son émotion. Il prit sa chaussure souillée et la posa délicatement sur le sol.

— Je vous en prie. Venez par ici. Nous sommes tous sous le choc de ce désastre. Aucune explication, aucune trace si ce n'est ce slogan incompréhensible. Je n'ai pas encore prévenu Paola.

— C'est arrivé quand ?

Gabrielle renifla bruyamment.

— Juste avant l'ouverture de la galerie apparemment. La matière est encore liquide. L'alarme ne s'est pas déclenchée et les caméras ont enregistré une figure dansante et masquée en combinaison noire pendant toute la durée de son forfait. Équipé, méthodique, déterminé et précis. Je ne devrais pas vous dire tout cela, mais je suis moi aussi totalement désorienté. Je crains que notre interview ne soit décalée une fois encore, je m'en excuse. Je dois me rendre à Nantes prochainement, peut-être serez-vous disponible ? Mais prenez votre temps voulez-vous ? Allez prendre un café ou un rafraîchissement dans mon bureau et nettoyez votre chaussure. Je préviens Daniel.

— Merci, mais je ne veux pas vous déranger plus longtemps. J'ai un peu menti en fait pour arriver jusqu'ici. Je m'en veux vu les circonstances. Je me sens ridicule et impolie d'avoir abusé de votre confiance. Je me faisais une joie de vous rencontrer et de voir pour la première fois les ours de Paola Pivi…

— Ne vous en faites pas ! Je regrette de vous accueillir en un tel moment et… J'apprécie votre franchise. Je vais devoir vous laisser mademoiselle de Cassagnac. J'espère que nous nous reverrons prochainement.

Il s'éloigna d'elle et sortit de la galerie. Elle eut à peine le temps de murmurer un merci. Elle demeurait plantée là frissonnant légèrement. Elle ne put s'empêcher de regarder à nouveau les huit ours qui n'en finissaient pas de disparaître sous l'immonde substance visqueuse. Qui pouvait bien détester l'œuvre d'un artiste au point de la détruire ? Qui avait eu les moyens de pénétrer ici et de réaliser une telle mise en scène d'anéantissement ? Gabrielle n'avait aucune réponse aux questions qui commençaient à la submerger. Elle ramassa sa chaussure poisseuse à ses pieds. Elle fit demi-tour et prit lentement le chemin de la sortie. Des gouttes noires s'écrasaient au sol derrière elle en s'échappant du mocassin suintant.

*
**

Écosse

Jason s'était endormi juste après le décollage, abattu par le manque de sommeil et les révélations stupéfiantes qui avaient rythmé sa journée. Il avait attendu avec impatience ce moment privilégié avec

Estelle, mais la fatigue et l'agitation avaient eu raison de lui en quelques minutes. Il respirait calmement, mais on pouvait deviner sous ses paupières les mouvements saccadés des globes oculaires.

Estelle avait remarqué la lassitude de Jason dès leur arrivée à l'aéroport. La fine peau sous ses yeux s'était assombrie et ils n'échangèrent guère plus que deux ou trois phrases convenues. Il était perturbé, tant d'imprévus et de mystère ne plaisaient guère à cet impitoyable concepteur et organisateur à qui rien n'échappait jamais. Il se réveilla quelques minutes avant l'atterrissage, un peu étourdi. Il se tourna vers Estelle qui lisait un magazine.

— Je suis confus. Je ne t'ai pas vue depuis des mois, tu as des histoires passionnantes à me raconter et je ne trouve rien de plus intéressant que de dormir deux heures... Je vieillis, j'en ai bien peur et le faire devant toi est peu glorieux...

— Cela aurait pu être pire. Tu aurais pu dormir la bouche ouverte avec un léger filet de bave s'écoulant sur ta veste...

Elle lui sourit du coin des lèvres en ôtant ses lunettes et levant le nez de sa lecture. Il porta machinalement la main à sa bouche comme s'il allait l'essuyer.

— Nous avons presque trois heures de route pour rejoindre Inverness, nous aurons tout le temps de papoter et cette fois je réclamerai ton attention.

Ils quittèrent Édimbourg sous un crachin pénétrant et glacé. La voiture de location était confortable. Ils avaient préféré acheter des sandwiches, des fruits et des cafés au lieu de perdre du temps à dîner dans les environs. Conduire sous cette pluie ne serait pas très agréable et ils ne souhaitaient pas arriver trop tard à Inverness. Estelle aimait l'espace confiné et intime de la voiture propice à la conversation, aux confidences. Elle conduisait parce qu'elle aimait conduire, mais aussi parce qu'elle devenait vite nauséeuse lorsqu'elle était passagère. Elle garda un silence concentré jusqu'à ce qu'ils s'éloignent du trafic dense de la capitale écossaise.

— Je ne sais pas par quoi commencer. Tu sais je n'en ai encore parlé à personne. Alors cela risque de te sembler peut-être incohérent ou parfois fantaisiste… Mais je n'ai pas mené ces recherches à la légère et…

— Estelle, je n'ai aucun doute et je serai bien stupide de ne pas te croire depuis ce que nous avons appris aujourd'hui.

Pendant les deux heures quarante-cinq que dura le voyage elle exposa d'une voix animée une grande partie de ce qu'elle savait et sa conviction de l'existence du réseau « farces et attrapes ».

C'est une découverte fortuite qui avait été le prélude à toute cette histoire. Son amie Bérénice Johnson, brillante historienne d'art qui travaillait depuis une dizaine d'années chez Sotheby's, était devenue une des spécialistes de l'art italien, une de ces expertes qui connaissait autant les collectionneurs que les œuvres qu'elle expertisait et qui ne dédaignait pas à l'occasion de s'intéresser aux aventures de l'art contemporain. Elle l'avait appelé pour savoir si elle connaissait une agence de conseil en art nommée Jeopardy basée à Londres. Estelle lui avait répondu négativement.

Bérénice, qui avait suivi les enchères d'un inestimable dessin préparatoire de la Visitation de Pontormo l'informa que l'achat avait été conclu en personne par Dimitri Tchekov, un collectionneur russe avec qui Gloves collaborait régulièrement, au nom de cette société. Bérénice connaissait la passion d'Estelle pour Bill Viola et savait que l'œuvre de Pontormo lui avait inspiré « The greeting ». Elle lui avait fait part de sa surprise concernant les conditions de la vente. Une agence en conseil n'achetait jamais directement, mais facturait plutôt ses services à ses riches clients.

Tchekov pouvait bien sûr être un client, mais comment avait-il pu acheter en son nom. Un mandat, un dirigeant ? Elle avait également précisé que le règlement avait été opéré par Jéopardy. Quelques grandes galeries parmi la vingtaine qui régissaient un tant soit peu le marché international de l'art contemporain avaient commencé depuis quelques mois à créer leurs propres agences en conseil artistique, comme une manière en plus de baliser et de contrôler le développement et l'assiduité de leur clientèle. Une corde en plus à leurs arcs tendus qui avait eu le don d'attiser le scepticisme et l'exaspération des autres professionnels.

La présence de Tchekov dans cette transaction originale avait semé le trouble dans l'esprit d'Estelle. Tchekov était un collectionneur avisé, indépendant et plutôt discret. Sa collection était hétéroclite et surprenante mêlant avec jubilation et euphorie autant d'œuvres d'artistes stars que de jeunes et parfois tout jeunes créateurs. Il n'avait créé ni fondation ni musée, mais collaborait toujours avec générosité afin que ses œuvres soient exposées au public le plus souvent possible dans des espaces et des institutions aussi variés que pouvait l'être sa collection. Le retrouver en tant qu'acheteur d'un dessin italien du XVIe pour le compte d'une agence de conseil en art quasi inconnue à ce jour lui avait semblé pour le moins étrange. Elle avait décidé de contacter le cabinet. Cela s'avéra compliqué dès qu'elle découvrit qu'il y avait bien une adresse londonienne, mais pas de bureau à ladite adresse. Bérénice avait un contact téléphonique, mais il était hors de question de la compromettre. Son amie avait pris les devants, effectué quelques recherches et découvert que plusieurs achats d'œuvres anciennes, peintures flamandes du XVIIe, dessins italiens du XVIe et portraits anglais du XVIIIe avaient été acquis récemment pour Jeopardy. Les prix de vente étaient élevés, les transactions, à l'exception d'une seule réalisée par un avocat français, avaient été suivies à la salle des ventes par des acheteurs plus connus pour leurs collections d'art contemporain que pour leurs cabinets d'art ancien… Ces mêmes collectionneurs avaient vendu quelques semaines plus tard certaines de leurs plus belles pièces achetées par… Jeopardy ! Cela ne pouvait pas être une coïncidence et ces achats et ventes opérés par l'agence «fantôme» révélaient soudain une activité anormale d'une grande opacité. Les œuvres en question ne faisaient l'objet d'aucune communication et disparaissaient derrière l'impénétrable écran de Jeopardy. Estelle avait pensé interroger Jason à ce moment-là au sujet de Tchekov. Elle savait qu'il l'avait sollicité pour le prêt d'une œuvre de Michel Majerus dans la perspective de l'exposition-monde qu'il préparait. Mais elle n'avait pas souhaité l'inquiéter à cette étape du projet sachant qu'elle n'aurait pas été capable de lui cacher ce qu'elle venait d'apprendre et qu'elle ne voulait en aucun cas porter préjudice à son travail.

Après avoir obtenu de Bérénice les noms des collectionneurs qui avaient participé à ces énigmatiques négociations et fait quelques recherches sur leurs différents parcours, il apparut qu'ils étaient tous âgés de moins de cinquante ans ou à peine plus, pour la plupart prodiges de la communication, qui avaient très jeunes fondé des agences innovantes et créatives et prospéré dans la décennie quatre-vingt-dix en attirant de grands annonceurs avec des campagnes percutantes ou tout simplement magnifiques. Ces mêmes surdoués étaient devenus des collectionneurs d'art contemporain boulimiques, passionnés et affranchis des circuits balisés du marché. Ils avaient constitué en peu d'années des collections originales, atypiques et avaient commencé à compter sur l'échiquier international. Ils avaient conservé, pour la plupart d'entre eux, une certaine « fraîcheur » qui leur autorisait encore à rencontrer, soutenir de jeunes artistes et de jeunes structures de diffusion et donner à voir et à connaître le plus souvent possible avec un enthousiasme sincère les œuvres et les artistes qu'ils aimaient.

Les cinq amateurs repérés par Estelle étaient Dimitri Tchekov, russe ; Eduardo Buarque, brésilien ; Suzann Lennon, anglaise ; Guan Wei, chinois et James Newton, américain, le plus âgé du groupe. Elle avait eu du mal à admettre que ces cinq-là manœuvraient pour un trafic d'œuvres et qu'ils se débarrassaient au passage de certaines de leurs pièces. Totalement incompréhensible, inconcevable…

Jason mangeait ses paroles ne sachant comment elle était capable de parler de cette manière ininterrompue en demeurant concentrée sur la conduite. Il faisait presque nuit à présent et la pluie n'avait pas cessé. Estelle poursuivait son récit, ses yeux brillant d'un éclat furtif à chaque fois qu'ils croisaient une voiture tous phares étincelants.

Plus aucune trace donc des œuvres vendues à Jéopardy depuis plus d'un an et aucune nouvelle acquisition personnelle pour chacun de ces collectionneurs. Estelle n'avait pas élargi ses recherches, mais imaginait très bien que d'autres transactions de même nature dans d'autres prestigieuses salles de ventes avaient certainement eu lieu ailleurs dans le monde.

Quelques semaines après cette double découverte, Bérénice Johnson avait été remerciée par Sotheby's, un remerciement discret accompagné d'un très gros chèque. Elle avait informé Estelle par téléphone lors d'une conversation aussi brève qu'énigmatique au cours de laquelle l'annonce froide de son départ « rémunéré » avait été suivie d'une demande tout aussi glacée de ne plus chercher à la contacter. Il lui semblait même l'avoir entendu lui dire d'être prudente, mais elle n'en était plus tout à fait certaine à présent. Cet événement l'avait déstabilisée au point de s'interroger sur la suite à donner à ses investigations. Elle se doutait bien que Bérénice avait été menacée d'une manière ou d'une autre, mais elle avait choisi un repli raisonnable qui ne la mettrait pas plus longtemps en danger.

Elle aurait certainement mieux fait de lâcher tout cela elle aussi, mais elle pressentait maintenant une possible machination qui se profilait derrière ces événements. Malgré ces minces éléments, elle avait poursuivi ses recherches autour des cinq collectionneurs. Ils étaient habitués à être vus dans de nombreux et très médiatiques vernissages, cités et photographiés dans les magazines spécialisés au bras d'un artiste inconnu, mais dont on parlait déjà, d'une jeune directrice de centre d'art dont ils venaient de soutenir le dernier projet d'exposition ou encore arpentant tout sourire les allées d'une grande foire internationale. Ils étaient connus pour leur connivence professionnelle et amicale dans le milieu de l'art. Sauf que depuis plus d'un an une seule apparition, et non des moins étonnantes, les montrait tous les cinq dans un restaurant parisien, visages épanouis tournés vers l'objectif du photographe avec cette légende laconique. *Le club des cinq a choisi Paris pour créer le groupe « Jokes and hoaxes ».* Le nom du groupe qui les réunissait, « Farces et attrapes » était pour le moins étrange, mais plus surprenant encore était le média ciblé pour cette mystérieuse annonce, qui accompagnée de quelques lignes toutes aussi lapidaires sur l'hypothétique association de ces collectionneurs parmi les plus influents du marché de l'art contemporain, avait été publiée dans un mensuel people bien loin de la presse spécialisée qui rendait habituellement compte des actions de ces personnalités. Aucun autre témoignage de cette rencontre. Estelle avait appelé le journal pour savoir qui avait écrit le court article, mais personne n'avait pu lui donner de réponse. Elle se demandait encore comment elle avait pu tomber sur cet improbable affichage. Elle n'avait évidemment pas déniché d'exemplaire papier, juste une capture d'écran qu'elle avait eu le réflexe d'enregistrer quand l'article et l'image étaient apparus sur les archives de la version en ligne du journal. Depuis, l'archive en question avait disparu. Elle avait appelé l'un de ses amis qui écrivait régulièrement pour Pressart lui demandant s'il avait eu connaissance de la réunion des cinq collectionneurs à Paris. La réponse fut négative et il s'étonna même qu'aucune information ne soit plus jamais parue à leur sujet depuis tout ce temps.

Elle commençait à croire que sa théorie d'un complot était un peu tirée par les cheveux lorsqu'elle avait reçu un appel d'une journaliste et critique finlandaise qui souhaitait écrire un long article sur la façon dont Jason Gloves concevait et réalisait les grands événements dont il avait le secret. Elle désirait interroger ses collaborateurs, les collectionneurs avec qui il travaillait, ses amis aussi…

— Maarit Heikkineen, elle s'appelle Maarit Heikkineen.

Gloves avait interrompu Estelle

— Et elle m'a giflé à la fin de la conférence de presse le jour du vernissage de l'exposition.

Estelle était restée silencieuse quelques secondes.

— Mais qu'est-ce que c'est que cette histoire ? Tu la connais ?

— Non je ne la connaissais pas et j'ai juste eu le temps d'apprécier la paume de sa main sur ma joue…

— Mais pourquoi cette gifle ?

— Disons que j'ai manqué d'élégance en lui demandant d'avoir l'amabilité de poser des questions en lien avec le sujet... Je... Je n'ai pas supporté son ton d'enquêtrice...

— Tu sais, le mystère que tu laisses toujours planer sur tes expositions en agace plus d'un. C'est logique que parfois tu aies à affronter ce genre d'attitude. Ça n'était pas la première fois, je suppose.

— Non, mais il y avait quelque chose qui me mettait mal à l'aise, le sentiment qu'elle fouillait là où il ne fallait pas. Et tu me dis à présent qu'elle t'a contactée, je ne me suis pas trompé donc. Que s'est-il passé ?

— Pas grand-chose. Je lui ai demandé comment elle avait obtenu mon numéro de portable. Un de tes amis lui avait communiqué. Je te connais trop pour savoir que cela n'était pas possible. J'ai laissé filer. Elle m'a interrogé tout de suite sur la fréquence de nos collaborations. J'ai coupé court à la conversation en lui disant qu'elle comprendrait certainement que je vérifie auprès de toi si tu avais donné ton accord pour ce type d'interview. Elle m'a saluée avec cordialité.

— Quand a-t-elle appelé ? Pourquoi ne m'as-tu pas prévenu ?

— Environ deux mois. Je ne voulais pas t'alarmer ou peut-être ne pas m'alarmer moi-même. J'étais en train de me métamorphoser en détective es-complot et voilà que cette fille du Grand Nord entre dans ma vie pour m'interroger sur toi... J'avais deux options. Te déranger au moment où tu bouclais les derniers détails de ton aventure et te dire qu'une journaliste et critique un peu curieuse et débrouillarde était arrivée jusqu'à moi pour essayer de savoir comment tu travaillais... ou bien alors me dire que j'avais eu affaire à une journaliste un peu curieuse et débrouillarde qui avait tenté sa chance et t'en parler lors de notre rencontre. La seconde option était moins perturbante pour toi et plus rassurante pour moi. Voilà. Mais il faut envisager le côté positif de mon choix, tu n'aurais peut-être pas été giflé si je t'avais mis au courant.

Jason devinait les yeux pétillants rien qu'en apercevant l'ébauche de sourire qui remontait le coin de la bouche d'Estelle. Elle parvenait toujours à apaiser la tension, à amortir les effets d'un choc ou d'un trouble dans les moments les plus inattendus. Il enviait son esprit vif et sa justesse verbale.

— Oui une sacrée gifle en effet. Elle est venue vers moi à la fin de la conférence, je n'ai même pas eu le temps d'amorcer un mot d'excuse et je n'ai pas eu le temps non plus de réagir. Elle a tourné les talons aussitôt et disparu à toute vitesse. Je suis resté planté là quelques secondes, tenaillé entre un sentiment rare de vexation et une espèce d'excitation d'un type inconnu… Bref, la secrétaire de Petisel m'a donné ses coordonnées. Je voulais l'appeler pour m'excuser, voilà une autre raison pour le faire. C'est aussi grâce à cette gifle que j'ai rencontré Marcus, tu sais…

— Ah ! Marcus sait parfois être là où il faut…

Estelle avait poursuivi encore quelques minutes, décrit à Jason ce qu'elle avait appris sur Maarit Heikkineen, critique et journaliste évoluant depuis plusieurs années dans la sphère de l'art contemporain, connue pour sa propension à vilipender systématiquement les grands événements, son ton acerbe et parfois malveillant lorsqu'il s'agissait de décrier un artiste, un galeriste ou un directeur. Historienne d'art avec des connaissances solides et bien informée, tous ses articles avaient presque sans exception un petit arrière-gout de vengeance, de comptes à régler, de revanche sur… qui ou quoi avait bien pu aigrir à ce point cette femme plutôt brillante à maints égards ?

Le récit d'Estelle soulevait beaucoup de questions, mais les événements de ces dernières vingt-quatre heures, sans rien élucider, avaient déclenché des alarmes crédibles sur cette invraisemblable conspiration. Jason tentait d'imaginer quelle toile vénéneuse se tissait autour de lui. Il s'inquiétait de constater à quel point certains de ses proches étaient à présent impliqués dans cette folie. Il avait la sensation de prendre le train en marche et regrettait presque qu'Estelle l'ait ainsi protégé. Était-il un ami si négligent ? Certainement… C'est vrai qu'il ne s'occupait exclusivement que de ses projets dont la réussite était le fruit d'un implacable travail qui l'avait peu à peu éloigné de ses véritables relations d'amitié au profit de rencontres professionnelles de plus en plus fréquentes, toujours agréables certes, mais ne débordant que très rarement le stade de la collaboration.

Il ne s'était déplacé qu'une seule fois à Belfast pour lui rendre visite, une minuscule journée à partager, qu'ils avaient en partie passée dans son lumineux appartement du Titanic Quarter à effectuer une série de vérifications des listes de collectionneurs et d'œuvres sollicitées pour l'exposition de Toulouse. Estelle, qui avait toujours su manier la plaisanterie et la franchise, lui avait demandé après presque trois heures de travail concentré, et en français (c'était sa langue du défi avec lui), s'il avait imaginé prendre le temps de l'inviter à déjeuner ou s'il préférait commander une pizza Regina… Il s'était excusé avec cet air embarrassé plissant les yeux et pinçant les lèvres, cet air qu'il avait toujours dès qu'il avait tort ou qu'il se sentait menacé. Le déjeuner avait été animé et drôle, Estelle n'hésitant pas à narrer dans le détail quelques potins accompagnant la vie rêvée des stars du monde de l'art. Jason avait beaucoup ri, appréciant la manière si romanesque, adroite et cynique à la fois qu'avait Estelle de raconter ces savoureuses rumeurs. Après deux Guinness et de retour dans l'appartement, il avait commencé à parler de sa vie à New York, de ses insomnies, de ses mésaventures amoureuses, de son sale caractère, de sa solitude… Il n'avait pas laissé le temps à son amie de lui poser des questions tant ces confidences, car il s'agissait bien de cela, avaient été exprimées en un temps record. Pas de silence entre les phrases, pas d'hésitation dans le choix des mots. Il y avait eu comme un soupir de soulagement qui avait clos son discours. Et puis l'air embarrassé en guise de conclusion. Estelle lui avait souri.

C'était il y a presque deux ans… Ils étaient aujourd'hui réunis par un incroyable concours de circonstances en Écosse à quelques kilomètres d'Inverness. Se remémorant cet épisode irlandais, il réalisait la chance qu'il avait d'être en sa compagnie et le peu d'affection qu'il lui avait manifestée durant toutes ses années. Il fallait l'ombre grandissante d'une menace pour se rappeler la force indéfectible d'une amitié. Une amitié. Il n'avait jamais oublié ce qui les avait réunis et unis lorsqu'ils étaient plus jeunes. Une aventure amoureuse intense qu'il avait confondue avec un grand amour. Il y avait eu entre eux une communion physique et une connivence intellectuelle hors normes, un désir dévorant qui les avait happés, tourmentés et épuisés. Jason avait très vite senti le besoin de rétablir une forme de contrôle de lui-même. Leur relation bouleversait ses certitudes, grignotait son libre arbitre. Il était fou d'elle, mais tentait à tout prix de gérer une situation qui ne pouvait pas être guidée. Au bout de trois mois d'une liaison sidérante, il avait dit à Estelle qu'il devait faire une pause. Il avait été maladroit, ne trouvant pas les mots justes pour exprimer son désarroi autant que son attachement. Estelle n'avait pas compris la panique qui s'était emparée de lui et encore moins son besoin de mettre en suspens ce qu'ils faisaient de mieux depuis quelques mois, vivre. Même si elle avait senti elle aussi avec une certaine appréhension la force incontrôlable de leur relation, elle n'aurait pour rien au monde pris le risque d'y mettre fin tant il lui semblait que sa vie se jouait à cet instant précis. Les doutes de Jason l'avaient perturbée et d'une certaine manière elle s'était sentie humiliée par sa décision. Il n'y avait eu ni cris ni larmes, juste une discussion, aussi triste que brève.Il se rappelait encore qu'elle l'avait embrassé en le quittant et qu'il y avait eu cet air embarrassé, les yeux plissés, les lèvres pincées.

— Nous arrivons dans quelques minutes.

Jason sursauta légèrement, extrait de son flot de souvenirs nostalgiques par la voix d'Estelle.

— Ah tant mieux, tu ne parles plus et je sombre dans une apathie anxiogène et muette…

— La nostalgie tu veux dire… Je devine presque à quoi tu pensais Jason. Ne remue pas tout cela. Tu sais bien que je t'aime toujours non ?

Il avait émis un petit rire bref et nasal, un peu gêné par la perspicacité d'Estelle. Au moment où ils entrèrent dans Inverness, la pluie cessa. Elle semblait savoir exactement où elle allait. Il était près de vingt-trois heures lorsqu'elle gara la voiture à quelques pas de l'hôtel Colomba. Le pavement noir du trottoir brillait comme un miroir et la rivière Ness qui bordait l'endroit était tout aussi sombre. Il observa un instant la façade du bâtiment, parfait spécimen du style victorien de la fin du XIXe siècle, peut-être un peu plus austère que l'original marqué par la pierre grise et accentuée par la lueur de la nuit. La double porte d'entrée en bois blond était fermée, mais l'on apercevait dans un halo de lumière chaude deux silhouettes au bar de l'hôtel. Ils étaient attendus et furent accueillis chaleureusement. Estelle se dirigea vers l'escalier.

— Tu verras, les chambres sont spacieuses et… écossaises avec vue sur la Ness. Je pose ma valise et je redescends prendre un petit whisky au bar avant la nuit. Tu me rejoins ?

— Pourquoi pas ! Un breuvage écossais pour clore la journée…

Les deux chambres étaient contiguës, spacieuses en effet et équipées d'un petit salon près des fenêtres. Ils auraient pu prendre un whisky dans l'une d'elles, mais Estelle avait envie de s'affaler dans l'un des grands canapés en cuir en écoutant tinter les glaçons dans son verre.

Ses yeux piquaient un peu sous l'effet de la conduite de nuit et la pluie. Elle passa son visage sous l'eau et appliqua un baume apaisant sur ses paupières qui la soulagea immédiatement. Elle était fatiguée, mais savait qu'elle ne serait pas capable de dormir maintenant. Elle appréciait beaucoup que Jason soit à ses côtés et qu'il se soit engagé dans cette délicate affaire. Il aurait pu lui en vouloir après tout d'avoir tant tardé à l'informer. Mais elle le connaissait suffisamment pour avoir décidé du moment adéquat. La concentration étonnante des récents événements n'avait fait que vérifier son intention. Elle alla jusqu'à la fenêtre et laissa son regard plonger dans les eaux sombres de la rivière sur laquelle tremblait la silhouette du château d'Inverness. Elle passa ses doigts dans ses cheveux en fermant les yeux et soupira.

Jason n'était pas encore descendu quand elle rejoignit le bar qui était à cette heure tardive totalement vide. Elle commanda un whisky avec des glaçons. Elle sourit en s'excusant auprès du barman de ne pas le déguster comme une Écossaise. Il lui répondit en souriant à son tour qu'ici en Écosse chacun était libre et bienvenu... Elle s'installa avec délice dans un de ces moelleux canapés en cuir roux qui couinait dès que l'on remuait un peu. Elle s'enfonçait doucement avec son verre à la main lorsqu'elle entendit une voix familière derrière elle. Elle n'était pas tout à fait certaine, mais, cet accent, cette intonation si particulière... Elle sourit à l'idée saugrenue qu'il s'agissait de Cillian même si cette éventualité lui paraissait des plus improbables. Il fallait vérifier que la fatigue ne lui jouait pas un mauvais tour. Elle posa son verre sur la table basse et se leva tout en se tournant vers le bar. Son cœur battait plus vite tout à coup. Il était bien assis là, le vieux blouson en cuir qu'elle lui connaissait depuis toujours jeté sur ses épaules. Il discutait en riant avec le serveur qui semblait apprécier sa compagnie joviale. Elle ne savait pas ce qu'elle devait faire, soudain troublée par sa présence ici. Sans plus réfléchir, elle se posta derrière lui et tapota son épaule du bout des doigts.

— Bonsoir Cillian O'Lochlainn !

Il mit un certain temps pour se tourner vers elle. Ce n'était pas un effet affecté de sa part, il était plutôt d'un naturel spontané, mais sa manière infaillible de maîtriser une situation inattendue. Une forme de lenteur qui lui permettait de trouver la réaction adaptée. Mais là, à cet instant précis où il avait reconnu l'accent incomparable d'Estelle qui prononçait son nom il s'était seulement laissé envahir par le plaisir de la retrouver. Il s'était levé, avait planté son regard bleu dans le sien et l'avait serré dans ses bras sans un mot. Estelle savourait l'inattendu plus qu'elle ne l'aurait imaginé. Ils s'écartèrent l'un de l'autre doucement. Quelques mèches de cheveux tombaient sur le visage d'Estelle. Il les dégagea d'un mouvement délicat et spontané de la main. Elle fut surprise par ce geste inhabituel. Il se racla la gorge en plongeant ses deux mains dans les poches avec précipitation.

— Quand Lorna m'a dit que tu étais ici, je n'ai pas réfléchi. Je ne sais pas si j'ai bien fait, je voulais juste être sûr que tout allait bien.

— Je vais bien Cillian. Je suis vraiment touchée par ton attention. Mais c'est toi qu'on a assommé pas moi. Je m'en veux tellement de t'avoir embarqué dans cette histoire ainsi que Lorna et Michael. Je ne suis pas une amie très responsable non... Je n'ai pas imaginé un seul instant que mes recherches...

— Ne t'en fais pas ! Je vais bien. Tu vas juste devoir m'en dire un peu plus.

— Viens t'asseoir, mon whisky est resté là-bas.

Ils étaient à peine installés l'un en face de l'autre et faisaient tinter leurs verres lorsque Jason apparut à l'angle du canapé faisant face à Estelle. Il la regardait avec un léger étonnement.

— Ah, Jason, tu es enfin descendu.

Elle se leva et pointa sa main vers Cillian qui se leva à son tour.

— J'ai le plaisir de te présenter Cillian O'Lochlainn qui vient d'arriver de Belfast après avoir été agressé à Ballintoy sur la côte nord de l'Irlande chez mes amis Lorna et Michael.

Les deux hommes se serrèrent la main fermement. Ils ne s'attendaient apparemment pas à se rencontrer, encore moins dans un hôtel en Écosse à une heure aussi tardive et en présence d'Estelle. Il y eut quelques secondes de flottement qui auraient pu devenir gênantes si elle n'avait pas comme à son habitude trouvé la clownerie adéquate.

— Cillian, j'ai le plaisir de te présenter Jason Gloves qui est venu de New York en faisant escale en France pour y inaugurer une extraordinaire exposition et qui m'a suivie à Inverness... Brrr !!! Je ne pourrai pas faire mieux non ?

Estelle se mit à rire en même temps qu'elle les invitait tous les deux à s'asseoir. Elle se retrouva alors en face de ces deux hommes si différents à tous égards, juste à peine embarrassés par cette situation inattendue et qui la regardaient presque de la même manière souriante autant que désorientée. Elle leva son verre vers eux.

— Je suis tellement heureuse que vous soyez là, vous n'imaginez pas.

C'est Jason qui rompit le premier le silence qui s'était installé avec Cillian.

— Nous aurions pu nous rencontrer dans des circonstances plus agréables, mais les événements en ont décidé autrement. Estelle m'a dit ce qu'il vous était arrivé récemment. J'espère que vous n'avez pas été trop perturbé par cette mésaventure.

— Plus de peur que de mal. Je m'inquiète surtout pour Estelle. Je ne sais pas sur quel navire elle a embarqué, mais le voyage s'annonce bien mouvementé... Je ne te laisserai pas affronter ce périple toute seule même si tu m'en dissuades et je sais que tu vas le faire. Je suis heureux de voir que tes amis sont près de toi.

Il se tourna vers Gloves qui le regardait avec intérêt. Cillian lui sourit simplement, avec ce sourire auquel personne ne résistait, ni homme, ni femme, ni enfant. Tous deux se tournèrent vers Estelle dans un même élan de la tête. Elle appréciait l'instant sans limites. La fatigue et le whisky aidant, elle se sentait à l'abri de tout avec ces deux-là à ses côtés. Elle se demandait même si toute cette sale histoire n'était pas seulement un mauvais rêve.

Elle souriait imperceptiblement en les regardant l'un l'autre, oscillant des yeux bleus aux yeux gris, redécouvrant l'élégance et les traits fins de Jason, remarquant (peut-être pour la première fois depuis qu'elle le connaissait) la force et la sensualité que dégageait Cillian. Elle estima qu'il était temps d'aller dormir. Elle se leva enfin. Les deux hommes firent de même, un peu surpris par le soudain mouvement d'Estelle.

— Je suis épuisée. Il faut que j'aille dormir un peu. Je rencontre Angus Craig demain à dix heures à l'Université des Highlands et je dois avoir les idées claires. Accompagnez-moi si vous le souhaitez ou retrouvons-nous vers onze heures ici. L'université est à deux pas. Je vous souhaite une très bonne nuit.

Elle leur sourit une dernière fois avant de se diriger vers le grand escalier. Elle ne manqua pas de saluer chaleureusement le barman.

Les deux hommes étaient restés debout en la suivant du regard sans avoir le temps de vraiment réagir. Ils l'observaient avec la même lueur d'étonnement et d'affection dans les yeux. Cillian qui avait gardé son whisky à la main le pointa vers Jason.

— Un dernier verre ?

Jason acquiesça d'un hochement de tête enthousiaste. Leur nuit écossaise venait de commencer.

3

vendredi 15 mars

Inverness

Celle d'Estelle avait été agitée par un rêve obscur et tumultueux. Poursuivie par un dragon nain et belliqueux, elle avait couru toute la nuit dans des couloirs étroits, encombrés d'une foule de touristes en maillots de bain et tongs claquant le sol qui ne semblaient pas comprendre son empressement à avancer. Elle ne voyait pas toujours la bête, mais savait qu'elle était encore à ses trousses en remarquant les petits nuages de fumée qui s'élevaient régulièrement entre les jambes des visiteurs nonchalants. Elle finissait par ouvrir une lourde porte en métal et s'engouffrait dans une somptueuse salle voûtée en pierres au centre de laquelle se trouvait la grande tempera sur bois de Vittorio Carpaccio, Saint Georges terrassant le dragon. À l'extrême droite de la peinture, la princesse en train de prier portait son visage, la face un peu figée dont seuls les yeux oscillaient en tous sens. On reconnaissait parmi les cadavres démembrés qui jonchaient le sol autour du monstre certains des touristes qui erraient dans le couloir. Les deux gardiens en uniformes qui montaient la garde au pied du panneau et qui la regardaient fixement n'étaient autres que Cillian et Jason.

Elle s'était réveillée avec la sensation que le dragon miniature était passé dans sa chambre et que ses amis la surveillaient encore. Elle adorait Vittorio Carpaccio, mais détestait ce type de rêve qui distillait la confusion dans son esprit et dont les images si précises et si mystérieuses restaient longtemps collées à sa rétine.

À peine sept heures. Son rendez-vous avec Angus Craig avait lieu dans un peu plus de deux heures au siège administratif de l'Université des Highlands à quelques centaines de mètres de l'hôtel. Elle avait faim et pensait qu'un bon café fumant dissiperait rapidement le souvenir de son étrange songe. Elle prit une douche avant d'enfiler un jean et son vieux pull-over bleu pâle. Les cheveux mouillés, elle chaussa ses boots à même ses pieds nus. La salle du petit déjeuner était vide à cette heure matinale. Elle attrapa son café et alla s'installer dans le bar désert dans un grand fauteuil près d'une fenêtre pour profiter du spectacle encore brillant de la Ness. Elle sirotait son breuvage bien chaud avec la concentration apparente des personnes qui n'ont pas encore décidé d'être éveillées quand Cillian s'approcha d'elle silencieusement.

— Bonjour Estelle. Je ne te dérange pas ?

Elle se redressa précipitamment.

— Bien sûr que non. Je ne suis pas très présentable à cette heure du jour, mais… assieds-toi, je t'en prie. Bien dormi ? La nuit a dû être courte.

— Merci. Hum… En effet, Jason et moi sommes restés encore un moment après ton départ. Nous avons essayé de ne pas trop parler de toi… Enfin, je veux dire que tu étais notre lien et qu'il était difficile de… De ne pas parler de toi en parlant de nous.

Estelle sourit avec une lueur de malice dans les yeux. Pendant que Cillian s'installait dans le fauteuil d'en face, elle réalisait que c'était une des premières fois qu'ils partageaient une telle intimité. Ils s'apercevaient souvent à Ballintoy, mais il était avant tout l'ami de Lorna et Michael et ils ne s'étaient jamais trouvés dans cette situation là-bas. Alors qu'il lui donnait quelques détails de sa conversation nocturne avec Jason, elle prit le temps de l'observer sans que cela ne lui soit embarrassant. Elle profitait de la large tasse de café dans laquelle elle plongeait son nez régulièrement pour le regarder comme elle ne l'avait jamais regardé.

Il était grand, une posture décontractée et agile. Ses mains étaient longues et fines et la mobilité de ses doigts et de ses poignets ajoutait une délicatesse imprévue à son physique athlétique. Il passait les doigts dans ses cheveux un peu longs, châtains et à priori rarement coiffés dès qu'il cherchait un mot. Une petite veine souple vibrait à la base de son cou lorsqu'il parlait. Son visage était expressif et vivant. Ses yeux bleus brillaient et l'on devinait qu'il ne devait pas être facile pour lui de mentir avec un regard aussi éloquent. Sa bouche était sensuelle et animée et son sourire… son sourire était tout simplement irrésistible. Elle l'avait déjà constaté d'ailleurs… Sa voix était un peu rauque et enjouée.

Elle se redressa lentement dans le canapé espérant qu'il n'avait pas remarqué son absence ou plutôt son insistance à l'observer qui avait quelque peu éclipsé son attention. Elle « revint » à elle à l'instant où il lui posait cette question.

— Es-tu certaine que personne ne t'a suivie jusqu'ici ?

— Je n'y ai pas pensé un seul instant. Peut-être le devrai-je…

Elle hésita quelques secondes à l'interroger de crainte de révéler son inattention récente.

— Jason t'a-t-il éclairé sur ce que nous savons ?

— Il a commencé. Tes recherches, les événements à Toulouse. Je crois en savoir assez pour comprendre que ces fous avaient besoin de récupérer tes documents. Je pense également qu'ils ne trouveront rien à Bendhu et qu'ils n'ont plus aucune raison aujourd'hui de ne pas s'en prendre à toi pour découvrir ce que tu sais.

— Je n'aurais pas dû te confier cette clef sans t'informer de son contenu. Je n'ai jamais imaginé ce qui pourrait arriver…

— C'est vrai, tu aurais pu me faire confiance un peu plus. Mais oublions cela, je suis là pour t'aider à présent et ça me plaît.

— Lorna sait que tu es ici ?

— Je ne lui ai pas dit, mais je pense qu'elle l'a deviné. Je n'ai pas besoin de dire grand-chose à Lorna pour qu'elle me comprenne.

— Je veux bien te croire.

— Je peux t'accompagner à ton rendez-vous ? Je devrais dire jusqu'à ton rendez-vous.

— Évidemment, c'est à dix minutes de marche d'ici. Tu sais si Jason viendra ?

— Aucune idée.

— Retrouvons-nous dans trente minutes, le temps de me glisser dans la peau d'une historienne d'art crédible…

Cillian regarda Estelle s'étirer en s'extirpant du canapé. Il connaissait le grand pull-over bleu ciel qu'elle portait souvent en Irlande lorsqu'elle travaillait. Il accentuait le bleu de ses yeux et la pâleur de sa peau.

Ils étaient arrivés trempés à l'Université malgré leurs parapluies. La pluie s'était mise à tomber à l'horizontale poussée par un coup de vent glacial qui avait ralenti leur marche. Alors que Cillian se secouait dans le hall Estelle se dirigea vers le plan du bâtiment en ôtant son imperméable. Le bureau de Craig était au second étage. Elle fit un signe de la main à Cillian et emprunta le grand escalier central qui distribuait sur chacune de ses ailes de longs couloirs dont les murs recouverts de panels de chêne étaient rythmés par de doubles portes sculptées. Les planchers cirés craquaient sous ses pas. Elle s'arrêta devant la seconde porte. On pouvait lire sur une petite plaque en cuivre : Professor Angus CRAIG, Holder of the Art History Chair of the University of Highlands and Islands ; Holder of the Scottish Gaelic Chair of the University of Highlands and Islands.

Elle frappa à la lourde porte. Une voix féminine lui répondit aussitôt d'entrer. Une très jeune femme l'accueillit lorsqu'elle pénétra dans le bureau. Elle fut surprise par l'ampleur et la luminosité de l'espace qui contrastaient tant avec le décorum du bâtiment et la grisaille du jour. Une grande toile de Peter Doig ornait un des murs ajoutant une profondeur et une vibration supplémentaires au grand bureau.

— Vous êtes madame Rambrant n'est-ce pas ?

La jeune femme s'était levée et se dirigeait vers elle pour lui serrer la main. Le déplacement était vif et le geste rapide. Estelle eut le temps de remarquer le léger boitillement de sa jambe gauche.

— Je m'appelle Doreen McEnzie, je suis l'assistante du professeur Craig. Le professeur est souffrant et ne pourra pas vous recevoir. Il sera absent pour la semaine.

Il y avait quelque chose de catégorique et définitif dans sa façon de parler. Estelle n'avait pas encore pu dire un mot, acquiesçant seulement de la tête pour signifier son bonjour. Pendant qu'elle parlait, l'assistante de Craig se dirigeait vers le bureau personnel du professeur. On entendit un tiroir s'ouvrir. Elle réapparut quelques secondes plus tard.

— Angus m'a demandé de vous remettre ceci.

Elle lui tendit avec un sourire un peu crispé une boîte enveloppée de papier kraft serré par une ficelle. On pouvait lire sur le dessus à l'attention d'Estelle Rambrant. Estelle scrutait fixement le petit paquet. Elle parla sans lever son regard.

— Je ne peux vraiment pas lui rendre visite ? J'ai fait beaucoup de chemin pour venir ici et nous avions programmé une séance de travail.

— Je ne pense pas. Le professeur Craig n'est pas à Inverness. Il est parti précipitamment hier soir et m'a appelée ce matin pour m'informer de son absence et me demander de vous remettre ce paquet. Voilà qui est fait.

Estelle commençait à trouver cette conversation désagréable et elle décida de ne pas poser plus de questions. Elle leva la tête et planta son regard dans celui de la jeune femme.

— Merci pour votre accueil. Je vous prie de bien vouloir transmettre mes vœux de bon rétablissement au professeur Craig.

Elle n'attendit pas de réponse et se dirigea prestement vers la porte. Cillian et Jason patientaient dans le hall. Elle les rejoignit sur le grand banc où ils étaient assis. Elle prit place entre les deux hommes. Elle soupira et posa la boîte sur ses genoux.

— Voici le résumé de mon rendez-vous avec Craig… À défaut de l'avoir rencontré, il m'a laissé une pochette surprise. Ça ne lui ressemble vraiment pas d'avoir annulé au dernier moment et encore moins de ne pas avoir cherché à me joindre… J'ai fait la connaissance de son assistante dont je n'avais jamais entendu parler, un cerbère claudicant de vingt-cinq ans tout au plus qui n'a pas lâché une information. J'espère qu'il ne lui est rien arrivé. Ouvrons cette boîte, nous y trouverons peut-être une réponse.

Elle dénoua la ficelle et déchira le papier kraft qui entourait une simple pochette en carton. À l'intérieur, un téléphone portable avec un chargeur, un modèle un peu ancien. Le téléphone affichait un message. Elle regarda ses amis l'un après l'autre.

— On écoute ?

Il y avait un message de deux minutes qu'ils écoutèrent avec attention. Estelle avait enclenché le haut-parleur. Elle pensait que le hall semi-public du bâtiment était parfait pour ne pas être incommodé ou surveillé. Angus Craig avait un fort accent écossais qui roulait les « r ». Il parlait lentement et clairement.

Chère Estelle Rambrant, je regrette sincèrement de vous avoir fait faux bond de manière aussi cavalière avec cette mise en scène un peu ridicule. Vous avez rencontré Doreen mon assistante qui a dû vous consacrer peu de temps et vous manifester un minimum de politesse. Ne lui en voulez-pas, ce trait de sa personnalité cache bien des qualités… Elle protège mes recherches et me protège souvent de moi-même. C'est elle qui a eu l'idée du téléphone anonyme pour enregistrer le message.

Mais venons-en à l'essentiel. Dans votre dernier courriel, vous m'avez demandé s'il m'était possible d'organiser une rencontre avec Peter Doig dans la perspective d'une édition à Belfast. Peu avant votre arrivée, il m'a appelé pour m'informer qu'une de ses toiles avait été brûlée par son propriétaire, Herbert Kanno, un collectionneur berlinois installé à Los Angeles depuis quelques années. Il a envoyé un cliché de la peinture détruite à Peter avec ce commentaire en gaélique qu'il m'a demandé de traduire : « Feumaidh fios a bhith agad ciamar a dh'atharraicheas tu cùrsa. Chan eil tuilleadh jokes ... Ce qui signifie « Il faut savoir changer de cap, finies les plaisanteries ». Comme vous le savez, Peter est écossais. Très affecté par cet acte incompréhensible, il m'a interrogé sur l'homme. J'avais été à l'origine de la vente de Milky Way, la peinture en question. Rien ne pouvait laisser prévoir cette folie si ce n'est une crise soudaine de démence du malheureux.

Kanno est un mathématicien brillant qui a commencé à collectionner l'art contemporain il y a une dizaine d'années, peu après son mariage remarqué et presque improbable avec la fille unique du très médiatique galeriste américain Georges Grossman. Et puis je me suis souvenu que Kanno m'avait contacté quelques mois auparavant pour savoir si je n'étais pas intéressé par le rachat de la peinture. Il s'en séparait pour un prix dérisoire bien inférieur à celui auquel il l'avait acquise. Il insistait, il avait l'air pressé, un peu inquiet. Je n'y ai pas prêté attention à ce moment-là. J'ai décliné l'offre évidemment et je n'ai plus eu d'autres nouvelles de lui depuis l'appel de Peter.

Je ne vous raconterais pas tout ceci si je n'avais pas été contacté par un certain Berthelot, peu avant Peter et, qui m'a instamment prié de le convaincre de ne pas rendre publique la révélation de Kanno, sur la destruction de Milky Way. Il a évoqué l'erreur que j'avais faite en refusant le rachat de la toile et la perte irréversible de confiance que pourrait manifester Doig en apprenant ma négligence quelques mois avant le drame. On essayait de me piéger de la manière la plus perverse qui soit. Quand Peter m'a appelé, j'ai prétexté le silence dans l'attente de recherches que je ferai pour élucider ce mystère, qu'il s'agissait de l'acte d'un homme ayant perdu la raison. Peter posait des questions, surpris du message en gaélique. Je faisais le lien avec son origine écossaise, j'éludais chacune de ses interrogations en croyant que je pourrais le protéger et me protéger également de cette vilaine et soudaine histoire qui nous tombait dessus.

Et j'ai pensé à vous Estelle, particulièrement à une phrase que vous aviez prononcée quand nous nous étions rencontrés à Édimbourg, au détour d'une conversation avec des collègues qui s'étonnaient des réactions violentes que pouvait susciter la création. Vous aviez dit presque à mi-voix que la malveillance envers l'art contemporain ne venait pas toujours de là *où l'on croyait et vous aviez ajouté en souriant que vous me feriez part prochainement de vos hypothèses à ce sujet. Je vous connais depuis pas mal de temps maintenant et je sais interpréter vos sourires et vos petites phrases. J'ai confiance en vous. J'ai estimé que je pouvais vous révéler ces derniers événements et j'étais certain qu'ils vous intéresseraient, d'autant plus qu'ils touchent de près un artiste que vous appréciions beaucoup.*

Je ne suis pas très courageux. Je n'ai jamais reçu de menaces et j'avoue que la peur m'a gagné au point de prendre la décision de m'éloigner un moment d'ici. Seule Doreen est au courant ainsi que vous maintenant. Si vous avez pu entendre ce message, je vous prie de lui faire savoir d'une manière ou d'une autre. Elle sait comment me joindre et vous pouvez lui faire entièrement confiance. Laissez-moi le temps de me préparer à l'animosité et la malhonnêteté et vous pourrez compter sur moi si je puis vous être utile. Prenez soin de vous, chère Estelle.

Il y eut un court silence à la fin du message que rompit Jason en se redressant.

— Encore ce Berthelot… Pas de doute Estelle il s'agit du même cercle on dirait.

Estelle demeurait silencieuse, fixant un point invisible alors qu'elle remettait machinalement l'appareil dans la boîte en carton. Elle plissait légèrement les yeux, signe d'une réflexion en cours. Alors qu'elle refermait l'étui, elle expira bruyamment et se leva. Elle se mit en face de ses deux compagnons.

— Oui et il s'élargit on dirait. En menaçant Angus Craig, ils savent parfaitement qu'il ne leur fera pas barrage. Ce Kanno voulait l'avertir d'un danger. Il avait dû flairer quelque chose, mais il a été démasqué. Toutes ces personnes intelligentes qui semblent se transformer à leur contact… Brûler une toile… Ça ne peut pas être un accident.

— Tu le connais depuis longtemps Angus Craig ?

Cillian avait posé la question simplement.

— Cinq ou six ans. C'est un homme totalement dévoué à ses recherches et totalement dévoué à Peter Doig. Il n'est plus tout jeune et n'envisageait certainement pas un tel coup tordu. Il est intelligent et c'est incroyable qu'il ait immédiatement fait le lien entre ces menaces et le court échange que nous avons eu il y a quelques années. Je comprends mieux son dernier message sibyllin. Je vais informer son assistante que j'ai bien écouté ce message.

Avant qu'elle n'ait pu bouger, Jason l'interpella.

— Maarit Heikkineen m'a appelé ce matin. Elle me propose un rendez-vous à Paris demain soir. On a joué les excuses, les regrets, je te passe les détails. Elle semblait vraiment mal à l'aise.

Estelle ne put s'empêcher d'esquisser un sourire.

— Oh ??!! Et toi ?

— Je… Je crois que je peux tenter d'en savoir un peu plus sur ses intentions. Et la rencontrer reste le meilleur moyen non ? J'ai définitivement effacé les mots repos et vacances de mon prochain emploi du temps…

Cillian semblait fébrile. Il se leva à son tour.

— Si vous n'y voyez pas d'inconvénient, je vais avoir besoin d'éclaircissements sérieux sur ces manœuvres extravagantes. Je suis loin de posséder toutes les informations que vous détenez et je pourrais peut-être vous aider plus efficacement si j'en savais plus. Je ne connais pas vos plans immédiats, mais nous pourrions peut-être profiter de notre présence ici pour aller discuter au bord du Loch Ness. Tout cela est un peu confus et j'ai vraiment besoin de comprendre. Et qui sait ? La créature pourrait pointer son museau à l'écoute de cette redoutable histoire…

— Oui excellente idée ! Mais je crains que la pluie écossaise n'ait raison de ton enthousiasme… Je monte voir Doreen, je vous retrouve à l'hôtel.

Le crachin avait cessé peu après qu'Estelle ait rejoint Jason et Cillian au Colomba. Ce dernier avait réussi à faire préparer quelques sandwiches accompagnés de bières. Estelle n'avait pas envie de conduire et ils prirent un taxi qui eut la gentillesse de les emmener un peu plus loin que le premier arrêt pour touristes au bord du Loch. Ils n'étaient jamais venus ici et furent tous les trois saisis par la beauté et l'étrangeté du site. De là où ils se trouvaient, ils apercevaient bien l'autre rive, mais la grisaille du ciel qui semblait s'évanouir dans les eaux sombres accentuait l'impression d'une étendue infinie qui disparaissait au loin. Il n'y avait plus de vent et la surface de l'eau vibrait à peine. Ils l'observaient avec une attention enfantine et concentrée espérant sans doute sans l'avouer l'apparition fortuite du monstre légendaire. Malgré le froid humide qui enveloppait l'endroit, ils s'étaient installés tous les trois à même les roches rondes qui bordaient une petite plage. Le clapotis de l'eau sur les cailloux était rassurant. Les sandwiches furent vite avalés pendant que la discussion était animée entre les trois nouveaux complices. Cillian posait beaucoup de questions auxquelles Estelle et Jason répondaient avec exaltation et une certaine forme de pédagogie dès qu'il s'agissait de décrire les arcanes du milieu de l'art. Cillian était vif, il enregistrait rapidement les informations. Sa méconnaissance lui donnait une incroyable distance par rapport aux événements et lui permettait une analyse différente, sans affect et plus empirique de la situation.

Le taxi revint les chercher vers seize heures avant qu'ils ne soient totalement transis de froid. Jason s'envolait un peu plus tard pour Paris et Estelle lui avait proposé de le déposer à l'aéroport. Elle ne rentrait que le lendemain dans la matinée à Belfast et comptait bien se détendre ce soir dans la capitale des Highlands avant de poursuivre ses recherches. Elle espérait avoir des nouvelles de Marcus. Cillian quittait lui aussi Inverness le lendemain matin et elle se réjouissait à l'idée de passer la soirée en sa compagnie.

Le trajet jusqu'à l'aéroport d'Inverness fut étonnement silencieux. Estelle aurait souhaité demander à Jason ses impressions et ses intentions, mais elle sentait que son esprit n'était pas spécialement focalisé sur les dernières heures qu'ils venaient de partager, ou du moins pas sur ces questions précisément. Au moment de se quitter,

Jason, la valise à la main sous la pluie battante, se planta devant elle et prononça lentement cette courte phrase.

— Il te plaît ?

— Pardon ?

Estelle avait écarquillé les yeux, totalement prise de court par la question et sa crudité. Jamais Jason n'était intervenu dans sa vie privée et surtout pas de cette manière aussi abrupte. Il sentit aussitôt le malaise l'envahir. Il baissa les yeux, essuya son front qui ruisselait de pluie et lui prit la main.

— Excuse-moi, je suis ridicule, je n'aurais pas dû. C'est inapproprié, déplacé. Je suis terriblement confus. Je…

— Oui.

— Excuse-moi. Je t'appelle dès que j'ai rencontré notre journaliste. Deux jours au plus tard.

Elle le regardait presque froidement. Elle attendit qu'il relève la tête et qu'il plante ses yeux gris dans les siens.

— Oui Jason ! Il me plaît… Et je suis trempée bon sang ! Mais que t'arrive-t-il ?

— Bien sûr. Je… Nous sommes appelés à nous revoir très prochainement, il me semble. Et je m'en réjouis, quelles que soient les circonstances. Prend grand soin de toi Estelle, je ne me pardonnerai pas qu'il t'arrive quoique ce soit.

— Jason, s'il te plaît ! Ne sois pas si dramatique ! Ne t'inquiète pas. Rejoins-moi à Belfast dès que tu peux. Et sois prudent toi aussi.

Il la serra contre lui avec l'ardeur qui convenait à son sentiment soudain de perte et d'inquiétude. Il était submergé par l'affect et détestait ces moments où il se sentait si fragile. Estelle restait déroutée par son attitude imprévue et aurait souhaité lui manifester plus de tendresse qu'elle ne parvenait à le faire à cet instant. Puis elle le regarda s'éloigner pendant quelques secondes sous la pluie. Elle frissonna en remontant dans la voiture.

Il était presque dix-neuf heures quand elle rejoignit l'hôtel. Elle ne fut pas surprise de trouver Cillian confortablement installé dans un des canapés du bar un whisky à la main. Il lui sourit et lui fit signe de s'approcher.

— Tu as l'air épuisée et... mouillée...

Le serveur venait de poser un whisky sur la table basse. Elle lui sourit gentiment, attrapa son verre avant de s'asseoir avec soulagement en face de Cillian tout en avalant une gorgée d'alcool.

— En effet ! Toutes ces péripéties me fatiguent plus que je ne l'imaginais et Jason et moi avons préféré une petite conversation sous la pluie plutôt que dans la voiture...

Elle avait haussé les sourcils en finissant sa phrase.

— Un problème ?

— Non, je ne pense pas. Jason est juste un peu déstabilisé par cette histoire.

Il y eut un silence.

— Je le suis aussi d'ailleurs. Je ne sais pas trop où je vais ni où je vous emmène. Je me demande si nous sommes capables de gérer cette affaire. Trop de questions et si peu de réponses, des pistes alambiquées qui ne mènent nulle part ou vers des endroits et des personnes fantômes. Si tu n'avais pas été agressé, je finirais par croire qu'il s'agit d'un énorme canular...

La réceptionniste de l'hôtel s'avançait vers eux. Elle tendit à Estelle un papier sur lequel était notée une adresse mail.

— Un monsieur Garbot a laissé un email à votre attention sur la boîte de l'hôtel. Vous pouvez aller le consulter sur cette adresse accessible à partir de chez nous.

Estelle la remercia, plia le papier et le mit dans son sac. Cillian la regardait d'un air indécis supposant qu'elle allait bondir à la réception pour se connecter. Il avait appris au bord du Loch qui était Marcus Garbot. Il sentait qu'elle avait envie d'une pause et ne posa aucune question à son sujet. Il avait lui-même ingurgité un volume impressionnant de renseignements et aurait volontiers opté pour un moment de détente. Elle avala une autre grande gorgée d'alcool.

— Tu as quelque chose de prévu ce soir ?

— Pas vraiment. J'espérais que nous pourrions goûter quelques whiskies, déguster un haggis puis goûter quelques whiskies…

— Avec plaisir, mais restons ici alors. Je ne veux plus de pluie. Et je crois que tu surestimes ma capacité à supporter l'alcool… Je prends juste quelques minutes pour aller me changer et je te retrouve ici.

Elle s'était précipitée sur le canapé de sa chambre. Elle tenait son manteau trempé et son sac dans ses bras posés sur ses genoux. Elle avait fermé les yeux comme si cela pouvait l'aider à ralentir le flot de pensées désordonnées qui déferlait dans son esprit. Elle était encore un peu contrariée par l'attitude de Jason à l'aéroport. Elle ne lui en voulait pas évidemment, mais se demandait plutôt comment il avait pu remarquer sa « sympathie » pour Cillian. Elle se remémorait simultanément tous les événements survenus depuis trois jours, les tensions, les joies, les interrogations, les craintes et les certitudes. Elle était passée en si peu de temps du statut d'enquêtrice solitaire à celui d'équipière, et quelle équipe ! Elle n'aurait pu imaginer réunir Jason Gloves, Marcus Garbot, Cillian O' Lochlainn et même Angus Craig malgré lui autour d'elle pour poursuivre les investigations. Dénicher les « Farces et Attrapes » était devenue une activité chronophage et presque préoccupante dans son emploi du temps depuis plusieurs mois. Elle se sentait soulagée de ne plus être seule à partager ces informations même si elle devinait que rien ne serait tout à fait facile pour élucider ce mystère.

Et puis il y avait Cillian, le trouble envahissant qui s'installait en elle. Elle voulait se persuader que l'imprévisible de la situation y était pour quelque chose. Sa vie amoureuse depuis son divorce se résumait à quelques rencontres « amicales » qui s'achevaient parfois par des épisodes de sexe loin d'être inoubliables. Elle était ridiculement romanesque et ne pouvait dissocier les grandes sensations du corps de celles de l'âme. Elle se demandait comment elle avait pu ignorer à ce point la présence magnétique de Cillian. Elle le voyait presque aussi souvent que ses amis à Ballintoy, mais elle avait interprété sa discrétion comme une distance qu'il souhaitait garder entre eux... Même seule dans ses pensées elle faisait montre d'une mauvaise foi impressionnante. En fait, elle avait toujours aimé sa compagnie silencieuse, sa bienveillance, sa silhouette rassurante et son incroyable sourire, sa manière passionnée et drôle de raconter les histoires de la mer et sa façon presque enfantine d'écouter ses propres aventures avec l'art et les artistes. Et voilà que ce soir, hors du contexte si protecteur de Bendhu, elle désirait sa présence plus que tout autre chose. Elle était fatiguée et se sentait fragile, indécise. Les minutes s'égrainaient. Elle déposa son sac et son manteau sur le sol. Elle enfila le pull et le jean qui avaient été remis sur le lit et essuya ses cheveux trempés. Elle se regarda quelques secondes dans le grand miroir de la chambre... Pas vraiment l'apparence d'une séductrice. Elle n'était pas une femme sophistiquée et devait avant tout se sentir bien dans sa peau pour se sentir bien avec les autres et se sentir très bien ce soir avec Cillian. Elle décida juste de poser un peu de couleur sur ses lèvres.

Cillian la regarda approcher. Elle était grande, plus grande que la moyenne des femmes et portait sa silhouette longiligne avec une élégance décontractée. Elle semblait plus pâle que d'habitude et il remarqua le rouge à lèvres... Elle avait l'air étonnamment intimidée lorsqu'elle vint s'asseoir près de lui en lui souriant gentiment. Il ne s'attendait pas à cette attitude ni à cette proximité soudaine. Il sentait l'odeur de la pluie dans ses cheveux encore humides.

Après le whisky, elle s'était relaxée. Ils avaient convenu de ne pas aborder le sujet qui les réunissait à Inverness. Ils avaient dîné avec l'appétit de ceux qui n'ont avalé qu'un maigre sandwich au bord d'un lac sombre. Ils parlaient beaucoup, prenant soin l'un et l'autre de ne pas laisser un silence s'installer, car les mots aidaient à soutenir les regards, ceux qui brillaient, qui fascinaient, qui pénétraient, mais sans jamais l'agitation ou le trouble paraître. Du moins s'en persuadaient-ils... Ils s'étaient croisés si souvent et ils se reconnaissaient ce soir. Le dîner avait duré. Ni l'un ni l'autre ne souhaitait que ce moment unique ne s'interrompe. Cillian avait invité Estelle pour un dernier verre au bar. Elle avait accepté en sachant qu'un autre whisky l'enivrerait un peu plus. Peu importait, elle se sentait tellement en confiance à ses côtés. Une fois encore, ils étaient les seuls clients à occuper les canapés du bar. Le serveur semblait les apprécier et leur amena deux whiskies dont l'un encombré de glaçons qu'il tendit à Estelle avec un petit air complice. Ils étaient à nouveau face à face pour déguster le breuvage doré et continuèrent pendant un moment à discuter passionnément de l'effet de Bendhu sur leurs existences et bien sûr évoquèrent Lorna et Michael. Puis il y eut ce silence aussi imprévisible que redouté. C'est Cillian qui mit fin au petit malaise.

— Une heure trente… Je n'ai pas vu le temps passer. Nous devrions peut-être songer à un peu de repos ? Nous devons être à l'aéroport à dix heures. Qu'en dis-tu ?

Estelle sentait les effets de l'alcool ralentir sa capacité à réfléchir. Elle était fatiguée, mais n'avait aucune envie de le quitter.

— Tu as raison, je suis épuisée et j'ai trop bu. Je vais disparaître avant que tu réalises que tu viens de passer la soirée avec une pocharde…

Elle savait que le moment embarrassant allait arriver dans quelques minutes. C'était ridicule, pire que dans le plus mauvais nanar sentimental, là où les amoureux s'embrassaient enfin en s'avouant leur passion secrète et dévorante… Ils montèrent le grand escalier côte à côte sans un mot. Leurs chambres étaient au même étage. Quand elle s'arrêta devant la porte de la sienne, elle n'eut pas le loisir d'être embarrassée. Cillian avait saisi son cou en la retournant vers lui et approchait son visage du sien. Il la regarda étrangement quelques secondes avant de l'embrasser à pleine bouche, comme une urgence, une promesse. Elle laissa sa langue envelopper la sienne alors qu'une onde de plaisir roulait dans son ventre. Elle détacha sa bouche de la sienne, brièvement, juste pour reprendre son souffle, le regarder encore et poser doucement ses deux mains sur sa poitrine. Il les saisit lentement et alors qu'il les faisait glisser le long de ses hanches il happa une seconde fois sa bouche. C'était un baiser fougueux, gourmand, parfumé, qui libérait un désir impatient. Il desserra l'étreinte de ses mains, la prit par la taille et la serra contre lui. Elle sentait la chaleur de son corps contre sa poitrine. Elle éleva ses deux mains vers son visage qu'elle saisit avec délicatesse. Il ouvrit les yeux lentement en s'éloignant de sa bouche. Ses yeux bleus semblaient presque noirs. Il respira profondément avant d'esquisser un sourire. Elle ne parvenait pas à le quitter des yeux. Elle sourit à son tour et vint goûter ses lèvres, leurs haleines aromatisées et légèrement caramélisées par le whisky exaltant le délice. Ils s'écartèrent enfin l'un de l'autre et se sentirent quelques secondes désorientés par leur désir. Cillian prit sa main. Soudain, c'était comme s'il n'osait plus la regarder, il baissa la tête et ne quitta plus ses longues mains des yeux. Elle calmait sa respiration et laissait les doigts de Cillian caresser ses paumes qu'elle tenait ouvertes.

Il avait levé la tête hâtivement avec une ombre d'inquiétude dans le regard. Elle lâcha ses mains et se retourna pour ouvrir la porte. Il y avait une lampe de chevet allumée, coiffée d'un de ses foulards comme elle le faisait souvent pour atténuer la luminosité mais ne pas se trouver dans l'obscurité. La pluie ruisselait sur les vitres et la lumière extérieure tremblante et scintillante découpait sa silhouette en contre-nuit. Cillian s'approcha d'elle au moment où elle se retournait. La lumière tamisée de la pièce estompait ses traits et il appréciait la brillance extrême de son regard. Elle demeurait bien droite devant lui. Il entendait sa respiration et devinait presque les battements de son cœur. Elle posa ses doigts à la base de son cou, là où elle avait remarqué le matin même la petite artère vibrante. La peau était chaude et douce et elle sentit à son tour le souffle de Cillian s'accélérer imperceptiblement. Alors qu'elle glissait ses doigts vers sa poitrine, il ôta précipitamment sa chemise. Des senteurs d'herbe fraîche et d'océan exhalaient de son corps qui ajoutaient une touche supplémentaire à son enivrement. Elle approcha sa bouche et posa un baiser presque timide à quelques millimètres d'un de ses mamelons. Elle était terriblement impressionnée, mais son désir détruisait toutes ses appréhensions.

Il attrapa son visage entre ses mains.

— S'il te plaît, je veux te voir.

Elle recula de quelques centimètres, saisit son pull et le fit valser au-dessus de sa tête. Elle tourna le dos à Cillian afin qu'il dégrafe son soutien-gorge, ce qu'il fit avec beaucoup de précautions. Elle appréhendait un peu de lui faire face, mais il n'était plus temps pour ces puériles considérations. Elle fit volte-face en croisant instinctivement ses bras sur sa poitrine. Il souriait. Il l'amena contre lui. Elle déplia les bras et ils furent poitrine contre poitrine, si chaudes, si palpitantes. Avant qu'il ne l'embrasse à nouveau, elle s'était redressée et commençait à retirer son jean. Elle avait toujours ses boots aux pieds et dut s'asseoir en urgence au bord du lit afin de ne pas rouler sur le sol. Il vint à elle en riant. S'agenouillant devant elle, il retira les bottines rebelles. Puis il la regarda et l'aida à enlever son jean avec une telle délicatesse qu'elle souhaita une seconde qu'il le déchire le long de ses cuisses. Il se glissa entre ses jambes et vint poser sa bouche sur son ventre. Elle inspira brièvement d'émotion avant d'expirer en attrapant sa chevelure. Elle se laissa tomber en arrière sur le lit en même temps qu'elle l'attirait vers elle. Elle frémissait au fur et à mesure qu'il effleurait son ventre, ses côtes, ses seins, mais il voulait encore une fois sa bouche et ils s'embrassèrent longuement. Il se redressa hors du lit et fit glisser ses vêtements sur le sol. Estelle s'était débarrassée de sa culotte et se tenait agenouillée sur le lit face à lui. Ils se regardèrent un instant découvrant enfin l'entière nudité de leurs corps. Il avança vers elle et enveloppa ses seins dans ses mains douces. Il approcha sa bouche. Elle gémit faiblement tout en caressant ses cheveux. Il buvait à chacun d'eux dont les tétons durcis survoltaient sa langue. Il releva la tête et aperçut le visage d'Estelle abandonnée au plaisir. Il retira délicatement ses mains de sa poitrine. Elle était toujours agenouillée sur le bord du lit. Il les glissa vers le bas de son dos en l'attirant vers lui. En se serrant contre lui, elle avait posé les siennes sur ses cuisses et commençait à caresser lentement les courbes de ses hanches et de ses fesses. Il tressaillit sous la douceur de ses doigts. Son désir se faisait plus pressant. Il l'enlaça plus fort encore et elle sentit son sexe tendu contre son ventre. Elle se dégagea gracieusement de l'étreinte et se mit debout devant lui. Il y eut un éclair d'égarement dans son regard juste avant qu'elle ne glisse ses doigts vers son sexe et qu'elle ne suçote avec une infinie sensualité la pointe de son sein gauche. Cillian expira profondément sous l'effet des caresses. Il saisit sa main et l'approcha de sa bouche.

— Viens !

Il avait prononcé ce mot dans un souffle. Ils s'allongèrent sur le lit, demeurant quelques secondes l'un contre l'autre les yeux clos. Il chevaucha le corps d'Estelle. Il se délectait de voir et de caresser sa peau blanche, si tendre. Il se pencha pour embrasser son ventre tout en enlaçant ses hanches. Sa bouche parcourait la peau fine et frémissante et descendait vers la toison du pubis. Il souhaitait goûter son sexe à présent. Leur respiration s'était soudain accélérée tout comme l'urgence de leur désir. Elle avait saisi les cheveux de Cillian l'obligeant à la regarder.

— Je ne résisterai pas à ça... Je te veux avec moi Cillian... Maintenant...

Elle ouvrit ses jambes alors qu'il glissait son ventre vers le sien. Il était éperdu de désir et lorsque son sexe effleura celui d'Estelle, ils furent tous deux engloutis par une vague profonde de plaisir. Le ventre d'Estelle était comme un océan brûlant dans lequel il sombrait. Leurs muscles se tendaient, leurs corps résonnaient du rythme de plus en plus intense des ondes du plaisir. Ils haletaient tous les deux à présent et dans leurs yeux soudain apparut cette absence fugitive qui accompagnait souvent la déferlante d'une jouissance extrême. Cillian désirait encore un instant se sentir en elle. Il la bascula sur lui tout en préservant son étreinte et ce seul mouvement les secoua d'un dernier spasme. Il libéra ses bras et elle put se redresser légèrement en s'appuyant délicatement sur son torse. Quelques gouttes de sueur perlaient sur ses poils et elle adora l'odeur de leurs corps enlacés. La pluie ruisselait toujours sur la grande fenêtre. Alors qu'ils s'étaient apaisés, elle avait glissé sur son flanc et s'était blottie au creux de son épaule. Il avait déroulé son bras et ramené sa longue main sur son ventre. Elle avait fermé les yeux pendant qu'il regardait sans le voir le plafond de la chambre, un indicible sourire aux lèvres. Peu après, il comprit en entendant sa respiration plus régulière, qu'elle s'était endormie. Il serra son corps un peu plus contre le sien pour s'assurer qu'elle était bien réelle, son souffle léger réchauffant sa poitrine, ses cheveux défaits coulant dans son cou, sa cuisse chaude le long de la sienne. Il ferma enfin les yeux.

4
samedi 16 mars

Inverness

Elle se réveilla presque en sursaut. Un léger mal de crâne accroché à ses tempes. Elle se retourna dans le lit. Cillian n'était plus là et elle ressentit une panique insensée s'emparer de son esprit. Elle se leva d'un bond. Il faisait un peu frais. Elle trouva le pull bleu et le jean. Elle s'habilla en hâte, se rafraîchit l'haleine et le visage et sortit. Elle ne connaissait même pas le numéro de sa chambre. Elle descendit rapidement l'escalier. Son cœur battit plus vite lorsqu'elle l'aperçut et elle ralentit son allure. Il l'avait vue également et lui décocha un sourire rayonnant. Elle s'approcha de lui et s'installa dans un fauteuil en face de lui. Elle avait l'impression d'avoir perdu la parole. Il ne bougeait pas et continuait de la regarder.

— Bonjour !

Elle lui sourit enfin.

— Bonjour ! Je... J'ai cru que tu étais parti.

Il ne la quittait pas des yeux.

— Tu veux un café ?

— Oui.

Il se leva et se dirigea vers la réception. Le souvenir de leur étreinte fit surface et elle fut envahie par une bouffée soudaine de désir. Elle se sentait ridicule. Il posa le café sur le guéridon et vint s'asseoir près d'elle. Il avait le même parfum que durant la nuit et elle ferma les yeux quelques secondes en soupirant.

— Estelle, tu vas bien ?

Elle les rouvrit lentement. Il la regardait avec une douceur infinie. Il caressa délicatement le dessous de ses yeux dont la peau était diaphane.

— Il semblerait que tu n'aies pas assez dormi…

— En effet…

Il ne la laissa pas terminer. Il aurait voulu l'embrasser tendrement, mais le contact de sa bouche lui donna immédiatement envie de la dévorer. Il l'embrassa aussi goulûment que brièvement. Ils savaient parfaitement de quoi ils avaient envie à cet instant, mais il fallait quitter l'hôtel dans un peu moins d'une heure.

— Je n'ai pas assez dormi et… J'ai aimé ça… à la folie… Je vais aller me préparer, je n'en ai pas pour longtemps.

Elle se leva et passa sa main dans ses cheveux. Il l'attira vers lui et posa sa tête sur son ventre. Ils étaient comme aimantés l'un à l'autre et ne pouvaient se séparer. Ils se regardèrent en haussant les sourcils en signe d'impuissance. Estelle se décida enfin et courut presque jusqu'à l'escalier. Le café était froid.

Ils se rejoignirent dans le hall une demi-heure plus tard. Au moment de régler sa note, le papier plié de la veille tomba de son sac. Elle se souvint alors du message de Marcus. Elle put le consulter à partir de la boîte mail de l'hôtel. Il contenait deux liens et un unique message lui disant qu'elle pouvait utiliser cette adresse en toute confiance pour le contacter. Le premier lien la conduisit sur un article du journal Libération qui décrivait un acte de vandalisme sans précédent sur une installation de Paola Pivi à la Galerie Porettin à Paris. Le second ouvrait une page du New York Times où un entrefilet faisait état de la destruction totale d'une œuvre de Laura Owens au Whitney Museum par une jeune femme devenue folle furieuse. Estelle n'avait pas assez de temps pour approfondir sa lecture, elle demanda qu'on lui imprime les deux articles puis retrouva Cillian qui était sorti.

— J'ai réceptionné le message de Marcus. Il n'y a pas que les collectionneurs fous qui détruisent leurs œuvres, des inconnus pratiquent cette nouvelle activité en galerie et dans les musées...

Cillian vit qu'elle était soudain préoccupée. Il comprit que la sombre histoire qui les avait réunis ici venait de les rattraper. Et plus vite qu'il ne s'y attendait... Elle le regarda en esquissant un sourire indécis. Il s'approcha d'elle et glissa une mèche de cheveux rebelle derrière son oreille.

Il redoutait de la quitter bientôt. Il partait le soir même en régate de Ballycastle et ne serait de retour que le mercredi suivant à Ballintoy. Il lui avait fait promettre de ne pas rester seule, elle lui avait assuré que Lorna et Michael seraient ses gardiens jusqu'à son retour. Ils étaient venus à l'aéroport et les avaient accueillis tous les deux chaleureusement et joyeusement. À l'instant de se quitter, juste quelques minutes avant que Cillian ne monte dans sa voiture, elle l'avait attrapé par la taille en l'attirant vers elle. Il l'avait plaquée contre lui avec ardeur et l'avait embrassée avec volupté. Lorna les regardait tous deux en souriant la bouche ouverte. Elle plissa les yeux en direction de Michael qui lui adressa un clin d'œil approbateur. Après que Cillian se soit éloigné, Estelle avait gardé en tête l'incomparable sourire qu'il lui avait décoché avant de disparaître et le mouvement de ses lèvres qui dessinait des mots muets.

*
**

Paris

Gloves avait appelé Porretin en fin de matinée dès qu'il avait reçu le message de Marcus relatant les hécatombes à Paris et à New York. Il l'avait informé de son passage à Paris et lui avait proposé de le retrouver à la galerie avant d'aller déjeuner. Porretin avait été agréablement surpris de l'entendre et accepta évidemment. Les deux hommes se connaissaient depuis quelques années déjà et s'appréciaient. Jason souhaitait sincèrement lui consacrer un peu de son temps en ces circonstances difficiles. Il faut bien admettre aussi que la curiosité le piquait et qu'il voulait vérifier quelque chose sur place, souhaitant que rien n'ait été encore déplacé. Il déambulait tranquillement dans Paris pour rejoindre son rendez-vous.

Il n'avait pas recontacté Estelle après sa maladresse de la veille. Il s'était mis dans une situation délicate et avait encaissé la réponse ferme et on ne peut plus franche d'Estelle à sa question incongrue. Elle n'aurait pas su agir autrement de toute façon. Ces derniers élans vers elle lui revenaient en mémoire et il les jugea parfaitement puérils. Il avait toujours mal géré les événements imprévus et ces trois récentes journées n'en avaient pas été avares. La présence inattendue d'Estelle à Toulouse, ses révélations et celles de Da Silva, cette histoire rocambolesque, sa rencontre avec Marcus, avec Cillian, ses déplacements improvisés, la menace à peine voilée sur sa nièce... Il s'était tourné vers la seule personne qui comptait vraiment pour lui (hormis Cassandre bien sûr) et pour qui il était encore capable de manifester une sincère affection, une femme qu'il avait aimée absolument et qui le connaissait si bien. La présence d'Estelle était un cadeau, mais avait fait ressurgir les fantômes de la nostalgie et du regret. Il savait qu'il pouvait compter sur elle en toute circonstance et cette simple pensée le rassura. Il l'appellerait demain à Belfast.

Son téléphone vibra dans la poche de sa veste. Il s'arrêta pour ouvrir sa messagerie. Cassandre répondait à son message envoyé le matin même. Elle lui rappelait avec humour le décalage horaire avec Anchorage et la grande chance qu'il avait qu'elle soit encore en train de boire des verres avec ses amis à cette heure tardive... Elle rentrait la semaine prochaine et lui demandait si elle pouvait faire un détour par New York avant de rejoindre son petit chez soi dans le sud de la France. Elle l'embrassait « extra fort ».

Porretin l'accueillit sur le perron de la galerie. Leur poignée de main fut chaleureuse. Ils entrèrent rapidement et sans un mot. Jason fit quelques pas et s'arrêta net, figé devant le spectacle déprimant et inconcevable. Il se tourna vers le galeriste, incrédule, choqué.

— Quelle folie ! Quelle violence ! J'espère que Paola ne verra pas ça.

— Il le faudra malheureusement, elle doit constater les dégâts en personne. Elle arrive tout à l'heure.

— Tu sais quelque chose ? Des revendications ? Un cinglé ?

— Un cinglé c'est sûr, tu n'auras qu'à visionner la vidéo pour t'en convaincre. Des revendications ? Je n'en suis pas certain. Il y a juste cette phrase mystérieuse sur le mur.

Jason s'avança parmi les ours meurtris en évitant de marcher dans la matière noire et malodorante qui s'étalait sur le sol, encore gluante. Il leva les yeux et fut glacé à la lecture des mots dégoulinants « the joke is over ». Ils résonnaient tellement avec ceux qui égrainaient les récits d'Estelle et de Craig. Il se tourna vers Porretin.

— Je peux voir la vidéo ?

Un homme très mince vêtu de la tête aux pieds d'une combinaison en lycra noir se tenait debout au milieu des ours. À ses pieds était disposée une dizaine de grands bidons. Il entama aussitôt une chorégraphie grotesque, allant et venant parmi les bêtes, les badigeonnant au passage de larges coulées de liquide noir et brillant. Il virevoltait, sautillait, plongeant régulièrement une brosse dans les bidons avant d'étaler ou de projeter la couleur. Le macabre ballet se poursuivait ainsi pendant presque vingt minutes. Puis il apportait un escabeau, se saisissait des pots entamés qu'il vidait consciencieusement sur la tête de chacune des sculptures. Les dernières minutes de la vidéo le montraient peignant grossièrement sur le mur les mots sinistres sous lesquels il prenait une pose caricaturale de danseur levant ses deux paumes de mains vers l'inscription en guise de final.

— Tu as reçu des menaces ?

Porettin, qui semblait toujours aussi affecté par ce spectacle secouait la tête sans le regarder.

— Je n'arrive toujours pas à y croire… Non, aucune menace, aucun message d'aucune sorte. Le système d'alarme déconnecté pendant deux heures. Tu imagines la préparation ? Le commissaire Lelouch soupçonne quelqu'un de l'équipe ou de l'entourage de Paola. C'est ridicule !

— Une toile de Laura Owens a été entièrement détruite par une visiteuse au Whitney Museum hier. Tu étais au courant ?

— Pas du tout ! C'est une blague !!??

— Malheureusement pas. La fille était étudiante en histoire de l'art et il semble que cela s'est passé dans un déferlement inouï de violence. La peinture est irrécupérable. Il ne faut ignorer aucune piste et ce commissaire Lelouch émet juste des hypothèses que tu ne dois pas refuser, aussi insensé que cela te paraisse. Tu me laisserais une copie de la vidéo ?

— Je ne suis pas certain de pouvoir faire ça.

— Je voudrais la montrer à une amie qui fait des recherches sur les fanatiques qui vouent une haine incommensurable à l'art contemporain. Je suis sûr qu'elle sera très intéressée. Je te garantis qu'elle restera dans une sphère strictement privée.

Jason n'était pas bon menteur, mais il n'avait trouvé que cette idée un peu saugrenue pour essayer d'obtenir la séquence pour Estelle.

— Il y a des personnes qui font ça ?

— Euh oui… Ou d'autres qui tiennent la comptabilité des vernissages auxquels ils ont assisté et le nombre de minutes de conversation qu'ils ont réussi à mener avec l'artiste exposé… Mais je me porte garant de cette amie, du sérieux et du professionnalisme de ses recherches.

Porettin le regarda avec étonnement et ne put s'empêcher d'esquisser un sourire dubitatif.

— Je te fais confiance de toute façon.

Il était rentré à son hôtel après le déjeuner. Il avait besoin de réfléchir. Il aimait le calme de l'hôtel Henriette dans le Quartier latin. Sa chambre était lumineuse et le bois blond qui recouvrait en grande partie les murs l'apaisait. Il se demandait s'il avait bien fait de venir rencontrer Maarit Heikkineen. Que pensait-il obtenir en tentant de lui parler ? La gifle qui l'avait secoué n'était pas étrangère à sa curiosité. Il faudra qu'il soit rusé et patient avec cette femme plutôt imprévisible. Elle avait fixé le rendez-vous à dix-huit heures à la roseraie du Jardin des Plantes... Même s'il avait trouvé le choix de l'endroit quelque peu étrange il avait acquiescé poliment. Il se remémorait les informations qu'Estelle lui avait confiées pendant leur trajet vers Inverness. Il ne savait pas grand-chose tout compte fait... Il faudra qu'il la laisse parler, qu'il accepte qu'elle lui pose des questions et qu'il soit coopératif. Il n'était pas obligé de lui dire toute la vérité, suffisamment cependant pour qu'elle s'expose elle-même... Il ne parvenait pas à définir l'attitude à adopter et appréhendait de devoir improviser, exercice qu'il n'appréciait que très modérément. Il aurait pu demander quelques conseils à Estelle, mais ce n'était peut-être pas le moment de la déranger. Alors que toutes ses pensées s'enchevêtraient sans répit, il sentit une somnolence douceâtre s'emparer de lui et sans vraiment résister à l'engourdissement il se laissa envelopper par le sommeil. Lorsqu'il ouvrit les yeux à dix-sept heures quinze, il eut l'impression d'être à peine sorti du Loch Ness glacé. Il inspira calmement pour échapper à la vilaine sensation et regarda sa montre. Il avait dormi plus d'une heure et devait rejoindre Maarit Heikkineen sans plus attendre. Il eut soudain envie de tout annuler et de retrouver son ami Stefano... Il consulta sa messagerie. Estelle l'avait contacté.

Je suis bien rentrée à Belfast. Tu dois être au courant des attaques. J'espère que tu vas bien. Sois prudent. Viens si tu en as besoin. Tendresse. Estelle.

Il oublia instantanément sa mauvaise idée et apprécia la bienveillance et l'amitié d'Estelle si simplement exprimées comme un encouragement de plus à dépasser ses indécisions. Il arriva à dix-huit précises à la roseraie du Jardin des plantes. Le jardin était grand. Il ne s'attendait pas à une telle ampleur. Il n'était plus certain d'être capable de reconnaître Maarit Heikkineen, il ne l'avait croisée qu'une seule fois et dans des circonstances plutôt originales. Son doute se dissipa quand il vit s'approcher la femme brune élégante. Elle venait vers lui à vive allure et lui sourit dès qu'elle ne fut plus qu'à quelques pas.

— Quel plaisir de vous revoir monsieur Gloves ! Merci d'avoir accepté cette rencontre. J'espère que nous pourrons achever l'entretien que nous avons si mal commencé récemment...

Elle avait d'emblée pris l'avantage. Il allait falloir être vigilant pour ne pas se retrancher une fois encore derrière l'arrogance et le mutisme. Elle était directe et ne semblait pas le moins du monde intimidée ou mal à l'aise.

— Au moins avons-nous su éviter tout dialogue ennuyeux ou embarrassant...

La joute verbale s'annonçait intéressante entre ces deux-là et il planait dans l'air dès ce premier échange comme un nuage de jeu et de compétition.

— Si nous allions boire un verre ? Ici, la chlorophylle délie les langues...

— Parfait, une nouvelle méthode que je dois absolument tester alors.

Ils se dirigèrent vers un bâtiment en briques devant lequel une belle tonnelle abritait tables et chaises en rotin dont la plupart étaient occupées par des promeneurs buvant un apéritif. L'ambiance était calme, détendue et malgré la fraîcheur qui commençait à se déposer sur les jardins, les conversations ne faiblissaient pas. Elle choisit une table proche du bâtiment comme pour anticiper le froid qui ne manquerait pas de s'accentuer d'ici un moment.

— Je prendrai un sauvignon blanc et vous ?

— Un whisky, je ne bois jamais de vin.

— Je pensais que les New-Yorkais appréciaient le vin français...

— Je dois être une exception. Avez-vous eu enfin l'occasion de voir l'exposition ?

— Non j'en suis désolée, mais nous savons qu'elle est incomparable, troublante, agaçante... Et nous sommes quelques-uns à trouver injuste que sa réalisation demeure un complet mystère.

— Que voudriez-vous savoir ? Comment je travaille ? Avec qui ? Connaître le nom de mes collaborateurs ? De mes financeurs ?

— Par exemple, le public pourrait ainsi apprécier l'engagement colossal que nécessite un tel projet.

— Quelle idée ! Pensez-vous sérieusement que le public cherche à apprécier un engagement ? Il vient découvrir un monde, des mondes, il attend une magie, un choc, un message ou un mystère. Je doute qu'un orage d'œuvres à quelques centimètres de votre crâne engendre un questionnement sur les moyens qui ont été mis en œuvre pour y aboutir...

— Certes, mais cette exposition a demandé tellement de temps et tellement d'argent que nous pouvons légitimement nous poser certaines questions.

— Légitimement... ?? Ce n'est un secret pour personne que chacun de mes projets est entièrement financé par des fonds privés. Et l'engagement de tous les bienfaiteurs réside aussi dans cet anonymat qu'ils ont tous accepté. Vous connaissez un grand nombre des collectionneurs qui m'ont confié leurs œuvres pour cette aventure et il me semble, certains de mes collaborateurs ou devrais-je dire collaboratrices...

Elle se redressa sur son siège sans le quitter des yeux et amorça un sourire crispé.

— Oui en effet, j'ai contacté il y a quelques mois Estelle Rambrant qui a souvent travaillé avec vous et je pensais… Une maladresse de ma part sans aucun doute. Je n'ai pas besoin de vous dire qu'elle m'a poliment envoyé sur les roses… Vous êtes très liés et j'imaginais pouvoir utiliser une petite touche de…

— De commérage ? Tout le monde sait que nous avons fait nos études ensemble et nous sommes en effet de très fidèles amis et collaborateurs à l'occasion. Fin de l'histoire…

— Je pensais plutôt à une touche d'humanité… Celle qui changerait l'image de froideur qui vous colle à la peau.

— Madame Heikkineen, je sais qui sont mes amis, je sais avec qui je peux m'engager en toute confiance. Je suis entouré d'humanité et j'ai la prétention de croire que mes projets et mes relations fonctionnent en grande partie grâce à d'elle. Je n'ai que faire de l'image que certains ont de moi.

Il sentait la tension qui envahissait son corps et ses mots se durcir. Il avala une gorgée de whisky en fermant les yeux brièvement. Il devait sonder un peu plus la journaliste et il savait qu'il n'adoptait pas la bonne méthode.

— Je suis touché d'être l'objet de tant d'attention de votre part, mais je crains de ne pas pouvoir vous accompagner sur cette ligne éditoriale… et… d'être la prochaine victime de votre plume acérée…

Elle ne put s'empêcher de sourire et pendant quelques secondes elle ne masqua pas sa sympathie à son égard. Elle baissa brièvement la tête comme si ce simple mouvement pouvait l'aider à poursuivre le jeu.

— Vous savez, le manque de réponses me rend fébrile et m'entraîne parfois à métamorphoser le vide en roman.... Vous semblez si passionné que l'on se demande de quelle manière vous avez hérité de cette sale réputation.

— Toutes les fois où ma timidité et mon intransigeance se sont abritées derrière l'impertinence et l'arrogance. Dieu merci je n'ai pas été giflé à chaque fois…

— Faites attention, Monsieur Gloves, vous êtes au bord de la confession…

— Vous connaissez Jacques Berthelot ?

Maarit Heikkineen avait blêmi instantanément en entendant ce nom. Elle avait lâché son verre et avait posé sa main nerveusement sur sa cuisse. Gloves continua.

— Il coordonne un projet artistique un peu secret dont un de mes amis m'a parlé et je ne serais pas surpris qu'il vous ait contactée…

Elle était totalement décontenancée par cette imprévisible situation. Gloves ne semblait pas bluffer. Mais que savait-il exactement ? Elle ne devait pas rester plus longtemps silencieuse. Elle toussota avant de répondre.

— Non et je le regrette. J'aime tant que l'on reconnaisse mes mérites… Mais qui sait, vous lui parlerez peut-être de moi ?

Gloves avait perçu clairement le moment de panique de la journaliste et fut persuadé qu'elle connaissait Berthelot d'une manière ou d'une autre. Il tenait l'information qu'il voulait obtenir. Elle faisait partie du cercle. Mais quel rôle y jouait-elle ? Maintenant qu'il avait lancé cet hameçon — il n'avait d'ailleurs absolument pas réfléchi aux conséquences qu'aurait pu avoir le fait de citer Berthelot —, il ne devait pas la perdre de vue.

Elle avait apparemment récupéré son assurance, mais un léger voile d'inquiétude dans son regard trahissait sa contrariété. Gloves qui pensait pouvoir savourer un petit instant de triomphe n'éprouva aucune satisfaction en percevant son malaise. Il sut aussi qu'il n'apprécierait pas ce genre de jeu douteux. Il lui sourit le plus naturellement qu'il put…

— Pourquoi pas ! Le projet a l'air ambitieux… Mais les informations sont là aussi bien gardées et j'ai hâte d'en savoir plus. Mais revenons à l'objet de notre entretien. Vous avez compris sans doute que je ne vous donnerai pas ce que vous souhaitez, mais je peux parler pendant des heures des œuvres, des artistes, de ce monde qu'ils réinventent en permanence, le même que nous avons souvent bien du mal à regarder encore, tant nous le malmenons.

— Je crains malheureusement de ne pas avoir assez de temps aujourd'hui et je le regrette sincèrement. Je me contenterai de votre modeste révélation pour amorcer une petite histoire. N'attendez pas de ma part qu'elle soit angélique. Je n'y parviens jamais.

Elle le dévisagea étrangement comme si son regard l'avait traversé et se perdait au loin. Il remarqua son absence.

— Un autre verre de vin ?

— Je vous remercie. Je dois partir à présent. Merci encore de m'avoir accordé un peu de votre temps. Je vous souhaite… de très belles aventures.

— Restons en contact voulez-vous ? Nous aurions peut-être d'autres conversations à tenir ?

Elle hocha la tête. Ils se levèrent dans un seul élan et se serrèrent la main. Elle partit aussitôt du même pas vif qu'à son arrivée. Il la regarda s'éloigner jusqu'à ce qu'elle disparaisse derrière la roseraie. Il héla le serveur et commanda un second whisky. La fraîcheur qui tombait sur ses épaules le sortit de sa dégustation pensive. Il gardait une sensation confuse de leur entrevue et bien qu'il ait gagné la certitude de la participation de la journaliste aux activités des « Farces », il soupçonnait que son assurance affichée soit feinte. Il devrait attendre la publication de son article pour découvrir ce qui s'était réellement joué ici. Il décida de rejoindre l'hôtel, de dîner dans sa chambre et de visionner un film de Jackie Chan. Il n'avait pas décidé s'il rentrait à New York ou s'il faisait un détour par Belfast.

*
**

Toulouse

Marcus n'avait pas encore été contacté par Jacques Berthelot et il s'impatientait. Peut-être n'avait-il pas été aussi convaincant qu'il l'avait imaginé. Même s'il percevait la dimension dangereuse de cette aventure, il était excité à l'idée de faire équipe avec Gloves et Estelle. Il avait enfilé depuis jeudi un nouvel habit d'agent double de l'art contemporain, intelligent, perspicace et intrépide. Malgré cette réaction quelque peu adolescente, il n'avait rien changé de son attitude habituelle et personne n'aurait pu soupçonner ce qu'il venait de décider. Il avait repéré immédiatement l'information de l'attaque chez Porettin dans Libération et avait déniché celle du Whitney en effectuant quelques recherches sur la toile. Avant de transmettre ces actualités à Estelle et Jason, il avait pris soin de faire créer une adresse mail par un de ses amis afin de pouvoir communiquer avec eux en toute sécurité.

Il n'était pas passé chez lui depuis deux jours, deux longues soirées avec des amis, un peu ennuyeuses et alcoolisées qu'il avait achevées, écroulé dans des canapés inconfortables, imprégnés d'une odeur tenace de tabac. Il ne fumait plus. Il avait besoin de se débarbouiller, de se changer et par-dessus tout de se reposer. Il ne recevait que rarement du courrier personnel et il fut étonné en ouvrant machinalement sa boîte aux lettres d'y trouver une grande enveloppe en provenance de Londres. Il grimpa en vitesse les deux étages qui le séparaient de son appartement et s'y engouffra. Il ouvrit l'enveloppe tout en se dirigeant vers le réfrigérateur où il cueillit une bière. Il s'installa sur le canapé et sortit une liasse de documents sur laquelle était agrafé un long message rédigé en anglais. Au fur et à mesure de sa lecture, le visage de Marcus se crispait. Il posa la lettre sur sa table basse encombrée. Il mit un moment avant de se saisir des documents qui l'accompagnaient. Un premier dossier était composé d'une série de photographies d'une jeune femme brune. Elle était peintre, une des images la montrait en compagnie de Gloves. Elle s'appelait Cassandre Jeanson et elle était sa nièce. D'autres clichés donnaient une idée de sa création. Elle était douée, diablement productive et revendiquait sans complexe l'héritage de David Hockney. Elle serait très prochainement à New York pour un court séjour chez son oncle. On lui demandait de les approcher tous les deux et de prendre un maximum de photos les montrant ensemble. Il était dubitatif. Il ouvrit le second dossier. Il reconnut immédiatement Estelle sur les différentes images dont une, où elle était en compagnie de Gloves lors du vernissage à Toulouse. Il se figea à l'idée qu'on les avait surveillés depuis le début et qu'ils aient déjà compris son double jeu. Cependant la demande explicite d'obtenir les informations que possédait Estelle sur leurs activités tendait à prouver le contraire. Enfin, il était chargé de récupérer un paquet à la Galerie Grossman. Il y avait un billet d'avion-aller simple pour New York le mercredi suivant, une carte bancaire à son nom, une chambre d'hôtel ainsi que toutes les adresses utiles pour son séjour « professionnel », des informations et des instructions détaillées. Il avait quinze jours pour réaliser son reportage. En ce qui concernait Estelle, il choisissait son mode opératoire.

Son arrogance semblait avoir porté ses fruits, mais pas ceux qu'il avait espérés. Ils ne lui laissaient aucune marge de manœuvre. Pris au piège de son propre jeu il n'avait aucune idée pour l'instant de la manière dont il pourrait sortir de cette impasse ni comment il aurait la moindre chance de percer le mystère grandissant de cette organisation. Il devait absolument trouver un moyen sûr de contacter Estelle et Jason, mais tout deviendrait maintenant difficile, il en était persuadé. Il décida, malgré le malaise qui l'envahissait, d'envisager un instant le bon côté du périple : il serait à New York dans moins d'une semaine.

5

dimanche 17 mars

Ballintoy

À son retour d'Inverness, Estelle avait accompagné Lorna et Michael à Ballintoy. Elle avait passé la journée emmitouflée dans son grand pull bleu en face de l'océan, partagée entre son récit des dernières aventures et un état flottant entre douce léthargie et méditation. Elle avait décidé de ne pas contacter Cillian même si sa voix un peu rauque lui manquait déjà. Après ce jour hésitant et une nuit de sommeil réparateur, elle s'était remise au travail et comptait bien pouvoir commencer à tirer quelques fils, aussi ténus fussent-ils…

6

lundi 18 mars

Ballintoy

Jason l'avait appelée l'après-midi, il était rentré à New York la veille. Il lui raconta sa rencontre avec Porretin et la vidéo du saccage qu'il venait de lui adresser. Il évoqua aussi son entretien avec Maarit Heikkineen et les minces conclusions qu'il en avait tirées. Sa nièce Cassandre arrivait jeudi d'Anchorage pour quelques jours. Il avait eu envie de lui parler de l'espèce de menace que Da Silva avait émise contre elle, mais il s'était abstenu. Ils s'étaient inquiétés du silence de Marcus.

Estelle lui demanda s'il connaissait l'un des cinq collectionneurs qu'elle avait évoqués en Écosse, à part Tchekov. Il avait rencontré deux fois Gwan Wei qui venait régulièrement faire « ses courses » à New York, mais c'était il y a plus d'un an. Il avait croisé la versatile Suzann Lennon à plusieurs reprises. Il connaissait suffisamment Estelle pour comprendre qu'elle échafaudait des plans pour percer les mystères accumulés de ces collectionneurs versatiles et qu'elle ne manquerait pas de le solliciter bientôt. Il avait hésité un instant avant de réitérer ses excuses pour sa piètre attitude à l'aéroport d'Inverness. Elle avait feint d'avoir oublié en se moquant gentiment de lui.

Elle peinait à rester concentrée sur ses recherches et il arriva plusieurs fois dans la journée que Lorna la retrouve accoudée à la petite table, le regard perdu vers l'océan, un imperceptible sourire aux lèvres. Elle avait néanmoins rassemblé toutes les informations qu'elle détenait et réussi à poser un premier schéma qui esquissait quelques hypothèses. Elle fixait le gribouillage qui faisait office de plan quand son portable vibra.

Je ne sais pas ce qui me manque le plus, toi ou toi. Je rentre demain soir.

Elle avait fermé les yeux en soupirant d'émotion avant de répondre.

Viens !

*
**

Londres

Quand Joachim Da Silva n'était pas à Lisbonne il passait du temps à Londres. Il s'était installé dans un appartement rénové dans White Chapel sur Brick Lane. Il aimait les contrastes et si le quartier se gentrifiait d'année en année il demeurait cosmopolite, populaire, créatif et cacophonique. Il s'étonnait toujours de la proximité si invraisemblable de la City dont les tours aux reflets changeants semblaient menacer ou sublimer l'horizon à portée de main.

Dès son retour de Cascais il avait élaboré le piège qui devait attirer Cassandre Jeanson. Il avait demandé à Berthelot un certain nombre d'informations sur Gloves et Estelle Rambrant. Il apprit sans surprise qu'Estelle avait flairé quelques bizarreries ces derniers mois. Berthelot n'avait pas réussi à en savoir plus malgré la coopération de son ami Murray à Belfast qu'il avait convaincu rapidement de sa loyauté. Il ne voulait pas imaginer de quelle manière il avait pu l'accabler. Un petit incident les avait empêchés de mettre la main sur les recherches d'Estelle. Un ami dévoué qui s'était trouvé au mauvais endroit Jason et au mauvais moment. Mais un admirateur de Gloves, intelligent et cupide, avait accepté de rejoindre la cause, du moins la reconnaissance qu'elle pourrait lui apporter. Il serait bientôt à New York avec Gloves dont il deviendrait assurément le chien fidèle. Il faisait de tendres portraits de famille... Le nom de Marcus Garbot ne disait rien à Da Silva. Berthelot l'informa encore qu'il devait récupérer un dessin de Pontormo chez Grosmann et qu'il était chargé enfin de savoir où en était Estelle qu'il connaissait de longue date.

S'il avait d'abord pensé à un lieu d'exposition pour Cassandre, l'idée de réunir autour d'elle dans un même espace des personnages aussi proches les uns des autres lui procura une certaine satisfaction ou plus exactement apporta une petite dose de consolation à cette mission pour laquelle il n'était pas objectivement enthousiaste. Il fut vite persuadé que l'événement devait avoir lieu à Belfast. Deux possibilités s'offraient à lui. Le musée d'Ulster ou le MAC, Metropolitan Art Center. Le MAC était plus approprié, non seulement parce que sa vocation envers la jeune création était indiscutable, mais aussi parce qu'il serait plus aisé d'insérer rapidement l'exposition d'une artiste inconnue dans la programmation annuelle. Estelle était sur place ainsi que son ami Murray Dunne qui l'aiderait bientôt dans son projet, Gloves viendrait évidemment soutenir sa nièce, Garbot ne voudra pas manquer la fête. Quelle belle affiche pour un événement qui s'annonçait sensationnel et qui mettrait définitivement fin à la renommée de Jason Gloves ! Même si certains aspects de cette histoire le mettaient mal à l'aise il ne pouvait se départir de la rivalité qui le confrontait à lui depuis tant d'années. Il aurait préféré qu'il soit confondu sur un autre terrain que celui peu glorieux choisi par ses commanditaires, mais l'onde de choc serait aussi imprévisible que violente et le laisserait à terre. Sa faiblesse toulousaine commençait à s'estomper... Mais avant d'anticiper son plaisir il avait dû orchestrer cette prometteuse manifestation. Il connaissait l'influence qu'il pouvait exercer en tant que critique et il ne doutait pas qu'il pourrait rallier à son projet des personnes responsables de l'institution qu'il avait pris pour cible. Il avait pris contact avec Murray Dunne.

— Murray Dunne ?

— Lui-même. Qui le demande ?

— Joachim da Silva.

Il y eut un court silence.

— Je travaille avec Jacques Berthelot.

— Je sais qui vous êtes. Enchanté. Que puis-je faire pour vous ?

— J'aimerais que vous m'aidiez à convaincre un des programmateurs du MAC d'y exposer une jeune amie, et rapidement si possible.

— Je crains de ne pas avoir l'influence que vous imaginez pour cela…

— Évidemment, mais vous pourrez utiliser mon nom en introduction et celui de Jason Gloves en récompense.

— Je peux savoir qui est la chanceuse artiste ?

— Cassandre Jeanson, la nièce de Gloves.

— Il avait laissé l'annonce faire son effet puis sans dévoiler l'issue immonde du projet il avait exposé à Murray ce qu'il devait faire miroiter pour convaincre un responsable de la programmation d'intercaler une exposition qui apporterait un partenariat financier substantiel et une sensationnelle notoriété à l'institution et à lui-même. Murray n'avait pas prononcé un mot pendant ces quelques minutes. Il attendit quelques secondes avant de parler.

— Vous savez certainement que je suis un ami d'Estelle Rambrant ?

— Oui bien sûr ! En tout cas que vous l'étiez encore récemment.

— … Estelle connaît bien le MAC et certains des curators qui y travaillent. Elle ne croira pas un seul instant à une histoire pareille qui plus est avec la nièce de son grand ami Jason Gloves.

— Détrompez-vous ! Si vous lui dites avant que quelqu'un d'autre ne le sache et si vous inventez un tout petit mensonge avec votre complice du MAC sur les raisons de leur choix. N'oubliez pas qu'ils auront Gloves et Da Silva le même jour... Je suis persuadé que vous saurez quoi faire. Berthelot vous contactera pour régler les conditions de votre collaboration. Monsieur Dunne, attendez-vous à un événement d'exception, vous ne serez pas déçu. Appelez Berthelot lorsque tout sera prêt. Nous n'avons pas beaucoup de temps. Soyez efficace.

Da Silva était implacable et savourait de l'être. Il se demandait même aujourd'hui ce qui avait bien pu le pousser à faire ces confidences indécentes à Gloves après le vernissage de l'« Exposition ». Un moment d'égarement, de confusion, une soudaine fièvre d'humanité... Il savait plutôt qu'il ne supportait pas qu'on ne lui fasse pas confiance, qu'on imagine un seul instant qu'il pourrait faillir à son dessein. Il se remémorait souvent cet entretien avec Gloves et ne pouvait ignorer malgré tout l'authenticité et la sincérité qui s'étaient emparées de lui. Il en était resté troublé, quels que soient les motifs qu'il cherchait pour se justifier. Peut-être une forme de compassion spontanée à l'égard d'un homme brillant condamné à disparaître si prochainement...

*
**

Belfast

Murray avait en effet réussi à convaincre Derek Mulligan en un temps record. Ils s'étaient croisés à plusieurs reprises à l'Université et dans quelques pubs qu'ils fréquentaient régulièrement. Da Silva avait vu juste et dès qu'il avait prononcé son nom et celui de Gloves, le responsable de la programmation du MAC s'était emballé. L'idée d'exposer la nièce de Gloves l'enchantait. Il avait entendu parler de son travail par un collègue anglais qui l'avait rencontrée à Anchorage pendant une résidence et qui avait été totalement séduit par sa peinture. Cette incroyable coïncidence jouait en faveur de Murray. On ne mentirait que si peu à Estelle. Il fut plus délicat de trouver un créneau dans le calendrier. Les expositions duraient environ huit semaines et étaient annoncées plusieurs mois à l'avance. Mulligan avait compris que cette incroyable opportunité ne se présenterait pas deux fois. Quelle bonne raison pouvait justifier d'inverser la programmation ? Rien si ce n'est la garantie d'un fantastique coup de projecteur sur le MAC, d'un événement hors du commun avec une jeune artiste qui en plus d'être la nièce du plus célèbre critique de la planète semblait peindre furieusement bien. Il n'aurait aucune difficulté à convaincre sa hiérarchie de ce changement minime. Murray l'informa du soutien financier dont le centre disposerait pour réaliser le show. Il s'assura également qu'il ne connaissait pas Estelle et lui expliqua qui elle était. Il lui demanda enfin de faire comme s'ils n'avaient jamais eu cette conversation et de ne pas évoquer le nom de Da Silva ou le sien de quelque manière que ce soit avant la manifestation. Mulligan fut un peu surpris par ce mystère, mais il imaginait qu'il ne fallait pas risquer de perdre l'avantage. Il fut convenu qu'il était et lui seul à l'initiative de cette exposition de Cassandre Jeanson qui pourrait être inaugurée vers la fin avril. Le délai était extrêmement court. Murray laissa enfin son numéro de portable ainsi que celui de Cassandre l'invitant à la contacter le plus vite possible. Il lui souhaita bonne chance.

Il peinait à croire qu'il avait été capable de faire tout cela, avec autant de facilité, de calme, de détermination. Tout comme trahir ses meilleurs amis avait été moins douloureux qu'il ne l'avait redouté. Lorsqu'il avait été approché par Jacques Berthelot sa situation était à ce point désastreuse qu'il vit une issue inespérée à tous ses problèmes. Non seulement on lui proposait une somme d'argent confortable, mais on lui offrait surtout d'effacer les poursuites judiciaires qui s'accumulaient contre son fils depuis que l'usage abusif de drogues l'avait entraîné dans un tourbillon de délinquance. Protéger son fils et retrouver une vie décente… Il n'avait pas vraiment réfléchi. Même si ses amis l'avaient toujours soutenu ils ne pourraient jamais le libérer de son fardeau. Il pourrait peut-être à son tour leur témoigner une amitié différente… Aveuglé par les perspectives de cette occasion unique, il avait perdu tout discernement et il relégua sa traîtrise au rang d'un désordre nécessaire et temporaire auquel il pourrait mettre fin dès qu'il cesserait sa collaboration avec cette organisation.

mardi 19 mars

Ballintoy

Elle s'était levée tôt, réveillée par un ciel orangé. Elle savait que la journée serait interminable et elle avait ébauché un programme pour éviter d'être anéantie par l'impatience avant ce soir. Remettre au propre son ébauche d'hier pour la rendre compréhensible et utilisable. Il faudrait bien y consacrer deux heures. Marcher jusqu'à la White Park Bay, y ramasser quelques cailloux et galets curieux. Manger un peu, se préparer, prendre un whiskey avant de rejoindre Cillian. Elle commencerait plutôt par la marche, le temps était magnifique. Il n'était que huit heures trente et son esprit était déjà confus. Elle alluma son ordinateur en buvant un grand café. Elle découvrit avec stupéfaction la publication du Astrup Fearley Museum d'Oslo.

Nous avons le regret d'annoncer que suite à un acte malveillant d'une rare violence, l'œuvre de Damien Hirst, Mother and Child, emblématique de la collection, a été détruite jeudi 14 mars dans la matinée. Pour des raisons de sécurité et de santé publique, le musée restera fermé jusqu'au 31 mars prochain.

C'était impensable, son regard demeurait fixé sur l'image de la sculpture de Hirst. Elle connaissait l'œuvre et se demandait comment il avait été possible de la saccager. Quatre attentats, dont trois le même jour. Aucune chance que cela soit dû au hasard, mais rien pour prouver qu'ils étaient liés…

Elle avait décidément besoin de cette balade. Elle sortit de la maison serrant une pomme dans sa main et descendit la petite route sinueuse jusqu'au port. C'était un tout petit port, deux barques et trois bateaux de pêche qui amenaient leurs lots frais et quotidiens de maquereaux et de homards. Elle traversa le parking niché dans les rochers noirs et longea la seule maison cachée derrière le port. Elle franchit le petit portillon rehaussé et se retrouva aussitôt à marcher dans l'herbe grasse et moelleuse des prés-salés qui longeaient l'océan. Deux moutons solitaires dont les flancs étaient tagués en rose fluo broutaient nonchalamment quelques buissons épineux. Ils levèrent à peine les oreilles quand elle passa. Elle marchait d'un bon pas et approchait de la pointe rocheuse qu'il fallait contourner pour atteindre le site. La marée était haute et elle dut éviter de glisser sur les pierres recouvertes d'algues. Quand elle put enfin lever le nez des cailloux, elle contempla comme à chacune de ses visites ici la magnifique et vaste baie, ses eaux bleues, peu profondes et transparentes qui caressaient l'immense plage de sable blanc. Le lieu était serein, la lumière enveloppait le corps et l'esprit. Il n'y avait personne et elle eut la sensation que tout cela n'était là que pour elle. Elle demeura un moment sur un rocher plat qui chauffait et apprécia de sentir la légèreté de l'air dans ses cheveux et la douceur du soleil sur son visage, d'écouter la chanson amoureuse et inlassable des vagues. À chaque fois qu'elle revenait ici, de grands cairns de galets blancs rythmaient la plage comme autant de veilleurs de l'océan et leur présence permanente ajoutait à la majesté rassurante du paysage.

Elle croqua la pomme avec gourmandise et sentit les bienfaits de son escapade plus vite que prévu. Une tâche complexe l'attendait réclamant toute son énergie et sa concentration. Elle respira encore un moment à pleins poumons la brise iodée avant de se lever. Elle ramassa un petit galet plat qu'elle plaça délicatement au sommet d'un des cairns.

Elle avait déjeuné avec Lorna, Michael était à Belfast pour quelques heures. Lorna était d'une curiosité affectueuse, tenace et adorait ce qui se passait entre Cillian et elle parce qu'elle aimait ces deux-là comme sa propre famille. Deux belles âmes solitaires qu'elle rêvait de réunir. Elle brûlait d'envie de tout savoir, mais Estelle ne parlait jamais d'elle et surtout pas de ses amours. Cette fois, la situation était un peu différente, Cillian était leur ami et partageait depuis longtemps leur intimité et... leurs amis.

— Lorna arrête s'il te plaît !

— Quoi !

— Cesse de parler de cette régate ! La voile ne t'a jamais intéressée... Il rentre ce soir... Et nous nous retrouvons chez lui. Ça te va ?

Lorna entoura les mains d'Estelle avec les siennes en plissant son nez d'aise.

— Et ???

— Et il me plaît... Au-delà de ce que je pouvais imaginer... Je ne sais pas quoi faire...

— Laisse-toi faire Estelle ! Pour une fois.

Estelle appréciait toujours la générosité sincère de Lorna et c'était bien plus que l'amitié qui les unissait toutes les deux depuis plusieurs années. Dans son état exacerbé de désir et de confusion amoureuse, elle aimait sa bienveillance et son enthousiasme. Elle ne se voyait aucune capacité à analyser et éclaircir ses recherches de la veille. Elle doutait que son esprit embrouillé lui laissât l'attention et la concentration nécessaires à cet exercice. Elle savait cependant qu'elle devait à tout prix tirer les premières conclusions des informations accumulées et des événements survenus récemment. Elle se demandait si Cillian accepterait de l'aider. Elle avait apprécié son pragmatisme et sa logique lors de leur réunion avec Jason au bord du Loch et il serait certainement un partenaire efficace. Lorna devait deviner ses pensées hésitantes.

— Le reste attendra bien demain ! Je t'emmène à Dunluce papoter avec les fantômes du château puis nous irons prendre un café avec des chocolats à Portrush. Nous serons rentrées à dix-sept heures trente au plus tard. Laisse-toi faire Estelle !

On ne pouvait pas lui résister et Estelle n'essaya même pas. Au retour de leur escapade, elle était descendue un moment, officiellement pour se reposer, en vérité pour tenter de canaliser la tension qui s'emparait d'elle. Il était presque dix-neuf heures quand elle rejoignit Lorna et Michael à l'étage. Lorna l'accueillit avec un large sourire.

— Tu es magnifique, tu es…

— Merci Lorna, je suis juste un peu nerveuse.

Michael approchait avec un whiskey.

— C'est de cela dont tu as besoin pour affronter ce gars…

Elle rit pendant que Lorna roulait de gros yeux réprobateurs. Elle trinqua avec lui qui avait pris une bière. Elle avala son verre en une gorgée et grimaça presque en le posant sur le guéridon. Elle portait un long pull clair et un jean noir. Elle s'enveloppa dans un tartan gris et bleu. Elle leur adressa un beau sourire qu'elle essayait de garder engagé. Elle sortit de Bendhu et fut presque surprise par l'obscurité qui tombait déjà.

Quand elle atteignit la maison de la falaise, son cœur s'était mis à battre plus vite. Les fenêtres étaient éclairées. Elle s'approcha de la porte d'entrée. Elle entendait de la musique. Il n'y avait pas de sonnette et elle frappa doucement. Sans réponse, elle recommença une seconde fois. Il n'y eut toujours pas d'écho et elle décida d'entrer. Juste en face d'elle, Cillian, les cheveux humides, enlaçait tendrement une jeune femme blonde. Elle eut le souffle coupé et avant qu'il n'ait pu dire un mot alors qu'il l'avait aperçue, elle était sortie en claquant la porte. Ses genoux tremblaient. Cillian avait bondi et posé sa main sur son épaule en criant presque son nom.

Sans se retourner, le visage déformé par l'incrédulité, elle siffla :

— Ne me touche pas !

Il l'attrapa fermement par le bras en l'obligeant à lui faire face.

— Mais que se passe-t-il ? Estelle ?

— Que se passe-t-il ??

Elle le fixait d'un air hébété et la colère embrumait son regard.

— Cette fille Cillian…

— Eireen ?

Estelle restait muette et voyait à présent Cillian fermer les yeux en soupirant. Il avait lâché son bras et esquissa un sourire. Elle resserra son tartan autour de ses épaules pour ne pas perdre contenance.

— Estelle, Eireen est ma sœur. Elle part ce soir, elle vit en Australie. Son taxi ne va pas tarder… Comment as-tu pu imaginer ?

Estelle n'osait pas lever les yeux vers lui. Elle était tétanisée par la honte. Elle se décida enfin à le regarder.

— Je suis désolée… Je ne m'attendais pas à cela… Je n'aurais pas dû ouvrir la porte…

— Estelle, je t'en prie. Tout va bien, tout va bien.

Il soupira lentement pour détendre l'atmosphère et releva le visage d'Estelle du bout des doigts.

— Je souhaitais tellement que tu arrives.

Eireen sortait de la maison sa valise à la main. Elle ressemblait sans aucun doute à son frère et arborait le même sourire ravageur. Elle dit en riant :

— Les apparences étaient plutôt trompeuses mon frère… Bonsoir Estelle ! J'ai les oreilles qui bourdonnent encore des milliers de mots que mon frère a utilisés pour vous décrire et il a assez bien réussi je dois avouer. Ravie de vous avoir rencontrée.

Estelle avait esquissé un sourire en l'écoutant. Un taxi s'était arrêté dans l'allée. Cillian avait rejoint sa sœur et avait juste eu le temps de déposer un baiser sur son front avant qu'elle ne disparaisse dans la voiture. Il fit un signe de la main en la regardant s'éloigner. Il revint vers Estelle qui lui adressa un sourire timide. Il prit sa main en l'attirant à l'intérieur. Elle put enfin voir autour d'elle.

Une pièce spacieuse occupait tout l'espace. Deux grands canapés en cuir brun étaient disposés de chaque côté d'un tapis en laine claire qu'une cheminée à l'horizontale emplie de bûches crépitantes éclairait de lueurs dansantes... Plusieurs tables basses en bois accueillaient ici et là des livres et des objets. Les murs étaient couverts de photographies maritimes. Au fond, s'ouvrait une cuisine américaine et un escalier en colimaçon métallique disparaissait à l'étage.

Elle commençait à se détendre. Elle observait Cillian occupé à leur préparer des whiskies. Il portait un vieux pull en coton bleu et un large pantalon souple. Elle ne put s'empêcher de remarquer que la matière fine du textile laissait deviner les courbes de ses fesses. Ses cheveux n'étaient pas encore secs et il paraissait plus brun, il était pieds nus, ses chaussures abandonnées sur le tapis. Elle aimait beaucoup ce qu'elle voyait et ne se souvenait plus avoir eu de telles considérations en regardant un homme... Elle s'installa dans l'un des canapés. Il vint s'asseoir près d'elle. Il lui tendit un verre. La musique s'était tue.

— Je suis tellement confuse Cillian...

Il déposa en hâte son verre sur le tapis et saisit celui d'Estelle. Il se pencha aussitôt vers son visage et embrassa sa lèvre supérieure. Il caressa sa bouche du bout des doigts. Elle avait instantanément fermé les yeux et tentait de l'embrasser. Il recula à peine son visage en gardant les doigts sur sa bouche.

— J'ai imaginé des tas de choses à faire avec toi ces derniers jours Estelle Rambrant... Ne sois pas confuse tout de suite...

Ses yeux bleus brillaient de malice. Rien n'aurait pu le distraire de son plaisir d'être avec elle et certainement pas cette surprenante entrée ni ce petit moment d'égarement. Cette fois, elle vint coller sa bouche sur la sienne et leurs langues se mêlèrent fébrilement. Elle avait glissé ses doigts sur le haut de ses fesses et le sentit frissonner.

Il s'écarta à nouveau d'elle en dégageant ses mains. Ils respiraient rapidement. Leur désir était impérieux, pressant, envahissant, mais ils voulaient d'infinies caresses, d'indescriptibles délices avant de se fondre l'un dans l'autre. Ils rirent ensemble en devinant leurs pensées jumelles. Estelle se pencha en avant et retira ses boots.

— Simple précaution.

Il sourit à l'évocation du souvenir écossais. Elle s'était redressée et poussa Cillian à s'allonger sur le dos en appuyant ses deux mains sur sa poitrine. Son regard était déterminé. Elle saisit la taille du large pantalon et le fit glisser sur ses hanches avant qu'il ne bouge. Il ne portait pas de sous-vêtement et ne pouvait masquer son désir. Il la regarda avec ces yeux sombres qu'elle avait tant aimés à Inverness. Elle savait qu'il ne resterait pas longtemps immobile. Elle approcha son visage de son ventre et prit doucement son sexe dans sa bouche. Il était chaud et palpitant. Cillian grogna de plaisir. Elle sentait son pénis durcir sous l'effet des caresses gourmandes de sa langue. Elle se releva lentement et vit son regard éperdu. Elle respirait calmement et profondément. Il se redressa soudain et vint cueillir sa bouche. Un baiser sauvage, âpre qu'il tentait de maîtriser pour ne pas la mordre. Il s'éloigna brusquement la laissant pantelante. Il ôta son pull. Estelle coulait son regard sur ses belles épaules, sa poitrine dessinée, son ventre plat et son nombril à peine saillant. Puis elle commença à se déshabiller. Elle se leva pour enlever son jean et passer son pull au-dessus de sa tête. Elle dégrafa son soutien-gorge. Elle lui faisait face. Il se mit devant elle, toujours assis. Il posa sa tête sur son ventre en remontant ses doigts le long de son dos. Elle s'était cambrée au contact de ses cheveux sur sa peau. Il glissait son visage vers son pubis et elle sentit son souffle brûlant à travers l'étoffe de la culotte. Il descendit ses mains sur ses hanches et fit rouler la lingerie en bas de ses cuisses. Il se leva brusquement et la pressa contre lui fougueusement. Il embrassait sa bouche, ses seins, mordait ses épaules. Il était bouleversé de désir et elle dut lui tenir la tête dans le creux de son cou, attrapant fermement ses cheveux pour qu'il retrouve un peu de calme.

— Je vais devenir fou à te désirer ainsi...

Elle lui sourit et se perdit un instant dans son regard affolé. Elle s'écarta de lui en l'invitant des yeux à la suivre. Elle alla s'asseoir à l'extrémité du canapé calant son dos contre le large accoudoir. Il vint lentement s'agenouiller devant elle et se pencha sur son sexe. Elle soupira. Il la saisit vigoureusement sous les fesses en ouvrant ses jambes et l'attira vers sa bouche. Il se délectait passionnément de ses chairs si tendres et sa langue agile excitant son clitoris embrasait son désir. Elle ne put résister à l'onde immense de plaisir qui la secoua. Il avait relevé la tête et la regardait plonger dans ce prodigieux étourdissement avec autant de plaisir qu'elle. Il la laissa reprendre son souffle et quand elle ouvrit les yeux il lui sourit si tendrement qu'elle en fut troublée. Elle se redressa et prit son visage entre ses doigts. Elle l'embrassa longuement, doucement, goûtant ses lèvres parfumées par l'arôme de son propre corps. Il quitta sa bouche et se dressa sur les genoux. Il l'attrapa par la taille et la retourna devant lui afin qu'elle soit aussi à genoux. Il respirait fort. Elle se pencha en avant en s'appuyant sur l'accoudoir. Il avança et elle sentit son sexe brûlant contre elle. Son ventre encore chaud l'accueillit fiévreusement. Dès qu'il fut en elle, il s'abandonna au plaisir et ils furent emportés par des vagues de jouissance de plus en plus profondes jusqu'à ce que leurs corps soient submergés, haletants, épuisés. Cillian voulait la prendre dans ses bras. Il se releva et l'attira vers lui dans l'urgence de la voir à nouveau. Elle l'avait chevauché et se tenait assise sur lui, droite, les mains sur ses épaules. Elle froissait son nez et il reconnut les signes transparents de fatigue sous ses paupières. Il frissonna de délice quand elle remua doucement sur lui. Il caressa le creux de ses reins juste pour le plaisir de la sentir se cambrer, entendre son soupir… Il la serra contre lui. Ils échangèrent un long regard encore brillant de désir, mais qui étincelait à ce moment précis d'une flamme d'une tout autre nature. Ils en eurent conscience simultanément.

— J'aimerais que tu restes cette nuit Estelle.

— À une condition !

Il lui sourit en levant un sourcil interrogateur.

— Promets-moi que nous dormirons un peu.

— Je promets… Un peu, juste un peu…

Son sourire annonçait d'autres ravissements. Il posa son visage contre sa poitrine. Estelle n'avait pas ressenti un tel apaisement depuis des années.

8

mercredi 20 mars

Ballintoy

Ils arrivèrent vers dix heures à Bendhu. Lorna concoctait un Pavlova dans la cuisine tandis que Michael taillait quelques arbustes au bout du jardin. Cillian s'avança le premier. Lorna sourit à pleines dents en s'essuyant les mains sur son tablier et les enlaça tous les deux avec une joie sincère et démonstrative.

— Oh ! Vous voilà ! tous les deux ! Je suis tellement heureuse…

Estelle et Cillian se regardèrent avec amusement et l'embrassèrent avec tendresse.

— J'espère que ce grand type a été correct avec toi Estelle ?!!!

Michael venait d'apparaître et embrassait Estelle.

— Oh absolument Michael ! On ne peut plus correct.

Elle lança une œillade sans ambiguïté à Cillian qui s'empressa d'aller saluer son ami d'une affectueuse accolade. Lorna levait les yeux au ciel.

— Un café pour tout le monde ?

— Avec plaisir. Nous allons… Enfin, Cillian va m'aider à démêler la pelote d'informations que j'ai commencé à poser. Je ne vous ai pas remerciés, je ne me suis pas excusée de vous avoir tous mis dans une situation délicate avec mes recherches. J'en suis désolée…

— Estelle, ce truc est sacrément tordu. Tu ne pouvais pas voir arriver tout ça. Les risques et les agréments…

Michael regarda Cillian en souriant.

— Michael !!!

Lorna le toisait et il leva les sourcils comme s'il ne savait pas pourquoi elle l'interpellait de cette façon. Michael était bien le seul à asséner des vérités avec cette bonhommie hors du commun qui coupait court à tout commentaire.

— Pouvons-nous nous installer en bas ?

— Évidemment. Je vous amènerai des sandwiches tout à l'heure.

— Et une part de pavlova ?

Cillian avait posé la question avec une grâce enfantine. Estelle pensa que décidément cet individu lui plaisait énormément.

Le nom de Jacques Berthelot était l'unique lien indiscutable qui reliait plusieurs des événements et des personnes impliqués dans cet imbroglio. Il apparaissait lors d'une des ventes à Londres, était cité comme interlocuteur par Joachim Da Silva, Marcus Garbot, Angus Craig. Il ne faisait aucun doute qu'il était un maillon clef de cette affaire. Mais jusqu'à quel point ?

Ils avaient installé la table ronde au milieu du salon afin de pouvoir tourner autour des documents et des notes dont Estelle disposait. Et toutes ces indications posaient bien plus de questions qu'elles n'apportaient de réponses.

La première que pointa Cillian était ce hasard extraordinaire qui avait permis à Estelle de suivre LA bonne piste. Il était persuadé qu'on l'avait attirée dans cette histoire de ventes et de collectionneurs fantasques. Il pensait que les commanditaires étaient trop arrogants et présomptueux pour perpétrer leurs méfaits dans l'ombre. Ils voulaient s'entourer des meilleurs aussi bien à leurs côtés qu'à leur poursuite. Ils étaient joueurs. Il soupçonnait

Joachim da Silva de collaborer avec eux depuis pas mal de temps. Il n'avait certainement pas tout dit à Jason lors de leur rencontre à Toulouse. Da Silva connaissait Estelle depuis longtemps et il avait bien pu imaginer un scénario brillant pour appâter sa curiosité.

— Mais mon amie Bérénice ?

— Corrompue, menacée ou les deux. Elle t'a vraiment aidée à lever ce lièvre, mais elle t'a aussi plongée au cœur de leurs méthodes. Ils ne s'adressent pas à n'importe qui en allant te chercher. Tu es une spécialiste. Ils savent que tu voudras comprendre ce qui est en train d'arriver et ils savent surtout que tu es très proche de Jason Gloves qui pourrait être un des objectifs de leur programme de destruction. Ils ont peut-être commis une petite erreur en sous-estimant ta loyauté lorsqu'ils ont utilisé Maarit Heikkineen pour te soutirer quelques infos sur Jason... Ils n'imaginaient pas que tu serais si perspicace et tenace et depuis quelque temps ils pensent que tu en sais beaucoup plus que ce qu'ils t'ont donné... Ils devaient vérifier où tu en étais et ils sont venus m'assommer à Ballintoy...

Cette dernière phrase la fit sourire, mais elle acquiesça de la tête.

— C'est un point de vue intéressant. Je ne m'étais pas encore posé la question. Mais qui alors a pu leur fournir toutes ces infos sur moi, sur toi, Lorna et Michael ?

— Quelqu'un qui te connaît bien.

— Un tas de monde me connaît et sait que je partage mon temps entre Belfast et Ballintoy. Pourquoi ici ?

— L'intuition que tu ne gardais pas tes documents chez toi, que tu les avais peut-être confiés à tes amis. Ma présence à Ballintoy le jour où le petit homme est venu fouiner est juste un accident qu'ils n'avaient pas prévu. Ils comptaient trouver et s'emparer de tes recherches et continuer à te faire « danser » autrement. Ils ont dû changer leurs plans c'est évident et cela m'inquiète.

— Ton analyse peut coller, mais... Mais je ne sais pas tant de choses que cela qui pourraient les intéresser maintenant...

— Au contraire, tu as découvert le groupe des collectionneurs, tu sais pour Da Silva, Marcus, Craig… Rien de moins sûr qu'ils sachent que tu es en possession de toutes ces informations. Nous avons peut-être un peu d'avance ?

— Ne sois pas trop optimiste. Ces quatre attaques et destructions d'œuvres ont bien eu lieu et parfaitement réussi. Aucune piste exploitable si ce n'est deux maigres et grotesques allusions sémantiques au mot « plaisanterie ». C'est bien peu pour l'instant et ça ne suffit pas à relier les uns aux autres et encore moins à nous conduire aux très hypothétiques responsables de ce carnage. Jacques Berthelot est insaisissable, pas de nouvelle de Marcus, pas de mouvement du côté des collectionneurs depuis quelques mois, et Jason pour qui tout cela doit être plus contrariant qu'il ne le laisse paraître.

— J'ai repensé à ce mathématicien qui devient collectionneur après avoir épousé la fille d'un grand galeriste et qui perd la tête en mettant le feu à une de ses œuvres. Nous devrions en savoir plus sur lui. Tu crois que l'amour peut provoquer du jour au lendemain une telle vocation ?

— Euhhh… Je n'en sais rien du tout. Quelle drôle de question ! Peut-être qu'avoir pour beau-père Georges Grosmann l'a-t-il aidé un tant soit peu à se lancer dans l'aventure ? Mais tu as raison, il faut fouiller de ce côté-là, la triste histoire d'Herbert Kanno pourrait peut-être nous mener quelque part.

Il passa derrière elle et caressa délicatement sa nuque. Elle pencha légèrement la tête en arrière et la posa sur sa poitrine. Ils restèrent un instant ainsi jusqu'à ce qu'il se courbe pour l'embrasser. Il avait encore cet appétit d'elle et il retira sa bouche avant que le baiser ne soit plus ardent. Il revint de l'autre côté de la table, s'assit et la regarda en souriant en haussant les sourcils.

— Je veux découvrir qui t'a trahie ici.

— Je ne suis pas certaine d'en avoir envie. Ce sera tellement gênant…

— Oui, mais nous avons besoin de le savoir avant qu'il ou elle ne continue à être un danger pour toi. Je vais être ici assez souvent ces prochaines semaines. Estelle, il n'est pas question qu'il t'arrive quoique ce soit et je ne te laisserai pas prendre de risques inutiles. Rassure-moi ! Maintenant…

— Je n'en ai pas l'intention.

Cillian la regarda intensément avant de lui sourire.

— Parfait… Il faut que Jason et toi donniez une adresse mail sûre à Marcus. Un endroit où vous pouvez vous rendre régulièrement. Ça serait bien de savoir où il en est.

— J'aimerais que Jason contacte un des collectionneurs du groupe. Il l'a déjà rencontré. Je vais chercher des informations sur Kanno. Tu devrais regarder la vidéo de chez Porretin, c'est édifiant et terrifiant…

— Tu as eu des nouvelles de Jason ?

— Oui, il attend la réaction de la journaliste et sa nièce Cassandre arrive demain. C'est la fille de sa sœur, c'est une jeune artiste très douée dont il s'occupe beaucoup depuis la mort accidentelle de ses parents il y a cinq ans. Elle vit dans le sud de la France. Elle vient de terminer une résidence à Anchorage.

— Vous devriez peut-être avoir chacun un portable rien que pour vos échanges.

— Toi aussi je crois.

Estelle soupira en s'étirant sur la chaise. Il semblait qu'ils aient réussi, sans avoir réellement trouvé de réponses, à saisir un fil à dérouler, aussi fragile pouvait-il être. En grande partie grâce au raisonnement et aux déductions de Cillian, ils pouvaient concevoir un plan pour creuser les recherches avec les personnes qui pouvaient les aider. Mais il faudrait peut-être envisager, si les événements continuaient à se multiplier et les menaces se confirmer, de s'entourer de « professionnels » ou d'autorités plus compétentes…

Il était presque quatorze heures quand ils plièrent les documents. Ils sortirent et s'avancèrent jusqu'au bout du jardin. Des centaines d'oiseaux décoiffaient la Sheep Island. L'air était frais, le ciel clair. Estelle avait un peu froid et Cillian vint l'envelopper de ses bras.

— Je dois rentrer à Belfast ce soir.

Elle se retourna contre lui.

— J'en suis partie depuis une semaine et j'ai la sensation d'avoir été emportée par une tempête. J'ai besoin de poser ma valise, mes idées, ma tête. J'ai besoin de reprendre mon souffle.

— Tu me manques déjà.

Il avait dit cela si sérieusement. Elle l'embrassa chèrement. Il avait serré ses bras autour d'elle en répondant avidement à son baiser, prêt à l'aimer ici même, s'il avait pu.

jeudi 21 mars

New York

Jason Gloves n'avait pas eu de nouvelles de Maarit Heikkineen et espérait un signe de la publication de ce très attendu article. Estelle avait partagé l'information de la destruction du Damien Hirst à Oslo. Il demeurait profondément choqué par les attentats et son esprit ne pouvait concevoir un seul mobile valable justifiant de tels actes. Il gardait en mémoire la danse macabre des ours de Pivi chez Porettin.

Il pleuvait ce matin sur New York et le spectacle de Central Park était un peu brouillé. Il vivait depuis plusieurs années sur Central Park West pas très loin du Musée d'Histoire naturelle. Un appartement assez grand avec vue imprenable sur cette île de verdure. Il aimait ce quartier, terriblement new-yorkais, mais si aéré, presque calme si le mot calme pouvait encore avoir une signification dans cette métropole. S'il n'avait pas eu ce refuge, il ne serait peut-être pas resté plus longtemps à New York. Il voyageait beaucoup et aspirait parfois à un lieu de vie retiré du tumulte de la ville. Mais à chaque fois qu'il rentrait chez lui et regardait les arbres du parc, il oubliait la fatigue citadine.

Il était tellement heureux de revoir sa nièce qui arrivait dans la soirée. La mort de sa sœur et de son mari les avait rapprochés un peu plus encore qu'ils ne l'étaient auparavant. Il s'était alors beaucoup occupé d'elle. Cassandre entamait des études artistiques en France et se retrouvait soudain très isolée n'ayant pour seul parent que sa grand-mère paternelle qui vivait dans un petit village du sud-ouest du pays. Elle n'avait pas voulu rentrer aux États-Unis et avait demandé à Jason de s'occuper des affaires de ses parents ainsi que de vendre leur maison. Elle était venue en coup de vent le rejoindre à New York pour répandre leurs cendres dans l'Hudson. C'est la seule fois où il la vit pleurer. Elle n'avait pas de mouchoir et reniflait sans cesse dans sa parka noire. C'était en janvier, il faisait glacial. Elle avait obtenu son diplôme deux ans plus tard et Jason était un fan absolu néanmoins objectif. Elle travaillait énormément et sa peinture, vive, impatiente et sensuelle servait merveilleusement sa vision hédoniste du monde. Son admiration pour David Hockney était sans limites et il espérait qu'il pourrait un jour organiser une rencontre entre ces deux-là. Elle était incroyablement obstinée et ne voulait sous aucun prétexte entendre parler du réseau de son oncle, quasiment personne d'ailleurs dans son entourage ne connaissait leur lien de parenté. Elle suivait sa route de jeune artiste avec enthousiasme et détermination. Elle était enjouée, curieuse, passionnée et il avait appris à ne plus poser de questions sur ses amours. Elle n'avait jamais caché sa préférence pour les femmes et son caractère entier et fougueux semblait avoir déjà effrayé plusieurs de ses partenaires. Cette jeune femme était un cadeau et il s'impatientait de la retrouver.

Lorsque son portable avait sonné, le nom de Marcus était apparu sur l'écran. Il décrocha immédiatement.

— Marcus ?...

— Oui cher Jason, je ne pensais pas vous appeler si rapidement après notre première rencontre, mais une affaire inattendue m'amène à New York. Je serais tellement honoré de pouvoir poursuivre notre si passionnante conversation. J'arrive ce soir et j'espérais que nous pourrions nous revoir. Je reste un moment…

Jason sentit dans le débit nerveux et les mots empruntés de Marcus qu'il jouait son rôle, et plutôt aisément. Il ne fallait pas le trahir.

— Quelle agréable surprise ! Je ne pensais pas vous revoir si tôt en effet, mais avec grand plaisir. Je consacre mes prochains jours à ma nièce qui arrive ce soir aussi. Mais déjeunons ensemble si vous voulez. Seriez-vous libre demain ?

— Certainement. Je descends au Beacon Hôtel.

— À deux pas de chez moi. Je passe vous prendre à douze heures trente. Je vous présenterai Cassandre, c'est une jeune peintre très prometteuse...

— Oh formidable ! Je suis ravi. Bonne soirée Jason.

— Bienvenue à New York Marcus. À demain.

La sueur perlait sur le front de Marcus quand il raccrocha. Jason Gloves avait compris immédiatement ce qui était en train de se jouer et il en avait été soulagé bien qu'il n'avait pas prévu de rencontrer sa nièce. Il trouverait bien un moyen de lui dire la vérité sur sa présence à New York. Il ignorait jusqu'à quel point il était surveillé, mais il en était persuadé. Plus que deux heures avant le départ. Il avait laissé ses amis et collègues assez perplexes en leur annonçant qu'il prenait quelques jours de congés. Marcus ne prenait jamais de vacances et lorsqu'on lui avait enfin demandé où il partait se reposer, il avait répondu New York d'une telle façon que personne ne songea à lui demander pourquoi. Il était arrivé inutilement à l'avance à l'aéroport et n'avait pas envie de feuilleter le journal qu'il venait d'acheter. Il soupira. Il espérait bien réussir à dormir dans l'avion.

Cassandre Jeanson était bien calée dans son siège, emmitouflée dans un pull immense qui ressemblait plus à une couverture polaire qu'à un vêtement. Elle n'avait jamais fait de son apparence une préoccupation essentielle bien qu'elle pût porter n'importe quel chiffon avec une décontraction et un naturel qui la rendaient toujours irrésistible. L'avion venait de décoller d'Anchorage. Dix heures de vol avec une escale à Seattle avant d'arriver à New York à vingt-deux heures. Elle adorait prendre les long-courriers, elle visionnait non-stop des films qui n'étaient pas encore sortis en France dans un état de semi-somnolence, à peine altérée par les sollicitations d'une hôtesse ou d'un steward qui lui proposait régulièrement un encas ou une boisson. Elle choisissait généralement l'alcool, qui encourageait son engourdissement. Elle venait de partager durant un mois un superbe atelier avec un jeune sculpteur américain dont les recherches étaient aussi informelles que sa peinture était figurative. Malgré le froid mordant qui régnait en cette période de l'année à Anchorage, elle avait puisé dans la luminosité des paysages et des personnes une matière nouvelle et inspirante qui avait illuminé ses sujets, ses couleurs et exalté une narration où le réel et la magie s'enchevêtraient avec audace sur des toiles de grand format. Elle avait hâte de montrer ce travail à son oncle. Elle était heureuse de le retrouver ce soir. Plusieurs mois s'étaient écoulés depuis leur dernière rencontre à Paris. Elle avait prévu de rester une semaine à New York et c'était inespéré qu'il puisse être totalement disponible pour elle. Elle se réjouissait à l'avance de sa compagnie, de son attention, de son humour et par dessous tout de son affection sans faille pour elle. Il ressemblait beaucoup à sa mère, les mêmes yeux gris, la même voix douce et profonde. Elle ressemblait à son père et lui avait emprunté son regard noir et brillant et sa chevelure brune. Elle se sentit un peu abrutie an arrivant à JFK et avait hâte de retrouver Jason. Elle sut qu'il l'attendait chez lui lorsqu'elle aperçut un homme levant à bout de bras une pancarte sur laquelle était écrit son nom. Jason détestait les effusions de sentiments et les lieux publics. Elle fit un signe discret de la main avant de s'avancer vers le chauffeur.

Marcus n'avait pas réussi à dormir et il sentit la fatigue l'assommer dès qu'il descendit de l'avion. Les contrôles de police étaient lents et désagréables. Il devrait encore attendre presque une heure avant de pouvoir rejoindre son hôtel et enfin se reposer en position horizontale. À cet instant, il ne pensait à rien d'autre qu'à cette promesse de confort. Il sortit de l'aéroport et s'insinua dans la file d'attente des taxis jaunes.

*
**

Belfast

À travers les rideaux, la lumière diffusait un halo clair qui annonçait le jour levé. Estelle ouvrit les yeux vers la fenêtre. Elle poussa un long soupir avant de s'asseoir au bord du lit. Il n'y avait jamais de chauffage dans la chambre. Elle attrapa un grand châle bleu qu'elle enroula autour d'elle. Elle se leva et marcha lentement vers le salon. Son sac et ses vêtements traînaient sur le canapé. En rentrant hier soir elle y était restée assise un moment, les jambes repliées sous elle en regardant le port scintillant de Belfast. Lorna et Michael l'avaient déposée vers vingt et une heures. Le trajet avait été silencieux. Ils avaient laissé Cillian devant la maison de la falaise. Il la rejoindrait dimanche. Malgré la fatigue, elle n'avait pu s'endormir avant une heure du matin, agitée par une avalanche de souvenirs, de songes et de questions et assaillie par une émotion persistante qui imprimait l'image de Cillian dans son esprit et dans son corps. Elle oscillait entre une sensation de félicité sensuelle, évidente et celle d'un égarement amoureux nouveau et perturbant. Elle s'était enfin assoupie entre deux pensées complexes, entre deux souvenirs délicieux…

Elle se prépara un café qu'elle vint boire devant la grande baie vitrée. Des nuages sombres roulaient dans le ciel, bousculés par le vent et la pluie. Elle ne se lassait pas de cette vue de la ville, de son entrée à la mer, de ses grues, de ses quais, de ses hangars en briques faisant la conversation avec les éperons contemporains du Titanic Center. Elle prit son téléphone qu'elle avait tu avant de se coucher. Il y avait un message de son ami Murray.

Hello Estelle. J'espère que tu as apprécié ton escapade française. Si tu es rentrée, je serai au John Hewitt pour le déjeuner. Rejoins-moi si tu n'as rien de plus intéressant à faire.

Il y avait un autre message de Cillian.

Est-ce que par hasard nous sommes dimanche aujourd'hui ?

Elle sourit, posa son café sur la table basse pour répondre.

Tu me manques aussi…

À neuf heures, elle était devant son ordinateur et commençait son enquête sur Herbert Kanno. C'était un mathématicien internationalement reconnu pour des recherches dont elle n'arrivait pas à imaginer la portée. Elle avait toujours eu une relation aussi distanciée qu'admirative avec les mathématiques. Il lui fallut quelques pages internet à scruter avant de trouver des informations qui ne soient pas liées à ses seules compétences scientifiques. Un article de Vanity Fair écrit fin deux mille treize évoquait la rencontre et le mariage de Kanno avec Cecilia Grosmann, la fille du galeriste new-yorkais. Une belle et intelligente étudiante tombait raide dingue amoureuse d'un obscur mathématicien allemand venu parler des équations existentielles dans le cadre d'un symposium organisé par l'Université de Harvard. L'effrontée avait interpellé Kanno, dont les conférences étaient réputées être aussi expérimentées que drôles, à la fin de son intervention, en lui demandant si sa théorie prévoyait un pourcentage important de probabilités de réponses positives à une invitation à venir prendre un verre. Il avait été totalement subjugué et il n'avait fallu que quelques heures pour qu'il n'imagine plus quitter cette jeune femme effrontée et si souriante.

Un vrai coup de foudre, une aubaine pour les magazines et les médias. À peine quatre mois plus tard, les deux tourtereaux se mariaient à Los Angeles dans une des propriétés de Grosmann à deux pas du Getty Center. Kanno n'avait plus que sa sœur qui fut la seule, avec son époux, à rejoindre la fête. Grosmann quant à lui invita tout le gratin de l'art contemporain à venir saluer le bonheur de sa fille unique. L'article disait qu'il n'appréciait guère son gendre, trop sérieux, trop âgé, trop pauvre… Son cadeau de mariage était à l'image de la démesure de l'homme. Cecilia se retrouva propriétaire d'une galerie dans le Downtown Los Angeles et Kanno découvrit un présent auquel il ne s'attendait certainement pas : une sculpture de Mike Kelley de la série des Estral Star, deux singes pantins tête-bêche en tissu, réunis par l'entrejambe, une de ces « méchantes » sculptures qui malmenaient un tant soit peu la symbolique de l'inoffensive peluche. L'article ne disait pas si Kanno avait aimé, mais il rapportait que Grosmann avait déclaré qu'il ferait de lui un collectionneur respecté autant qu'il était un mathématicien brillant.

Une photographie illustrait l'article. Herbert Kanno, un bel homme brun, grand, tenait tendrement par l'épaule Cecilia Grosmann, une plantureuse jeune femme rousse au sourire éclatant qui arborait le signe V de la victoire devant l'objectif. Une grappe d'invités se serrait autour d'eux en espérant figurer sur le cliché pour la postérité. Grosmann, presque de dos, tournait la tête et fixait le photographe en souriant. Kanno lui souriait à peine et ne regardait pas tout à fait dans la bonne direction.

Estelle observait l'image attentivement et un malaise évident en émanait. Une solitude, une absence se dégageaient du regard de Kanno comme s'il exprimait soudain un doute, une inquiétude. Elle savait que sa lecture était influencée par les révélations d'Angus Craig et elle essaya de simplement imaginer l'étourdissement qu'avait pu ressentir cet homme dans un tel moment au milieu d'une faune si excentrique… Pourtant…

Elle trouva également un papier dans un mensuel d'art allemand écrit deux ans plus tôt et qui donnait le ton de son contenu par un titre caustique : « Collection Kanno ou la collection miniature de Grosmann ». Le critique acerbe déclarait franchement qu'Herbert Kanno, qui ne s'entendait pas plus en art contemporain qu'avant son mariage avec la fille de Grosmann, venait d'exhiber au Sammlung Boros à Berlin une collection au rabais, bien pâle réplique en petits formats de celle, fastueuse, de son beau-père. Il poursuivait en ajoutant que Kanno n'avait jamais fait un seul commentaire sur ses choix et que l'on pouvait douter même qu'il connaisse les artistes dont il accumulait les œuvres. L'article continuait dans cette veine cynique, mais assez documentée. Une liste des œuvres exposées était comparée à une autre regroupant la plupart de celles de Grosmann. À la surprise d'Estelle le « Milky way » de Doig était cité en écho à une toile plus récente et bien plus grande intitulée « Ping-Pong » appartenant à Grosmann.

Elle découvrit enfin dans une revue scientifique américaine une petite information dans laquelle des confrères de Kanno regrettaient de ne plus avoir l'occasion de travailler avec lui depuis qu'il s'était installé à Los Angeles. L'un d'eux signalait qu'il leur avait confié les dernières recherches qu'il avait entamées, car sa « maladie » l'avait contraint à stopper ses activités. La note datait de fin deux mille dix-sept soit un an environ avant qu'il n'appelle Craig pour tenter de lui revendre la toile de Doig. Ces révélations éclairaient de façon inespérée ses déclarations. Elles ébauchaient non seulement un portrait du mathématicien, mais projetaient soudain la figure de Georges Grosmann au beau milieu du mystère. Jason le connaissait et ne l'appréciait guère d'ailleurs. Elle devait l'informer de ce qu'elle venait de découvrir.

Il était douze heures trente quand elle décida de rejoindre Murray au John Hewitt. Comme à l'accoutumée, le pub était plein et animé. Murray était installé à sa table habituelle, celle un peu surélevée par une petite estrade. Il discutait passionnément avec deux étudiants qui suivaient son enseignement à l'École d'art et de design de l'Université d'Ulster. Artiste, il était graveur et sérigraphe et professait dans ces disciplines dans le département Édition et Printing depuis dix ans.

Il lui décocha un de ses chaleureux sourires en lui faisant signe d'approcher. Elle salua Seamus derrière le bar et commanda une baby/bière avant de le rejoindre. (Il valait mieux préciser si l'on voulait éviter de devoir boire une pinte.) Les étudiants s'étaient éclipsés. Ils échangèrent une affectueuse accolade.

— Je les ai fait fuir on dirait.

— Oui, tu les impressionnes… Content de te voir Estelle ! Alors cette escapade ? France-Écosse, ça sonne comme un match de rugby ça, non ?

Elle fut un peu surprise que Murray sache qu'elle s'était rendue en Écosse, mais elle pensa que Lorna avait dû lui dire.

— C'était… intense, sans aucun doute. L'exposition de mon ami Jason Gloves est une vraie splendeur. C'étaient de belles retrouvailles, nous ne nous étions pas vus depuis deux ans et j'ai eu la chance qu'il m'accompagne en Écosse.

— Ça, c'est de l'improvisation... Et vous avez fait du tourisme...

— Oh pas vraiment, nous avons juste pris le temps d'aller au bord du Loch Ness avant mon rendez-vous à l'Université des Highlands à Inverness. Un projet d'édition...

Elle allait parler de Doig et de Craig, mais dans un brusque réflexe de prudence elle s'abstint de rentrer dans les détails.

— Je t'en dirai plus bientôt. Tu verras ça va être chouette.

— Je n'en doute pas. Tu as vu Cillian récemment ?

Décidément, elle trouvait cette conversation étrange. Elle tenta de cacher son trouble.

— Euh oui. À Ballintoy hier chez Lorna et Michael.

— J'ai essayé de le joindre le week-end dernier sans succès...

— Il avait une régate... qu'il a perdu d'ailleurs... c'est ce qu'il nous a dit... enfin hier...

Elle se demandait vraiment pourquoi ces questions sur Cillian la mettaient si mal à l'aise.

— Tu connais la nièce de ton ami Jason Gloves ?

Cette fois elle fut réellement déconcertée et ne put masquer son étonnement.

— Oui bien sûr Cassandre. Et toi ?

— Pas personnellement, un ami qui collabore avec le MAC et qui a vu son travail récemment à Anchorage. Elle était en résidence. Il a adoré sa peinture, il voudrait l'exposer ici.

— Je n'arrive pas à y croire ! C'est une sacrée coïncidence non ?

— Le monde est un tout petit terrain de jeu, tu sais...

Il avait dit cela étrangement comme s'il se parlait à lui-même et il avait cessé de la regarder pendant quelques secondes. Elle avait perçu cette absence fugitive et fut surprise par l'attitude inhabituelle de Murray.

— Certainement… Mais tout de même… Et elle est au courant ?

— Aucune idée. En tout cas, ce sera peut-être l'occasion d'avoir Gloves à Belfast ! Tu imagines ?

— Assez oui ! Et tu peux être certain qu'il ne manquera pas de venir soutenir sa nièce si un tel événement devait advenir.

— Tu sais que tu as une mine resplendissante Estelle. Tu es de plus en plus belle. J'ai toujours dit que je devrais t'épouser.

— Et je t'ai toujours répondu que j'avais déjà eu cette activité…

Ils déjeunèrent dans la bonne humeur. Murray était de nature joviale et amicale. Il vivait seul, sa galanterie et sa gentillesse lui donnaient un certain charme qu'appréciaient quelques jours ou quelques mois ses nombreuses conquêtes. Quand ils se quittèrent vers quinze heures devant le John Hewitt, le regard de Murray s'assombrit dès qu'Estelle lui avait tourné le dos. Malgré le bon moment qu'elle venait de partager avec lui elle demeurait perplexe et ne parvenait pas à se débarrasser d'un sentiment diffus de malaise.

Elle alla acheter deux téléphones, un pour elle et un pour Cillian. Puis elle appela Lorna lui demandant si elle pouvait leur rendre visite ce soir à Knockargh. Elle rejoignit ses amis vers dix-huit heures. Elle ne dit rien de son déjeuner avec Murray. Elle leur expliqua qu'elle devait trouver un moyen sûr et anonyme de contacter Jason Gloves à New York afin de lui demander de se procurer un nouveau mobile. Michael se souvint d'un ancien collaborateur qui était parti s'installer là-bas. Il avait encore un numéro de téléphone… Après qu'elle eut soigneusement préparé le message à délivrer à Jason, Michael tenta d'appeler New York. Par chance, on décrocha et il y eut une sonore explosion de joie lorsque les deux acolytes se reconnurent. La discussion animée dura un moment avant que Michael ne promette que Lorna et lui viendraient le visiter prochainement. Son vieil ami acceptait d'aller en personne déposer le message important à Gloves.

Bonjour Jason, peux-tu te procurer un nouveau mobile et m'appeler sur le numéro ci-dessous. Nous n'utiliserons que ceux-là désormais pour nos « recherches ». La personne qui te remet ce message a ma totale confiance ! Fais vite et appelle-moi dès que tu peux. Il faut que nous redoublions de prudence. Prends soin de toi. Hâte d'entendre ta voix. Estelle.

Elle remercia Michael pour son aide précieuse. Avant de les quitter, elle ne put résister au besoin de demander à Lorna si elle avait parlé à Murray de son récent séjour en Écosse. Il lui semblait que oui, mais n'en était plus tout à fait certaine. Elle s'inquiéta de sa question, mais Estelle lui expliqua avec simplicité qu'il était préférable pour l'instant de ne plus communiquer aucune information sur ce qu'elle faisait ou ce que faisait Cillian et même pas à Murray.

Elle ne resta pas pour dîner malgré l'insistance de Lorna. Elle avait hâte de pouvoir parler à Jason. Elle avait envoyé un message à Marcus en utilisant le mail de Michael le priant de lui donner quelques nouvelles. Elle aurait voulu dire son malaise à Cillian après sa rencontre avec Murray.

Elle ne souhaitait plus avancer en solitaire dans ces investigations incertaines et ressentait une pointe d'anxiété devant la complexité et la matérialité des faits et des informations. Elle connaissait le seul remède efficace pour suspendre ces moments de doute ou de fatigue. Elle se transformait en femme du soir, celle qui enfile un pyjama improvisé avec une grande chemise de coton sur les épaules et un plaid en polaire autour des hanches, qui s'installe dans le canapé avec trois carrés de chocolat noir et une tisane au réglisse, qui visionne quelques épisodes d'une série addictive… Elle choisit de retrouver Thomas Shelby et la bande des Peaky Blinders.

New York

— Cassandre… Cassandre…

Jason tentait de réveiller doucement sa nièce. Ils avaient veillé tard dans la nuit. Elle avait narré avec enthousiasme et humour son mois de résidence à Anchorage et n'avait pas manqué de lui montrer fébrilement une flopée d'images de ses recherches. Elle expliquait avec des gestes animés et des intonations expressives comment elle avait été happée par la peinture. Jason adorait ses emportements et l'émerveillement qui la guidaient si souvent dans sa création. Il savait qu'elle attendait ses commentaires, mais il ne livrait jamais ses impressions aussi rapidement même pas à sa nièce. Il avait cependant vu une extraordinaire peinture, puissante et raffinée à la fois, spontanée et romanesque… Il l'avait poussée dans la chambre à trois heures du matin.

Il était onze heures trente et ils devaient rejoindre Marcus dans une heure. Il essaya à nouveau de la réveiller. Elle émit un petit grognement avant d'ouvrir les yeux et apercevoir le visage de son oncle penché sur elle. Elle lui sourit gentiment, se redressa brusquement et s'accrocha à son cou en enfouissant sa tête dans le creux de son épaule. Il serait décidément toujours surpris par son ardeur.

— Jason, détends-toi. Je suis tellement heureuse d'être ici avec toi !

— Moi aussi Cassandre Jeanson. Prépare-toi. Nous déjeunons dehors.

Marcus s'était écroulé en arrivant dans sa chambre d'hôtel et avait sombré dans un sommeil électrisé, secoué de sursauts, réveillé par des suées qui mouillaient son dos et son front. Il s'était éveillé nauséeux et n'avait même pas réussi à avaler un café. Gloves serait là dans quinze minutes et il devrait se concentrer pour faire bonne figure. Il pestait d'être dans cet état qui l'empêchait de penser plutôt que de se réjouir d'être à New York. Il alla une fois encore se rafraîchir le visage avant de descendre.

Jason était installé au bar en compagnie d'une jeune femme brune. Il s'approcha en arborant le sourire le plus affable qu'il pût produire à cet instant. Ils se levèrent ensemble pour le saluer. Jason remarqua immédiatement sa mauvaise mine.

— Bonjour Marcus. Ma nièce Cassandre Jeanson. Vous vous sentez bien ? Vous êtes si pâle…

— Je ne peux rien vous cacher. J'ai passé une nuit épouvantable et je ne me sens pas très en forme. Désolé mademoiselle de me présenter à vous dans ce piètre état.

— Pas de souci. Je vais nous chercher quelque chose à boire…

Ils n'eurent pas le temps de décliner la proposition. Elle était déjà partie.

— Jason, je dois vous parler absolument en privé. Ils m'ont contacté et chargé d'une mission qui vous concerne… Vous et votre nièce…

Jason se figea. Il se rappela les paroles de Da Silva la semaine précédente. Il regarda vers le bar où Cassandre patientait dans l'attente d'être servie. Il fixa à nouveau Marcus, le regard glaçant et égaré à la fois. Marcus sentait qu'il ne devait pas perdre de temps.

— Je dois vous photographier en compagnie de votre nièce. Un « reportage » en quelque sorte. Vous n'en savez rien évidemment… On ne m'a pas dit à quoi étaient destinées les images… Je ne pouvais pas refuser, au risque de dévoiler notre complicité…

— J'ai besoin de réfléchir Marcus, j'ai besoin de réfléchir…

Cassandre revenait déjà avec deux whiskies et un ballon de vin blanc. Elle tendit un whisky à Marcus qui fit la grimace.

— Vous verrez, ça vous fera du bien !

Marcus saisit le verre et trempa ses lèvres dans l'alcool avec réserve avant d'avaler une gorgée. À sa grande surprise et certainement encore plus à celle de Cassandre, Jason s'était levé en sortant son portable en prononçant cette phrase improbable dans sa bouche.

— Marcus, acceptez-vous d'être le témoin des retrouvailles de Jason Gloves et de Cassandre Jeanson ? Nous ne nous sommes pas vus depuis deux ans. Je n'ai jamais de photographies de ma nièce.

Marcus attrapa le téléphone alors que Jason s'asseyait près de Cassandre. Il l'attrapa par l'épaule et posa sa tête contre la sienne. Elle ne comprenait absolument pas ce qui se passait, mais elle n'arrêta pas la petite fantaisie de son oncle. Marcus prit deux ou trois clichés, dont l'un où Jason avait attrapé les deux mains de Cassandre dans les siennes. Le cirque cessa aussi soudainement qu'il avait commencé. Marcus se sentait en effet un peu mieux et ne put dire si la gorgée de whisky ou l'exercice inattendu en était la cause. Il avait eu le temps de copier les trois images avant que Jason ne récupère son téléphone.

— Jason, je crois qu'il serait plus prudent que je m'accorde encore un peu de repos. Je pourrai vous retrouver plus tard si vous êtes disponible.

— Évidemment. Que pensez-vous du Moma vers dix-sept heures, jardin des sculptures, près du Maillol avec vue sur la Water Tower de Whiteread ?

— Oui, c'est parfait, je me sentirai certainement moins désœuvré. J'espère que vous ne m'en voulez pas.

— Bien sûr que non. À tout à l'heure.

Marcus se leva et se dirigea vers les ascenseurs. Cassandre vint s'asseoir devant Jason.

— Mais qu'est-ce qui t'a pris ?

— Je t'expliquerai plus tard.

— C'est qui ce type ? Il a l'air un peu glauque non ?

Jason adorait le langage et la spontanéité de sa nièce.

— Il s'appelle Marcus Garbot. Il est français et je l'ai rencontré à Toulouse lors du vernissage de l'« Exposition ». C'est un ancien collègue d'Estelle. Il dirige un centre d'art. C'est un gars plutôt étonnant malgré les apparences. Et nous avons un projet ensemble…

— OK, tu me diras tout alors… Je ne t'accompagnerai pas au Moma. J'ai un rendez-vous avec une copine. On se retrouvera dans la soirée chez toi ? Ça me ferait drôlement plaisir de revoir Estelle, elle est super cette femme. Mais tu le sais déjà bien sûr.

— En effet… Si nous allions déjeuner maintenant…

Malgré sa bonne humeur, Jason avait hâte de retrouver Marcus et d'en savoir plus sur ce qui se tramait ici. Il était heureux d'avoir Cassandre à ses côtés comme si cela suffisait à la protéger de n'importe quel danger. Il n'avait pas de nouvelles d'Estelle depuis trois jours. Il n'osait pas trop la déranger. Il espérait pouvoir lui parler très vite. Après avoir dégusté un somptueux hamburger, ils se séparèrent vers quinze heures. Il était trop tôt pour rejoindre le Moma, il décida de repasser chez lui. Le courrier avait été distribué et parmi quelques lettres il trouva une enveloppe non affranchie qui portait cette inscription manuscrite « à Jason Gloves de la part d'Estelle Rambrant ». Il l'ouvrit en hâte et lut presque à voix haute le message d'Estelle. Il sortit de l'immeuble et interpella le premier passant qu'il croisa.

— Savez-vous où je peux acheter un téléphone portable près d'ici ?

— Euh… Je crois qu'il y a une boutique sur le début de Broadway…

Il fit un signe cordial de la main au jeune homme et s'avança vers l'avenue. Il trouva rapidement une enseigne T-Mobile. Il n'y connaissait pas grand-chose en téléphonie, mais sut expliquer qu'il avait besoin d'un appareil et d'un forfait lui permettant de communiquer régulièrement avec l'Europe. Il sortit avec un mobile, un forfait, un numéro. Il était presque seize heures soit environ vingt et une heures à Belfast. Il avait le temps d'appeler Estelle. Il rentra chez lui, se cala devant la vue sur le parc et composa le numéro.

— Estelle ?

— Ah c'est bon de t'entendre Jason ! Comment vas-tu ?

— Bien. Cassandre est avec moi pour quelques jours et… Marcus est là aussi.

— Marcus ?

— Oui, il est chargé d'une mission de reporter avec clichés de Cassandre et moi…

— Mais qu'est-ce que c'est que cette histoire ?

Elle hésitait à lui dire ce que Murray lui avait révélé la veille, mais elle préféra attendre qu'il poursuive.

— Je l'ai croisé ce matin la mine déconfite. Difficile à priori de faire l'agent double. Il a juste eu le temps de m'informer qu'il devait faire ces images, à mon insu évidemment. Je le revois dans une demi-heure. J'en saurai plus j'espère. Et j'ai…

— Tu as fait quoi Jason ?

Elle le connaissait si bien qu'elle devinait qu'il avait dû réagir à sa façon.

— Eh bien, je lui ai demandé de nous photographier, comme pour garder un souvenir, comme ça se fait tellement maintenant. Et puis j'ai pensé que cela lui faciliterait la tâche.

— Tu aurais pu attendre qu'il t'en dise plus.

— Il y a quelque chose que je ne t'ai pas dit Estelle. Quand j'ai rencontré Da Silva à Toulouse, il n'a pas apprécié ma réaction et à l'instant de me quitter il m'a conseillé de prendre des nouvelles de Cassandre... C'est une chance qu'elle soit ici avec moi et je n'ai pas l'intention de la laisser partir tant que je ne saurai pas ce qui se passe.

— Tu ne lui as rien dit j'espère.

— Non, je devrais ?

— Certainement pas ! Rien pour l'instant. Marcus doit t'en dire plus.

— Il va falloir être malin j'ai l'impression. Tu as avancé de ton côté ?

Elle lui fit un résumé clair et efficace des conclusions qu'ils avaient posées avec Cillian sur toute cette histoire et ses méandres, de ses découvertes étonnantes et passionnantes sur Herbert Kanno et sa relation avec Grosmann. Cette dernière information ne manqua pas d'agacer Jason. Il n'avait jamais aimé l'homme arrogant qu'était Grosmann même s'il reconnaissait qu'il possédait une des plus fabuleuses collections d'art contemporain au monde. Il pourrait lui rendre visite à l'occasion... Elle ne lui parla pas de son déjeuner avec Murray.

— Je vais devoir raccrocher Estelle, mon rendez-vous est dans quinze minutes. Je te rappelle dès que j'en sais plus... Cillian va bien ?

Il ne voulait pas lui poser cette question, mais ne put résister et regrettait déjà.

— Il va très bien et tu pourras lui demander de vive voix si tu en as envie. Je t'envoie son numéro... secret... Je t'embrasse Jason. Embrasse Cassandre affectueusement et salue Marcus.

Pendant qu'il se dirigeait vers le Moma, Gloves tentait d'entrevoir une stratégie pour que la mission de Marcus tourne à leur avantage. Il voulait absolument savoir ce que les comploteurs cherchaient à faire en mêlant sa nièce à cette histoire. Il se doutait bien qu'ils souhaitaient l'atteindre, mais il était inquiet pour elle.

Il sourit machinalement à une jeune employée qui l'avait reconnu en réceptionnant son laissez-passer. Il rejoignit rapidement les jardins du musée surplombés par le château d'eau de Rachel Whiteread. Le grand réservoir en résine translucide était irisé comme une pierre de lune à cette heure du jour. Jason aimait profondément cette œuvre. Rachel avait sublimé l'objet insignifiant, fonctionnel et omniprésent sur les toits de New York. Un diamant dans l'horizon de la cité.

Marcus était là près de l'imposante Rivière de Maillol. Il lui fit un signe de la main. Il s'avança vers lui. Il faisait froid à présent, mais ils restèrent à l'extérieur. Marcus n'était pas très couvert et tenait le col de sa gabardine relevé sur son cou.

— Vous avez dû oublier qu'il faisait encore froid en mars ici…

— Je ne suis venu qu'une fois en été et j'étouffais. L'air frais m'apaise.

— Je suis impatient de vous entendre et je m'inquiète pour Cassandre.

— On m'a demandé de vous photographier avec votre nièce, le plus possible dès que vous êtes ensemble. J'ai été très embarrassé ce midi par votre initiative.

— Je pensais vous aider ou m'aider, je ne sais plus vraiment…

— Jason, ils ne m'ont pas précisé ce qu'ils voulaient faire de ces images. Je n'ai pas un bon pressentiment. Et puis… Je dois passer à la galerie Grosmann récupérer un paquet.

— Décidément…

— Pardon ?

— Je vous en prie continuez.

— Enfin, je dois leur rendre compte de ce que sait Estelle.

Il y eut un silence pesant que vint rompre la sirène stridente d'une voiture de police.

— Je n'avais pas imaginé tout cela, Jason. Ils essaient de me piéger, de nous piéger, c'est évident.

La réflexion intense donnait toujours à Jason cet air absent. Son regard s'était perdu derrière le jardin. Marcus ne savait pas comment interpréter son attitude et n'osait pas interrompre l'éclipse.

— Ils vous ont jeté dans nos bras en vantant votre cupidité et votre intelligence. Surprenez-les au-delà de leurs espérances.

— Où voulez-vous en venir ?

— Vous n'êtes pas cupide, mais vous êtes intelligent. Alors, faites-leur croire que vous nous avez séduits, que vous avez gagné notre confiance. Ils baisseront la garde…

Marcus s'était passé la main dans les cheveux en souriant nerveusement. Son visage s'éclaira enfin et la couleur semblait reprendre possession de ses joues. Il eut un petit rire de dépit.

— Vous avez sûrement raison, mais je crains bien d'avoir surestimé mes compétences et… d'avoir pris cette affaire à la légère…

— Juste trouver la bonne réaction à cette histoire improbable, essayer de commencer à comprendre ce qui les anime… Marcus, nous avons un petit avantage sur eux pour le moment. Conservons-le et exploitons-le tant que nous le pouvons. Vous avez vos premières images non ? Faites-leur savoir que je suis étonnamment disponible, que vous avez rencontré ma nièce, que… Vous trouverez les bons mots. Ils seront bluffés, ils vous lâcheront des informations, c'est certain.

— J'apprécie votre confiance. Je rêvais tellement de vous rencontrer il y a à peine une dizaine de jours. Estelle Rambrant est passée par là et me voici ici avec vous à New York à fomenter des plans extravagants…

— Vous devriez plutôt remercier une critique finlandaise qui m'a giflé le soir du vernissage à Toulouse.... Mais c'est une autre histoire.

Appelez-moi demain comme le nouvel ami que vous êtes pour moi.

Il pressa fermement l'épaule de Marcus avant de quitter le jardin.

Marcus avait laissé un long message à son seul interlocuteur, Jacques Berthelot. Il décrivait avec sa verve retrouvée l'incroyable proximité dont avait fait preuve Jason Gloves à son égard et la facilité avec laquelle il avait fait connaissance avec Cassandre Jeanson. Ils envisageaient de se revoir plusieurs fois durant son séjour et Marcus suggérait qu'il en sache un peu plus sur les objectifs de son « documentaire » photographique afin de « sublimer » sa mission.

La réponse ne se fit pas attendre. Gloves serait accusé d'abus sexuel sur sa nièce. L'information était tombée brutalement sans aucun commentaire si ce n'est ces deux mots *Sublimez ! Sublimez !...* Il ne s'attendait pas vraiment à cette motivation sordide.

◎

Ballintoy

Cillian avait décidé d'appeler Murray dès qu'il avait appris sa visite à Ballycastle un mois plus tôt. Il n'était pas passé le saluer à Ballintoy comme il le faisait systématiquement et cela était troublant. Plus troublante encore était la présence de l'homme qui l'accompagnait, petit et plutôt rondouillet. Cillian avait obtenu cette information presque par hasard lorsqu'il avait rencontré Jeffrey, son coéquipier de régate qui avait eu l'occasion de croiser Murray à une ou deux reprises avec lui. La description qu'avait faite Jeffrey était assez vague, mais il n'en fallut pas plus pour qu'il établisse un lien avec son agresseur, avec plus de certitude encore quand il lui avait dit que le type n'était pas connu ici.

Il y avait forcément une explication. La simple pensée d'associer Murray à ce sinistre personnage lui était insupportable. Un doute imperceptible, mais tenace venait parasiter son jugement. Il devait lui parler, dissiper ses craintes, absolument et rapidement. Il savait cependant que la situation était complexe et que le moindre faux pas pourrait compromettre les recherches d'Estelle et de Jason, les siennes également à présent. Si Murray était effectivement impliqué dans cette sombre histoire, il devait trouver le moyen de ne pas l'alerter. Alors peut-être que le considérer encore comme l'ami qu'il avait toujours été serait-il un talisman contre le sentiment confus de malaise qui l'envahissait.

— Salut Murray !

— Hey Cillian, comment vas-tu ? J'ai essayé de te joindre plusieurs fois la semaine dernière.

— Tu sais que je ne réponds pas quand je suis en régate.

— Pas de chance cette fois non ? Pas de victoire... J'ai vu Estelle hier. Elle m'a dit. Elle était radieuse, je crois que ses retrouvailles avec son ami américain ont dû être fabuleuses. Mais tu dois le savoir...

— Non...Elle n'a pas évoqué le sujet. Tu passes me voir bientôt ? Tu aurais dû m'appeler la dernière fois que tu es venu à Ballycastle.

Il y eut un court silence que Cillian ne voulait pas rompre.

— Oh... oui... Je suis venu avec un ami de Londres qui cherche une maison sur la côte. Mais nous ne sommes vraiment pas restés longtemps. Je crois qu'il n'a pas apprécié l'ambiance et à vrai dire ce gars n'est pas un grand comique, si tu vois ce que je veux dire... Je n'avais pas dans l'idée d'aller boire une bière chez toi avec lui. Mais dis donc tu me surveilles ou... ?

— Mon coéquipier Jeffrey t'a aperçu. Tu l'as rencontré récemment.

— Oui, je me souviens à présent. En effet... En effet.... Tu ne serais pas un peu jaloux par hasard ?

Cillian avait soupiré en riant. Il peinait à croire que son ami mentait, mais il ne pouvait se débarrasser de ses soupçons.

— Probablement. Tu devrais me le présenter, je serai rassuré...

— Ça ne sera pas possible je le crains. Il n'a pas trouvé ce qu'il cherchait et il a estimé que certains gaillards de l'Antrim étaient trop rustiques pour lui. Écoute, j'essaie de venir le week-end prochain avec Lorna et Michael et il y aura sûrement Estelle, pour notre plus grand plaisir. Porte-toi bien Cillian.

Quand Cillian raccrocha, aucun de ses doutes ne s'était dissipé. Son étrange conversation avec Murray le laissait totalement perplexe. Tout ce que son ami lui avait dit pouvait sonner comme un aveu ou une diversion. Les paroles étaient vagues, mais faisaient suffisamment écho au personnage qu'il avait rencontré. Il ne savait pas s'il était au courant de l'agression à Ballintoy. Peu importait. La question demeurait celle-ci : Murray avait-il amené le petit homme jusqu'à Estelle ? Qui d'autre aurait pu le faire ? Il faudrait bien qu'il trouve une réponse. Il avait envie d'appeler Estelle, lui faire part de ses doutes, mais il décida qu'il serait bien temps de la contrarier avec ses craintes lorsqu'il la retrouverait dimanche.

11
samedi 23 mars

Shangaï

La salle des ventes de Sotheby's était bondée. Malgré la climatisation, l'air était saturé de chaleur et d'humidité. Shangaï ruisselait sous une pluie battante. La salle était occupée en grande partie par des collectionneurs chinois. Parmi eux se trouvait Guan Wei qui avait fait le déplacement depuis Pékin. Il n'assistait que très rarement aux ventes préférant laisser cette activité à ses hommes d'affaires. Il était cependant connu ici et un siège au premier rang lui avait été réservé.

Dans quelques minutes les enchères exceptionnelles d'une grande jarre de l'artiste chinois Ai Wei Wei allaient commencer. La grande porcelaine bleu et blanc fut amenée par deux employés, posée sur un plateau en bois. La pièce était de grandes dimensions. D'un diamètre d'environ quatre-vingts centimètres, elle atteignait une hauteur à peu près équivalente. La scène centrale qui s'enroulait autour de la panse illustrait un épisode contemporain de la guerre en Syrie. C'était la seule et majeure différence qu'il semblait y avoir avec les porcelaines Ming dont l'artiste s'était inspirées et qui glorifiaient au travers de multiples scènes épiques, le courage et la bravoure de ses guerriers. La pièce était réalisée dans la plus pure tradition artisanale de la céramique chinoise.

L'ambiance était électrique malgré la moiteur qui imprégnait l'espace. Les enchères s'annonçaient passionnantes. La réputation de l'artiste et la rareté de ces jarres garantissaient le spectacle. Il n'en fut rien. À peine trois offres dans la salle que Guan Wei lançait un engagement qu'aucun des collectionneurs présents ne pouvait concurrencer. Il y eut une longue vague de murmures. La jarre fut adjugée pour un montant dix fois supérieur à la mise de départ. Guan Wei n'était pas expressif et son visage demeura impassible lorsque les applaudissements commencèrent à claquer. Il ne bougea pas jusqu'à ce qu'un homme, vêtu de l'uniforme des employés de Sotheby's s'avance vers la pièce posée sur son socle. Personne ne sembla troublé lorsqu'il l'enserra dans ses bras et la souleva. Il regardait la salle. Il contourna le plateau, la jarre dans les bras et vint lentement se poster devant le public. Après la salve d'applaudissements, le silence commença à s'installer étrangement. Le commissaire-priseur lançait des regards dubitatifs vers Guan Wei qui ne semblait pas le moins du monde interpellé par l'attitude de l'homme. Il se leva. Le silence était à présent presque intégral. L'homme esquissa un sourire et balaya l'assemblée du regard. Au moment où il croisa celui de Guan Wei, il y eut un imperceptible clignement de paupières. Il leva la céramique à bout de bras quelques secondes puis la lâcha sans broncher, maintenant ses deux mains ouvertes suspendues dans le vide. Un cri unanime de stupéfaction retentit dans la salle avant que la confusion ne s'empare des participants. La jarre éclata sur le sol en projetant des dizaines de fragments de porcelaine jusque dans les premiers rangs. Un éclat bleuté se logea étrangement sur la chaussure de l'acquéreur qui secoua distraitement le pied pour se débarrasser du débris. L'homme qui venait de fracasser l'œuvre fut immédiatement appréhendé par le service de sécurité. Le commissaire-priseur était descendu précipitamment de son estrade et regarda interloqué et impuissant Guan Wei quitter la salle.

***

New York

Marcus n'avait pas appelé Jason après avoir pris connaissance des sinistres objectifs de sa « mission ». Il ne parvenait pas à envisager de solution pour y échapper. Il devait lui en parler de vive voix. Un texto avait suffi pour qu'il soit convié à le rejoindre chez lui en début de soirée. La vérité, aussi abjecte fût-elle, serait certainement plus utile qu'une fausse piste. Gloves était un homme intelligent et Marcus pensait qu'ensemble ils imagineraient comment déjouer la machination. En attendant, il irait à la galerie Grosmann récupérer le « paquet ».

Il faisait froid et un vent mordant soufflait par rafales. La galerie se trouvait sur Chelsea, West street. Il avait marché jusque-là depuis son hôtel. Malgré l'invraisemblable situation dans laquelle il évoluait, il appréciait de déambuler dans la ville frénétique et changeante dont il avait gardé un souvenir brouillé par la chaleur étouffante qui l'avait anéanti quelques années plus tôt. Il prenait son temps, savourant les bruits, les odeurs, les courants d'air, les regards et le ciel roulant des nuages cotonneux au-dessus des immeubles, des gratte-ciels, comme si certains d'entre eux allaient s'effondrer dans une avenue aussi verticale qu'horizontale. Il goûtait un agréable vertige et ne se souciait pas de la fraîcheur intense. Il ne savait pas vraiment ce qui l'attendrait plus tard et avait décidé de profiter pleinement de ce moment. Il avait marché environ une heure trente pour rejoindre la galerie. Il entra et visita l'exposition avant de se présenter. Des grandes peintures et collages de Jonas Wood occupaient toutes les cimaises. Objets et lieux quotidiens, références à l'histoire de l'art, couleurs pures ; des associations de points de vue, d'échelles, de plans et de formes récurrentes... La galerie était lumineuse et accentuait l'intensité et l'éclat des œuvres. Il s'avança enfin vers le comptoir d'accueil derrière lequel une jeune femme était penchée sur un ordinateur portable. Elle leva la tête en adressant un sourire poli à Marcus.

— Monsieur ?

— Oui bonjour, je suis Marcus Garbot et je viens chercher...

— Bien sûr monsieur Garbot.

Elle disparut dans un bureau tout proche. Elle revint quelques secondes plus tard tenant une grande boîte plate recouverte d'une protection en mousse sur laquelle était agrafée une enveloppe. Elle lui tendit le colis.

— Merci de bien vouloir lire le courrier qui accompagne l'objet avant de partir.

— Mais bien sûr…

— Vous pouvez vous installer au salon, ce sera plus confortable.

— Merci

Elle lui indiqua d'un geste de la main deux sièges et un guéridon situés devant une bibliothèque. Il alla s'asseoir. Il décrocha l'enveloppe de son support et l'ouvrit. Une légère appréhension le rendait maladroit et il déchira le haut de la missive au moment de l'extraire.

Bonjour Monsieur Garbot, vous venez de prendre possession d'un précieux colis. Nous vous laissons le plaisir de découvrir son contenu après que vous l'aurez déballé avec le plus grand soin. Nous ne doutons pas qu'il vous émerveille. Quand vous l'aurez apprécié à sa juste beauté, vous prendrez rendez-vous avec Suzann Lennon et lui remettrez. Vous trouverez ses coordonnées plus bas. Elle séjourne jusque mercredi prochain à New York. Il va de soi que personne ne doit connaître le contenu de la boîte même pas votre nouvel ami Jason Gloves qui aura bientôt grâce à vos dons de photographe d'autres préoccupations à gérer. À bientôt.

Une fois encore, un profond malaise s'empara de lui. Il n'arrivait pas à se convaincre qu'il pouvait les tromper. Il avait la gorge sèche. Il remit la lettre dans l'enveloppe et fourra le tout dans la poche de sa gabardine. Il prit le colis, se leva et quitta la galerie avec un bref hochement de tête en guise d'au revoir.

Il marcha plus rapidement sur le chemin du retour et rejoint son hôtel vers dix-sept heures. Il était impatient à présent d'ouvrir ce fichu paquet. Il le posa sur le grand lit et commença à le déballer.

La mousse qui entourait la boîte se retira avec beaucoup de facilité. C'était un étui en plastique rigide totalement hermétique d'environ trente centimètres sur vingt qui s'ouvrait en effectuant une pression rapide sur deux de ses extrémités. Une fois la boîte ouverte, il découvrit un dessin fixé entre deux plaques de plexiglas. Il n'était pas historien d'art et ne pouvait identifier de quoi il s'agissait. Il comprit qu'il regardait une étude préparatoire pour une œuvre plus grande quand il aperçut distinctement la mise au carreau qui servait de base au croquis. Deux figures féminines lourdement drapées semblaient se faire l'accolade tandis que deux autres assistaient aux retrouvailles juste derrière elles. En bas à droite du dessin se trouvait un tampon où l'on pouvait lire sous un petit sigle en forme de couronne le mot Firenze.

Il était désorienté. Que venait faire ici un dessin ancien à priori italien ? Il décida qu'à défaut de le montrer à Gloves — il ne prendrait pas de risque inutile — il lui en parlerait. Peut-être saurait-il en identifier l'auteur et la provenance. Il était fatigué et assoiffé. Il referma soigneusement la boîte et la mit dans le coffre de sa chambre. Il descendit et commanda une bière au bar. Il l'avala presque d'un trait et sa précipitation à boire lui fit pleurer les yeux. Il renifla en regardant au-delà de ce qu'il pouvait voir…

Il arriva à dix-neuf heures précises chez Jason qui l'accueillit amicalement et comprit rapidement qu'il n'était pas à l'aise. La pluie tombait à nouveau et la nuit était presque au rendez-vous.

— Marcus, j'imagine que vous avez des choses peu agréables à me dire.

— C'est le moins que l'on puisse dire…

— Prenons un verre alors voulez-vous ? Je vous en prie asseyez-vous.

Il ne lui demanda pas s'il voulait un whisky, il le lui servit. Marcus appréciait l'appartement et se détendit un peu.

— Jason, ils ont répondu à mon message et… Je connais les raisons de mon enquête photographique. Cassandre n'est pas là ?

— Non, elle rentre plus tard, nous la verrons vers vingt heures.

Marcus se racla la gorge et goûta le whisky avant de parler.

— Ils veulent vous accuser d'abus sexuel sur votre nièce......

Il y eut un silence durant lequel Jason resta la tête baissée au-dessus de son verre.

— C'est ridicule ! Parfaitement ridicule !

— Ils n'ont pas l'air de plaisanter…

— Comment Cassandre pourrait-elle se laisser convaincre ?

— Ils sont prêts à menacer n'importe qui.

— Non pas Cassandre, c'est impossible. Et pourquoi elle ? Pourquoi ne pas avoir inventé un faux témoignage, cela aurait été plus facile ?

— Parce que c'est votre nièce. Parce qu'ils sont parfaitement abjects et ont l'intention de ruiner non seulement votre carrière, mais votre vie. Je ne vois que cette explication. Qui peut vous vouloir autant de mal Jason ?

— J'ai pas mal d'ennemis Marcus, mais j'avoue que je suis un peu dépassé cette fois. Je pense que Da Silva le savait. Il a peut-être tenté de m'alerter. Je regrette de ne pas l'avoir cru, mais je ne parviens plus à lui faire confiance. Il faut que nous trouvions une solution avec ou sans Cassandre.

— Difficile d'informer Cassandre ?

— Je ne sais pas encore…

Il avala une grande rasade de whisky. Il y avait un éclat de colère et de détermination dans son regard et Marcus pensa alors qu'il valait mieux être son ami que son ennemi.

— Vous êtes allé chez Grosmann ?

— Oui et j'en ai ramené un étrange colis. C'est un dessin…

Marcus l'avait décrit précisément et Jason l'avait écouté avec beaucoup d'attention. Il était allé se poster devant la fenêtre et semblait regarder le parc. Il se retourna.

— Quatre femmes c'est ça ?

— Oui absolument.

— C'est sûrement une visitation. C'est un dessin préparatoire pour une visitation.

Il se souvint soudain du récit d'Estelle en Écosse.

— Estelle a évoqué ce dessin ! C'est l'étude préparatoire de la Visitation par Pontormo. C'est insensé ! Insensé… Je n'imaginais pas que nous allions reparler de cette œuvre si vite.

— Je dois le remettre à Suzann Lennon.

— À qui ?

— Suzann Lennon, avant mercredi prochain. Vous la connaissez ?

— C'est une collectionneuse anglaise pour le moins originale et elle ne s'intéresse pas aux dessins italiens du XVIe siècle d'habitude…

Il entreprit d'expliquer à Marcus les découvertes d'Estelle concernant ce groupe de collectionneurs qu'elle avait repéré dans d'étranges activités loin de leurs cercles habituels. Il entendit la porte d'entrée s'ouvrir.

— Pas un mot de tout cela à Cassandre.

Marcus acquiesça d'un hochement de tête. Elle le salua avec gentillesse. Elle embrassa son oncle sur le front et s'écroula en soupirant dans un des canapés. Elle regarda les deux hommes qui étaient silencieux depuis son arrivée.

— Je vous dérange peut-être ?

— Bien sûr que non ! Tu as passé une bonne journée ?

— Je suis épuisée, mais j'adore être ici. Après Anchorage c'est un peu le chaos, mais tellement excitant ! J'ai retrouvé une fille superbe,

Elian, on déjeune ensemble demain…

Jason souriait et l'attitude si naturelle et détendue de sa nièce avait le don de l'apaiser. Il lui proposa un verre qu'elle accepta évidemment sans hésiter. Elle se pencha vers Marcus.

— Vous vous sentez mieux aujourd'hui ?

— Oh oui. Merci de me poser la question. J'ai également profité de la ville et du vertige indicible qu'elle procure. Je serai ravi à l'occasion de voir votre travail. Jason m'a dit que vous étiez peintre ?

— Oui, incorrigiblement, passionnément, furieusement… Je ne sais rien faire d'autre.

Jason lui amenait un verre. Sa présence l'enchantait. Il espérait qu'elle accepterait de rester un peu plus longtemps que prévu avec lui. Il ne lui en avait pas encore parlé. Elle se redressa dans le canapé et prit un air solennel.

— J'ai une annonce à faire. Le Metropolitan Arts Center de Belfast aimerait me programmer une exposition cette année.

Jason avala le reste de son whisky et se pencha vers elle.

— À Belfast ?

— Oui, un de leurs curators est venu à Anchorage et a apprécié plus qu'il ne faut mon travail. Je me demandais si Estelle n'y était pas un peu pour quelque chose… Est-ce que tu étais au courant ?

Elle regardait Jason sans ciller.

— Cassandre, je ne suis au courant de rien et tu le sais de toute façon. Et je doute qu'Estelle ait quoique ce soit à voir avec cette invitation. Ma réponse te convient ?

— Absolument. Mais tu comprendras que je me sois posé quelques questions sur cette soudaine opportunité là-bas.

Marcus suivait la conversation, à moitié subjugué par la complicité qui unissait ces deux personnes et à moitié inquiété par ce qui se tramait sous ses yeux. Jason voulait en savoir plus.

— Tu as rencontré ce commissaire à Anchorage ?

— À vrai dire, je ne me souviens pas de lui. Beaucoup de professionnels sont passés à l'atelier pendant la résidence, ça faisait partie du jeu. Je n'ai pas noté, j'aurais dû… je sais.

— Qui t'a appelé du MAC ?

— Le responsable de la programmation Arts plastiques, euh… Derek Mulligan. Tu le connais ?

— Pas du tout. Il t'a parlé d'une date ?

— En fait, ils aimeraient profiter que toutes les toiles soient encore à Anchorage pour faire un transport direct jusque Belfast plutôt que de les faire transiter par le sud de la France. Donc ça pourrait se faire rapidement, je crois…

— Tu as accepté ?

— Évidemment.

Jason réalisa qu'il la questionnait avec un peu trop d'inquiétude et qu'il ferait mieux de la féliciter avant qu'elle ne considère son attitude pour le moins étrange. C'est Marcus qui le premier lui adressa ses vœux.

— C'est une très belle nouvelle Cassandre. On ne peut rêver meilleure opportunité à l'issue d'une résidence.

— C'est vrai. Félicitations. Je ne dis jamais cela, mais je suis fier de toi !

Il ne pouvait éviter de penser que cette proposition n'était pas le fruit du hasard. Belfast ! Cela sonnait comme un piège d'autant plus qu'il savait évidemment qu'Estelle n'était pour rien dans ce montage. Il prit la main de Cassandre dans les siennes et la regarda avec un sourire énigmatique auquel elle répondit avec une petite grimace en haussant les sourcils.

— J'espère que tu accepteras que j'assiste au vernissage ?

— C'est vrai ? Tu viendrais ?

— Je crois que ça en vaut la peine…

— Tu risques de me voler la vedette.... Le célèbre Jason Gloves à Belfast…

— On ne sera pas obligé de dire que je suis là…

— Parce tu imagines que personne ne sait à quoi tu ressembles ? Toutes les filles en art sont dingues de toi et même certains gars d'ailleurs…

Marcus souriait. Cette fille avait réellement un don pour parfumer l'air de bonne humeur et il renifla sans réserve oubliant quelques instants ses difficultés. Jason proposa de poursuivre la soirée chez lui avec des sushis et du vin pour ceux qui en avaient envie. Marcus accepta avec plaisir savourant à l'avance un moment de répit. Cassandre était déjà sur le point de sortir quand Jason lui tendit un billet. Elle l'attrapa au vol et s'éclipsa.

— Marcus, je vais parler à Cassandre de toute cette histoire. L'exposition à Belfast fait partie de leur plan j'en suis sûr et Da Silva ne doit pas être étranger à ce projet. Je ne peux pas lui mentir. Si je ne le fais pas, je ne saurai pas la protéger. Je n'ai pas encore de solution. Nous la trouverons tous ensemble. J'aurais aimé appeler Estelle, mais il est beaucoup trop tard, je n'ai pas envie de la réveiller en pleine nuit.

— La partie s'annonce serrée. Si seulement nous avions une vraie piste à suivre, une seule…

— Nous avons des pistes Marcus et je commence à croire que Georges Grosmann en est une.

Ils entendirent la porte s'ouvrir. Jason chuchota.

— N'oubliez pas les photographies Marcus.

La soirée fut animée, Cassandre parlant avec autant de passion de son travail pictural, de ses chats, de ses complices pyrénéens ou de sa dernière «amoureuse», celle avec qui elle déjeunait le lendemain… Marcus avait pris quelques photos. Vers vingt-trois heures trente, Jason reçut un message d'un de ses amis.

Regarde ça ! C'est à peine croyable !

La vidéo qui accompagnait le message était celle de la destruction de la jarre d'Ai Wei Wei à Shangai. Il y avait quelque chose de fascinant à voir la pièce éclater sur le sol. Bien que la vidéo fut courte, Jason eut le temps d'identifier Gwan Wei qui passait devant l'objectif du téléphone portable qui avait filmé la scène. Marcus et Cassandre observaient Jason avec une attention mêlée d'embarras. Il leur tendit son téléphone pour qu'ils puissent visionner le désastre.

— C'est dingue !

Jason et Marcus échangèrent un regard soucieux que perçut Cassandre.

— Il y a un problème là ?

— Non Cassandre aucun problème.

Marcus était en train de se lever.

— Eh bien je vais rentrer. Merci pour cette agréable soirée. Cassandre je suis très heureux de vous connaître, Jason appelez-moi dès que vous le souhaitez, je suis là encore une dizaine de jours.

— Je n'y manquerai pas. À très bientôt.

Jason l'accompagna jusqu'à l'entrée. Ils se serrèrent la main en même temps qu'ils hochaient la tête. Il ferma la porte et resta un instant immobile avant de rejoindre le salon. Cassandre le regardait intensément. Elle lui fit signe de venir s'asseoir auprès d'elle sur le canapé, ce qu'il fit sans aucune résistance. Elle se tourna vers lui.

— Je sais quand tu es contrarié. C'est Marcus ?

— Absolument pas.

— C'est moi ?

— … J'aimerais que tu restes un peu plus longtemps que prévu…

Elle sentait qu'il était très sérieux et n'avait pas la moindre envie de le taquiner.

— Bien sûr. Tu as des ennuis ?

— Certainement ! Je t'en parle demain si tu as un moment.

— Évidemment. Après mon déjeuner, on se rejoint au départ de la High Line, d'accord ?

— C'est parfait. Tu n'imagines pas à quel point je suis heureux de t'avoir à mes côtés.

Belfast

Il était huit heures trente quand la sonnette retentit. Estelle appuya sur le bouton de l'interphone.

— Bonjour.

Elle reconnut la voix incomparable de Cillian et les battements de son cœur s'accélérèrent instantanément. Il devait arriver pour le déjeuner. Elle n'était pas vraiment prête. Elle bondit dans sa chambre, enfila un vieux jean et se glissa dans le fidèle pull bleu. Elle releva ses cheveux avec une grande pince et eut juste le temps de s'apercevoir, affolée, dans un miroir avant d'ouvrir la porte de l'appartement. Elle eut une fois encore le souffle coupé par sa présence. Il avait planté son regard dans le sien en décochant un merveilleux sourire. Elle déglutit et recula maladroitement pour le laisser entrer.

— Bonjour.

Il referma la porte derrière lui sans la quitter des yeux et posa son sac sur le plancher. Il semblait savourer ces quelques secondes d'avant un baiser avec délectation. Il s'approcha d'elle lentement, sans la toucher, sa bouche entrouverte irrésistiblement attirée par la sienne. Elle dut fermer les yeux quand elle sentit ses lèvres la caresser. Elle voulut l'enlacer, mais il lui saisit les mains qu'il maintenait le long de ses hanches. Il continuait à l'embrasser doucement, sensuellement, ses lèvres si douces et son souffle si chaud. Il semblait déterminé à ne pas succomber au désir somptueux qui l'envahissait. Elle recula son visage. Elle inspira profondément, le regardant en fronçant légèrement ses sourcils.

— Tu es bien matinal Cillian O'Lochlainn…

Il adorait qu'elle prononce son nom. Elle parlait bien anglais, mais son accent était unique, un mélange de sons savoureusement français et d'intonations typiquement irlandaises qu'elle avait assimilées depuis qu'elle vivait ici.

— Oui, j'avais dans l'idée de profiter de toi le plus possible et arriver tôt était une option indispensable…

Elle n'avait pas pu s'empêcher de sourire en remarquant son regard coquin. Elle n'avait pas beaucoup souri ces derniers jours et appréciait sa décontraction. Elle avait terriblement envie de lui, mais elle devinait que prendre leur temps ferait partie de l'aventure du jour. Elle prépara un copieux petit déjeuner qu'ils dégustèrent dans le salon devant le spectacle du port de Belfast. Ils n'étaient pas très bavards. Ils évitaient de se toucher ou même de s'effleurer tant leurs corps étaient avides l'un de l'autre. Ils se demandaient tous les deux quand se calmerait ce désir fou qui les possédait dès qu'ils étaient ensemble. C'est elle qui rompit la tension palpable dans l'espace.

— Est-ce que tu restes un peu à Belfast ?

— Je suis tenté, mais…

— Reste ! Enfin, j'aimerais que tu restes. Je pense tellement à toi que mon sommeil en est perturbé.

— Il l'est aussi quand je suis avec toi.

— Mille fois moins perturbant d'être dérangée par toi que par les pensées que j'ai pour toi…

— Crois-tu que je pourrais faire office de somnifère ?

— J'en doute…

Elle se leva prestement, saisit sa main et l'invita à la suivre dans sa chambre. Le lit était défait, la lumière était douce à travers les rideaux. Elle se déshabilla à toute vitesse et se glissa sous les draps. Il fit de même, lentement, laissant à Estelle tout le plaisir de le voir. Il vint s'asseoir près d'elle. Il l'attrapa par la nuque et détacha ses cheveux. Il ôta le drap qui la couvrait et la regarda des pieds à la tête comme s'il voulait ne jamais oublier le moindre détail de son corps. Il glissait ses longs doigts sur sa peau pâle et frémissante. Puis il se pencha sur elle avec une infinie douceur. Leurs respirations s'amplifiaient. Elle posa ses mains sur ses fesses et sentit qu'il ouvrait ses jambes avec les siennes, son sexe impatient la pénétra passionnément. Elle serra ses cuisses autour de sa taille pour mieux partager l'étreinte. Il essayait de ralentir le mouvement de ses reins, mais le plaisir se déchaînait en lui et il ne put retenir longtemps son orgasme. Il se redressa pour la regarder. Il avait du mal à reprendre son souffle, mais il avança son visage vers le sien et attrapa sa bouche abruptement, encore secoué de spasmes profonds. Elle remua son bassin à son rythme et se laissa emporter à son tour par une voluptueuse jouissance jusqu'à ce que leurs corps se détendent. Il embrassa ses seins tendrement avant de s'allonger à ses côtés. Elle se tourna vers lui pour profiter de son regard foncé par l'étreinte. Elle aimait sa bouche sensuelle et ses yeux si éloquents. Elle dégagea une mèche de cheveux qui glissait sur son front. Il effleurait ses lèvres du bout de doigts.

— J'imagine toujours que je vais passer des heures à me délecter de toi, de nos caresses, de nos baisers, mais… Je n'ai jamais ressenti un tel désir…

— J'aime ton désir Cillian, j'aime le voir, j'aime le sentir, j'aime l'entendre… Et je t'aime…

Elle avait prononcé ces derniers mots en chuchotant. Il se redressa légèrement. Il aurait souhaité les entendre encore une fois, mais pour rien au monde il ne lui aurait demandé de les dire à nouveau. Elle semblait soudain embarrassée, ses yeux cherchant les siens pour qu'il la rassure. Il l'embrassa avec une absolue délicatesse. Il détacha à peine ses lèvres de son visage.

— Tu me ravis Estelle Rambrant... Et je suis fou d'amour pour toi.

Il soupira longuement et la serra contre lui tendrement. Elle le poussa gentiment du bout des doigts et le regarda en souriant.

— J'avais prévu quelques divertissements hors du lit, tu sais.

— Hummm pourquoi pas. Tu pourrais alors rester à moitié nue pour que nous puissions plus facilement envisager...

Elle le bouscula en riant. Il était magnifique, totalement naturel, spontané et l'expression de son sentiment amoureux était radieuse et sans artifice. Elle enfila le lainage.

— Je me souviens de la première fois où je t'ai vue avec ce pull-over sur le dos à Ballintoy. Il était tôt dans la matinée, tu lisais un magazine dans le canapé devant l'océan. Tu m'avais fait un signe de tête gracieux lorsque j'étais arrivé, tes yeux étaient étonnement gris et une de tes épaules était dénudée... Tu avais d'ailleurs pris soin de remonter ton chandail rapidement. J'avais la sensation d'être un blanc-bec envoûté. Heureusement que Michael m'avait rappelé à la réalité sinon je me serais certainement ridiculisé en face de toi.

Elle était restée debout devant le lit et l'écoutait attentivement.

— J'ai rêvé souvent de toi Estelle et mes rêves ne se contentaient pas de te regarder. J'ai imaginé des milliers de fois comment te dire que tu me bouleversais.

Elle vint s'allonger sur lui. Il lui dénuda les épaules et embrassa le creux de son cou amoureusement. Elle avait attrapé ses cheveux vigoureusement et frotta son ventre contre le sien.

Elle se réveilla. Il était presque onze heures trente. Elle était encore engourdie de plaisir. Elle entendait la machine à café bourdonner. Elle se leva silencieusement. Cillian était nu devant le bar de la cuisine. Elle s'approcha de lui et passa ses doigts le long de sa colonne vertébrale. Il expira longuement avant de se retourner. Elle le regarda tranquillement des pieds la tête puis soupira d'aise.

— J'adore le dimanche avec un homme nu qui me prépare un café…

— Je m'en doutais… Va t'asseoir, j'arrive.

Il disparut dans la chambre à peine quelques minutes. Il avait enfilé son jean. Il tenait à la main un petit carton en papier kraft. Il prit au passage le plateau avec les cafés et la rejoignit. Il lui tendit la petite boîte. Il évita son regard et occupa ses doigts avec la cuiller qu'il faisait tourner lentement et méthodiquement dans la tasse. Estelle craignait un peu qu'il s'agisse d'un bijou, elle n'avait jamais été très à l'aise avec ce type de présent. Elle ouvrit le coffret rudimentaire dans lequel un papier de soie était froissé. Elle déroula avec précaution la feuille. Il y avait une petite bille noire presque parfaite qu'elle prit entre ses doigts. En l'approchant de son visage, elle vit son reflet. Le noir était profond, mystérieux. Elle comprit que c'était une perle. Elle regarda Cillian qui avait cessé de jouer avec la cuiller et l'observait presque avec appréhension.

— Elle est incroyable. Je n'en avais jamais vu…

— Je l'ai trouvée quand j'étais ado et que je venais à Bendhu, lorsque la maison était à l'abandon. Il n'y a pas d'huître perlière à Ballintoy, mais ce jour-là il y en avait une, une seule, au bord de la plage en bas. Je l'ai ramassée par réflexe. Je comptais bien la gober. J'ai pris mon petit canif, je l'ai ouverte et j'ai vu l'éclat sombre, incompréhensible. J'ai presque eu peur. Puis j'ai enlevé la perle, j'étais subjugué, fier, comblé, puissant. Je ne l'ai pas montrée aux autres. Tu es la première qui la voit depuis toutes ces années. Comme si tu étais la seule personne à pouvoir saisir son éclat. Je comprendrais que tu me trouves un peu ridicule… Je n'ai pas envie que tu en fasses une bague ou un pendentif, juste qu'elle soit avec toi… comme je le suis.

Elle était captivée par ses mots, par l'innocence et l'évidence de son histoire. Elle ne savait comment répondre à cette marque d'amour et de confiance si sincère. Cillian devait sentir son embarras. Il enveloppa la main qui tenait la perle et lui sourit franchement.

— Je ne te demande pas en mariage, tu sais…

Elle rit avec un réel plaisir.

— Tu es tellement imprévisible... tellement irrésistible. Je la garderai précieusement.

Elle embrassa tendrement la main qui entourait la sienne. Elle se leva et revint avec deux téléphones portables.

— Tu as nettement pris l'avantage question romantisme.

Il souriait en voyant la boîte. Elle lui tendit un des deux téléphones avec un air solennel. Il le saisit avec déférence comme s'il s'agissait d'une grande récompense.

— Estelle, j'ai déjà un téléphone.

— Je sais, mais c'est une ligne secrète.

Elle composa un numéro. Le téléphone retentit. Il décrocha et laissa l'appareil sur son oreille.

— Celle où il sera possible de te dire tout qui me passe par la tête ?

— Par exemple...

— Des choses qui risqueraient de te faire rougir ?

— Pourquoi pas... Mais aussi des choses qui ne concerneront que nos recherches... Sûrement moins drôles que tes propositions...

— Je peux être très sérieux quand il le faut....

Il la regardait malicieusement. Il s'approcha un peu plus d'elle et lui prit le téléphone des mains.

— Est-ce que je dois l'être immédiatement ?

— Je peux dans certaines conditions envisager un délai...

— Huumm.... Et quel genre de conditions ?

Sa bouche était à quelques centimètres de la sienne. Elle sentait le parfum de sa peau, sa respiration profonde, elle ne voyait plus la couleur de ses yeux tant son visage était proche du sien. Elle posa ses lèvres sur les siennes et ils s'embrassèrent avec délectation. Au moment où le baiser se faisait plus impétueux, le portable d'Estelle sonna. Elle décolla sa bouche de celle de Cillian qui grogna gentiment en signe de protestation.

— C'est Jason, je dois répondre...

Elle reprit le téléphone que Cillian avait toujours à la main. Il voulut se lever, mais elle lui fit signe de rester près d'elle. Elle avait enclenché le haut-parleur.

— Bonjour Estelle, je ne te dérange pas ?

— Tu ne me déranges jamais Jason. Je suis avec Cillian. Tu es bien matinal.

— Tu es au courant de ce qui s'est passé chez Sotheby's à Shangai ?

— Pas du tout.

— Une céramique de Ai Wei Wei a été détruite hier en pleine vente et Gwan Wei était présent. Voilà la première information. La seconde est que nos « amis » veulent m'accuser d'abus sexuel sur Cassandre, dixit Marcus et la dernière est que Cassandre a été contactée pour une exposition personnelle au MAC de Belfast.

Estelle reconnaissait bien la manière expéditive de Jason d'énoncer des faits qui le touchaient au plus près. Sa récente conversation avec Murray refit surface, mais elle n'en dit rien. Indéniablement, les connexions s'articulaient et ce qu'elle pressentait était infiniment malfaisant. Cillian l'observait attentivement et lorsque leurs regards se croisèrent il vit une lueur d'angoisse dans ses yeux soudain assombris. Il aurait tant aimé qu'elle puisse échapper durant une journée à cette quête devenue inquiétante. Il devrait lui dire aussi ses doutes à l'égard de Murray.

Jason poursuivait ses raisonnements et informait Estelle de son souhait d'associer Cassandre à ce qui se passait. Elle le connaissait et lui faisait confiance même si cette option représentait un certain risque. Enfin, il lui révéla que Marcus avait en sa possession le dessin préparatoire de la Visitation de Pontormo qu'il avait récupéré chez Grosmann et qu'il devait le remettre à Suzan Lennon.

C'était beaucoup, beaucoup d'éléments à assimiler et à ajouter à la longue et obscure liste de leurs arguments. Elle se sentait abasourdie par tant d'événements. Jason lui demanda cependant de se renseigner sur ce projet d'exposition au Mac, sa proximité pouvant faciliter l'obtention d'informations. Il la rappellerait dans la soirée pour lui dire comment Cassandre et lui envisageaient d'agir. Il la pria enfin de saluer amicalement Cillian. Elle était restée silencieuse quelques secondes puis s'était tournée vers Cillian en haussant les sourcils.

— Je n'ai pas dit à Jason que j'étais déjà au courant pour l'exposition de Cassandre. Tu ne vas pas me croire mais c'est Murray qui m'a parlé de cette histoire pour le moins étrange. Murray était étrange de toute façon...

— Murray est venu à Ballycastle il y a un mois avec un homme qui ressemble beaucoup à mon agresseur. Je l'ai appelé. Il a esquivé gentiment, mais j'ai un sérieux doute et cela me met terriblement mal à l'aise.

Ils cherchaient dans leurs regards inquiets une réponse à leur appréhension. Ni l'un ni l'autre ne pouvait imaginer que Murray les ait trahis, mais l'un et l'autre avaient éprouvé ce même trouble insidieux qui ne les avait plus quittés. Estelle avait lentement tourné la tête vers la baie vitrée et ses yeux devenus gris fixaient un point invisible à l'entrée du port.

— Je ne peux pas y croire, pas Murray. Il y a forcément une explication...

***

Los Angeles

Georges Grosmann était assis dans l'un des grands fauteuils de son bureau et aspirait mécaniquement sur son cigare. Une fumée épaisse et tourbillonnante flottait devant son visage. Avant qu'il n'ait pu tendre le bras vers le cendrier, la scorie du cigare s'écroula sur le tapis blanc. Il l'écrasa nerveusement du bout de sa chaussure laissant une traînée anthracite sur la laine. Il venait d'avoir soixante-douze ans. Il s'était éclipsé de la fête grandiose qui avait été organisée pour son anniversaire. Tous ses amis étaient là, ceux qui l'étaient réellement et ceux, bien plus nombreux, qui croyaient l'être. Cette foule hétéroclite, excentrique, évaporée et bavarde l'avait agacé plus rapidement qu'il ne pensait et il s'était retiré en milieu de soirée, poussé par un besoin impérieux de solitude. Il savait déjà qu'une énième œuvre d'art serait son cadeau. Il était partagé entre l'espoir curieux d'être surpris encore par un artiste et la lassitude anticipée d'une œuvre dont il n'espérait plus de découvrir le mystère.

Il s'interrogeait ce soir sur les raisons qui l'avaient entraîné il y a quelques années à imaginer ce cycle destructeur. Il n'avait pas de doute sur ce qu'il était en train de réaliser, mais il n'avait jamais pris le temps de comprendre ou même d'envisager la logique qui l'avait amené à cette fantastique et impensable conspiration. À l'instant où se concrétisaient ses projets les plus sinistres, il reconnaissait que l'ennui ne pouvait être le seul moteur d'une telle furie. Et il s'ennuyait, indubitablement, depuis plusieurs années. L'affliction était venue tranquillement, imperceptiblement, sans qu'il ne puisse l'identifier rapidement ou précisément.

Il avait consacré presque cinquante années de sa vie à aimer passionnément la création et ses mystères. Il avait commencé très jeune à collectionner des œuvres, des « bricoles », dessins, affiches, broutilles qui le touchaient, qui lui disaient que d'autres portaient des visions tellement différentes et tellement nécessaires. Il avait eu très tôt la conviction qu'il devait partager ses découvertes et sa passion avec d'autres. À vingt-cinq ans, il organisait une première exposition dans son minuscule appartement à Brooklyn. Son enthousiasme et son charisme emportaient tout sur leur passage et il sut attirer très vite quelques collectionneurs influents de New York qu'il avait pour la plupart croisés à la Factory. L'effervescence créative et collective y était à son comble et Andy Warhol lui avait même donné un poème ou plutôt un non-poème griffonné au verso d'une invitation. À trente ans, il ouvrait sa première galerie à Chelsea et présentait une dizaine de dessins et lithographies de Peter Saul. Son audace plut aux amateurs et certains d'entre eux lui proposèrent leur soutien. C'est ainsi qu'avant de devenir lui-même un des plus grands collectionneurs et galeristes du monde il fut durant quelques années le fournisseur régulier et recherché d'autres collectionneurs avisés et fortunés. L'ascension fut rapide et ce qui était au commencement un appétit sincère et curieux pour la création se métamorphosa insidieusement en une sorte d'avidité à posséder, toujours plus, à vendre toujours plus cher, garantissant son business avec une poignée d'artistes dont la côte extravagante faisait le jeu d'un marché de l'art international presque truqué par la centaine de très riches acheteurs et les grandes maisons de vente qui entretenaient les fluctuantes manipulations des prix. Avec douze galeries dans les quatre coins du monde il avait atteint un monopole absolu dans cette sphère si fermée. Tous ces nababs de l'art, européens et américains mais aussi oligarques russes, nouveaux riches chinois ou indiens, émirs du Golfe, véritables amateurs ou hommes d'affaires avertis ne pouvaient certainement pas négliger l'idée d'un possible retour sur investissement tant les placements de fonds étaient importants. Grosmann avait profité sans scrupule de ces engouements sincères, opportunistes ou affairistes. Et si le nombre de collectionneurs était limité, celui des artistes le devint également. Les créateurs en vogue étaient devenus des trophées d'un genre nouveau et des objets de spéculation. Il s'était pris à son propre jeu, il était tombé lui aussi dans le piège de la possession d'œuvres toujours plus monumentales, plus onéreuses, plus spectaculaires. Il avait oublié son audace et sa curiosité et n'accordait plus que très rarement son attention à des artistes moins connus.

Il avait ouvert à Manhattan et avait créé il y a un peu plus d'un an une agence en conseil artistique. Il avait nommé à sa direction une des plus grandes spécialistes de l'art contemporain qui venait de passer près de dix ans chez Sotheby's dans le département XXe et XXIe siècle. La boucle semblait bouclée. Que pouvait-il advenir de plus pour cet homme au sommet de son « art » ?

Sa fille venait d'entrer. Elle s'arrêta derrière le fauteuil en posant les mains sur ses épaules.

— Tu commences à manquer à tes invités.

Il leva les yeux au ciel en soupirant.

— Tu vois bien que je suis occupé... Je vous rejoins plus tard.

— Comme tu voudras.

Elle connaissait bien les humeurs de son père, mais ne s'habituait pas à cette attitude sombre qu'il adoptait depuis quelque temps et la manière cassante dont il s'adressait à elle de plus en plus souvent. Elle quitta la pièce sans un bruit.

Grosmann avait à peine été dérangé dans ses pensées, mais la présence inopinée de sa fille lui rappela brutalement qu'il n'avait personne à qui parler intelligemment de son action, personne pour l'aider à mieux comprendre et partager ses convictions. Il ne s'était jamais senti aussi seul et trouvait la situation presque divertissante. Son bras droit Jacques Berthelot était un collaborateur de premier ordre qui organisait et concrétisait ses souhaits au-delà de ses espérances, mais l'homme ne s'était certainement jamais demandé ce qu'était une œuvre d'art, quel mystère elle pouvait bien abriter en fin de compte. Les personnalités compétentes qui agissaient pour lui au sein de cette confrérie originale ne pouvaient imaginer tous les ressorts de l'éclatant remue-ménage. Avec Berthelot, il avait su user et abuser de leurs peurs, de leur désir de pouvoir, de leur arrogance, de leurs faiblesses, de leur appétit d'argent ou de leur prétention pour les embarquer dans le tourbillon. Même les plus intelligents d'entre eux y avaient perdu leur conscience. Mais aucun avec qui il n'aurait pris le risque d'échanger. L'envergure et la réussite du projet n'admettaient aucune forme de sentimentalisme ou d'attachement.

La satisfaction qu'il éprouvait devant l'épanouissement de son programme était proportionnelle à la solitude avec laquelle il devait le manager. Alors il devait accepter de gérer seul ses états d'âme, les interrogations ou les vérités essentielles qui l'avaient entraîné jusqu'ici.

Rien ne l'arrêterait aujourd'hui. Et alors que cette certitude ne pouvait plus être remise en question, il perçut clairement pour la première fois les raisons qui lui avaient inspiré sa conviction inébranlable. Toute sa vie, il avait cru être capable de percer les mystères de la création, les énigmes profondes qui se dissimulaient ou s'échappaient de chaque œuvre. Toute sa vie, il avait cru que chacune d'entre elles recélait ce mystère. Les posséder l'approchait d'une forme incomparable de révélation que lui seul pouvait discerner. Les premières années de son itinéraire de collectionneur furent enthousiastes et excitantes et chacune des pièces qu'il réussissait à acquérir était comme une pierre nécessaire à la construction de sa personnalité, de son savoir, de son humanité. S'il puisait souvent dans les œuvres des qualités, des intentions et des élucubrations que les artistes eux-mêmes n'avaient pas toujours imaginées, il restait attaché à ce qu'ils étaient en tant que femmes ou hommes et souhaitait saisir ce qui définissait leur état d'artiste. Est-ce que l'ambition, l'argent et la notoriété grandissante avaient abîmé cet appétit authentique ? Il n'avait pas vraiment envie de donner une réponse... Peut-être la connaissait-il trop bien. Au fil des années, ses acquisitions étaient devenues des achats affairistes qui lui permettaient de garder sa place au pinacle du marché de l'art international. Et sa quête de mystère et de projection s'était recroquevillée derrière une avidité irrépressible à posséder les pièces les plus convoitées, les plus visibles ou controversées. Mais il avait cessé de s'intéresser aux artistes et les œuvres dont il disposait alors étaient des objets sans âme, sans interrogation parce qu'il s'était détourné de sa propre quête. La confusion intellectuelle laissa place à un égarement mental et il détruisit la première pièce de sa collection. Il avait tiré au sort dans sa réserve de petits formats (peut-être avait-il encore un doute) et avait incinéré un collage de photographies de John Baldessari. Il se remémorait aujourd'hui avec précision des œuvres qu'il avait éliminées et leur unique souvenir lui restituait un peu de l'illumination qu'elles auraient dû lui procurer au temps de leur matérialité.

C'est donc dans leur disparition que résidait finalement leur souffle essentiel. Il n'avait pu se contenter longtemps de détruire ses seules collections. Il désirait partager sa pensée fanatique et réunir autour de lui un noyau de disciples qui l'aideraient à accomplir sa cause. Grosmann était un homme plus intelligent que la moyenne et il n'eut aucun mal à concevoir son plan machiavélique. Son avocat français était une véritable ordure et il n'eut pas besoin de le convaincre pour l'associer à son projet. Dès lors, il avait patiemment organisé son réseau et ses méfaits. Rien n'avait été laissé au hasard pas même les éventuelles réactions des complices ou des victimes. Et tandis que le saccage était construit et réalisé méthodiquement, Grosmann continuait d'étendre son empire sur le monde de l'art et en demeurait une des personnalités les plus influentes.

Ce soir, personne autour de lui ne pouvait l'extraire de ses réflexions solitaires. Un seul homme à ses yeux manquait à sa création. Jason Gloves, un peu sauvage et intransigeant, qui parvenait dans chacune de ses initiatives, ses expositions ou même ses conseils à affirmer avec une remarquable évidence le rôle essentiel de l'art et de l'artiste. Gloves ne possédait quasiment aucune œuvre et ne s'était jamais laissé influencer ou encore moins corrompre. C'était certainement le seul homme qui l'impressionnait encore et il avait choisi pour lui un « saccage » exceptionnel. Il était allé visiter l'« Exposition » en France et l'émotion incontrôlable qui l'avait assailli sous ce déluge d'œuvres avait provoqué une colère sourde, envahissante comme une jalousie d'amant. Il l'avait rencontré à deux reprises à New York et il n'avait pu se départir de son arrogance habituelle. Gloves ne goûtait pas aux joutes verbales envenimées et leur relation avait tourné court. Il le verrait prochainement dans d'autres circonstances. Le cigare s'était éteint depuis un moment. Il entendait le bourdonnement ennuyeux des réjouissances. Il décida d'aller boire un verre.

*
**

New York

Il était quinze heures trente, Jason attendait Cassandre au départ de la High Line. Il faisait très frais et il espérait qu'elle ne tarderait pas à apparaître. À peine avait-il émis ce souhait qu'elle était à ses côtés, le nez rougi par le froid.

— Tout va bien ?

— Oui, oui, je suis amoureuse !... Non je plaisante, enfin peut-être, mais elle est super. Elle est botaniste. Je n'ai pas prononcé le mot peinture une seule fois en deux heures...

Jason souriait. Il l'avait prise par le bras et commençait à avancer.

— Marchons tu veux, il fait frais.

— Jason, je sais que tu dois me dire des tas de choses. J'espère pouvoir t'aider, quels que soient tes ennuis.

— Je ne sais pas par où commencer Cassandre. C'est véritablement une histoire complexe et très... misérable.

— Il n'y a que toi pour utiliser un vocabulaire pareil. Excuse-moi, continue s'il te plaît.

— Tu as sûrement raison.

Il fit le résumé le plus bref qu'il pût de la situation avant d'aborder le sujet qui les touchait plus particulièrement.

— Comment te dire ? Ils ont l'intention de m'accuser d'abus sexuel sur toi.

— Ouhhh ! Ça alors c'est fortiche. Ils n'ont peur de rien dis donc... Mais dans quel but exactement ?

— Me discréditer. Absolument ! On pourrit ma vie pour ruiner ma carrière. Détruire des œuvres ne doit pas suffire à leur folie.

— Mais c'est tellement ridicule. Ça n'a aucun sens... Je suppose qu'ils sont au courant de mes préférences sexuelles non ?

— Certainement, mais cela importe peu dans cette perspective. Je ne sais pas quoi faire Cassandre. La seule chose dont je reste persuadé c'est que je devais t'en informer.

— Tu as eu parfaitement raison. Je te remercie de ta franchise. Mais... Vous êtes un peu coincés là Marcus et toi... Et moi avec non ?

— Je crois que l'exposition à Belfast est un appât, un bel appât je le reconnais... Un argument pour te convaincre de dire que je suis le pervers qu'ils souhaitent.

Elle se mit à rire nerveusement.

— Non sans blague ! Toi pervers, c'est la fable du jour ! Mais ils se prennent pour qui ces fous furieux ? Il faut les humilier tout simplement. On les laisse croire à leurs fantasmes, on joue le jeu, jusqu'au bout, je dis OK, Marcus a fait des images, mais pas plus compromettantes que ça. J'accepte l'exposition à condition de te charger et le jour du vernissage je présente ma fiancée au monde entier en ta présence et je balance le truc. Qu'en penses-tu ?

— Ça a l'air limpide énoncé de cette manière...

Elle aperçut la lueur d'inquiétude qui avait traversé son regard. Elle s'arrêta et lui fit face.

— Ne crois que je prenne ça à la légère. Je trouve tout ça dégueulasse, sordide et ces malades me fichent la trouille. Mais n'oublie pas que l'on a un petit avantage sur eux. Et peut-être que nous en aurons d'autres d'ici là...

— Il faut que nous en parlions avec Estelle et Marcus... Et Cillian.

— Cillian ?

— Oui, je ne t'en ai pas parlé. Il était avec nous en Écosse. C'est un ami irlandais d'Estelle, c'est son ami… C'est son amoureux si tu veux… C'est un type bien… Enfin, il me semble.

Elle le regarda avec un petit sourire moqueur.

— OK. Ça n'a pas l'air de te plaire vraiment non ? Mais ce ne sont plus tes affaires non plus, depuis longtemps…

Il leva les sourcils en signe d'interrogation.

— Maman m'avait raconté ton histoire avec Estelle. Tu n'as pas été trop malin sur ce coup-là. Tu pourrais être encore son amoureux aujourd'hui qui sait ?

— Je ne le suis pas et je suis sincèrement heureux pour elle, même si la voir dans cet état m'a fait réagir comme un adolescent…

— Et alors il est comment ?

— Cassandre !

Il soupira, prit son air embarrassé en plissant les yeux et pinçant les lèvres.

— Un très bel homme… Pas mon genre…

Ils riaient tous les deux, profitant de la parenthèse de légèreté. Cassandre ne souhaitait pas que son oncle perçoive son trouble. Il faisait froid et Jason avait envie de rentrer. Il était seize heures trente et voulait appeler Estelle avant qu'il ne soit trop tard en Irlande. Il attrapa son téléphone dès qu'il fut chez lui. Estelle y avait laissé un message à vingt et une heures, heure de Belfast.

Je sais que nous devions nous parler ce soir, mais j'ai eu besoin d'une pause. Je serai là pour toi demain quand il te plaira. Je t'embrasse. Embrasse Cassandre.

Belfast

Estelle était dans son bureau depuis un moment. Elle s'était levée tôt laissant Cillian profondément endormi. Les paroles de Jason résonnaient encore et une certaine confusion encombrait son esprit. Elle intervenait à l'Université en début d'après-midi, une introduction à la peinture de Peter Doig qui devait précéder une rencontre d'étudiants avec l'artiste en Écosse quelques semaines plus tard. Elle pensa évidemment à Angus Craig dont elle n'avait plus aucune nouvelle depuis son retour.

Elle était certaine que Jason avait une idée précise derrière la tête et elle regrettait qu'ils ne puissent pas être à l'œuvre ensemble pour tenter de déjouer ces basses manœuvres. Elle essayait en vain de se concentrer sur sa conférence lorsque Cillian apparut dans l'encadrement de la porte. Torse nu, les cheveux en bataille, il arborait un sourire délicieux.

— Bonjour. Bien dormi ?

— Humm… Magnifiquement.

Il s'avança vers le bureau, se pencha pour l'embrasser. Ses baisers la secouaient à chaque fois et elle se sentait désarmée. Il se recula et resta debout devant elle un sourire facétieux sur les lèvres.

— Voilà tout ce que tu obtiendras de moi aujourd'hui !

— Je comprends parfaitement.

— Un café ?

Il n'avait pas attendu la réponse et avait quitté la pièce. Elle passa dans la chambre et le rejoignit aussitôt. Elle était captivée par sa sensualité naturelle et avait sans cesse envie de le toucher. Elle s'approcha de lui en lui tendant une chemise.

— Je te conseille d'enfiler ça immédiatement.

Ses yeux brillaient et il lui sourit à pleines dents en attrapant le vêtement qu'elle tenait à bout de bras. Elle savourait sa présence espiègle et rassurante. Pendant leur petit-déjeuner, ils avaient convenu de ce qui les occuperait dans les prochains jours. Cillian était là pour elle et sans qu'il lui ait clairement formulé, il était là pour la protéger. Il avait décidé de rencontrer Murray à Belfast avant le week-end à Ballintoy. Il pensait également qu'il serait prudent de prévenir Lorna et Michael de leurs soupçons même si cela risquait de les attrister. La semaine d'Estelle s'annonçait calme. Elle attendait des nouvelles de Jason et Marcus pour envisager les prochains scénarios.

— Tu as toujours le portable de Craig ?

— Oui, bien sûr.

— J'aimerais bien réécouter son message.

Elle alla chercher dans son bureau la boîte en carton qui n'avait pas quitté la bibliothèque. Elle la tendit à Cillian qui en sortit le téléphone. La batterie était vide, il faudrait patienter un peu.

*
**

New York
Claire, l'assistante de Jason lui avait envoyé une revue de presse toute fraîche sur l'« Exposition ». Les articles étaient dithyrambiques et même si certains auteurs soulignaient leur

agacement devant l'emphatique mystère qui entourait chacune des actions de Gloves, ils saluaient l'extraordinaire portée et la vision audacieuse, décalée de l'art contemporain qu'il « agitait » au-dessus de nos têtes.

Aucun texte de Maarit Heikkineen. Il réalisa que le seul papier qu'il avait envie de lire était celui-là. Peut-être attendait-il des réponses à ses intuitions. Il gardait un souvenir précis de sa rencontre avec la critique au Jardin des Plantes et demeurait autant intrigué par ce qu'il supposait de son implication dans la machination que par son indéniable intelligence. Il vit l'autre mail de son assistante. Elle avait réceptionné ce message sur l'espace Presse du site de l'« Exposition » et savait qu'il le trouverait intéressant. En effet, le mot, plutôt court, était rédigé par Maarit Heikkineen.

Bonjour Jason Gloves, Je crains que vous ne deviez encore patienter quelques semaines avant de pouvoir lire ma « petite histoire ». Bien que votre contribution et votre disponibilité m'aient réellement aidée à appréhender votre tempérament passionné, je manque malheureusement d'informations plus sensibles qui pourraient « enrichir » mon propos. Je poursuis donc mes investigations… Je suis sincèrement ravie de vous avoir rencontré. Cordialement à vous. Maarit Heikkineen

Gloves était un peu dépité par le ton du message. Poli, distancié, mais qui donnait en quelques lignes des éléments aussi énigmatiques que circonstanciés. Il était clair qu'aucune réponse n'était attendue et qu'il devrait s'en contenter pour patienter.

Il avait hâte à présent de parler à Estelle et d'organiser avec elle ce qu'il avait « mijoté » avec Cassandre. Il n'était pas sûr qu'elle soit d'accord avec ce projet qui impliquait beaucoup sa nièce, mais elle devrait se rendre à l'évidence qu'elle n'était plus une adolescente, juste une femme et une artiste engagée qui défendrait bec et ongles sa famille, sa réputation et ses amis.

Les deux portables de Jason retentirent simultanément. Il décrocha le plus proche.

— Gloves, bonjour.

— Bonjour monsieur Gloves, je suis Eduardo Buarque.

Buarque était l'un des cinq collectionneurs qui figuraient sur la liste d'Estelle. Son accent était incomparable et le ton aimable.

— Bonjour. Que puis-je pour vous ?

— Eh bien j'ai un service à vous demander.

— Voyons cela ?

— Je suis à Cap Code pour quelques jours. J'ai fait livrer quelques pièces que j'aimerais installer définitivement dans la maison et je me disais que vous accepteriez peut-être de me donner quelques conseils pour les mettre en place ?

— Je doute que vous ayez besoin de ce genre de conseils, monsieur Buarque. Vous avez toujours su vivre audacieusement parmi vos œuvres…

— Soit ! Alors je serais honoré de vous recevoir ici et de vous montrer ces quelques pièces, des artistes brésiliens exclusivement… Accepteriez-vous de vous joindre à moi ce week-end ? Je vous enverrai un chauffeur.

— Je crains de ne pas être disponible, ma nièce est avec moi à New York et…

— Amenez votre nièce, elle appréciera Cap Cod j'en suis certain même si nous manquerons un peu d'enfants pour l'accompagner…

— Cassandre a bientôt trente ans. Elle est peintre. Votre invitation me tente beaucoup, monsieur Buarque. Je lui parle de cette éventualité et je reviens vers vous au plus vite.

— Dans ce cas, d'accord pour le plus vite. À très bientôt, je l'espère.

Décidément, la matinée était surprenante. L'appel inattendu de Buarque lui avait presque fait oublier le message de la journaliste même s'il ne croyait pas du tout au hasard de cette invitation. Il attrapa son second portable et écouta le message de Marcus.

Bonjour Jason. Je vais avoir besoin de savoir très vite ce que vous avez décidé de faire avec Cassandre. Ils m'ont contacté hier et mon départ est avancé. Je vois Suzan Lennon mercredi matin pour lui remettre le Pontormo, nous nous retrouvons au Metropolitan. Je vais certainement partir jeudi soir, pour Belfast... Mission d'observation incognito d'Estelle. J'appréhende de plus en plus le double jeu et l'angoisse de commettre une erreur. Il faudrait que je puisse vous voir avec Cassandre une dernière fois. Si vous êtes libres tous les deux mercredi, nous pourrions nous rejoindre à Coney Island ? J'ai un service à vous demander. Prévenez Estelle de mon arrivée prochaine à Belfast. Merci.

Jason lui répondit aussitôt.

Marcus. Retrouvons-nous mercredi vers midi chez Dona Zita à Coney Island. Bonne chance.

Il était à peine onze heures trente. Cassandre dormait encore. Il alla s'installer devant la baie ouverte sur Central Park et composa le numéro d'Estelle. Comme à son habitude il avait été précis, concis et avait donné en moins de dix minutes toutes les informations qu'elle devait connaître. Il n'omit aucun élément, son projet avec Cassandre, ses doutes sur Grosmann, le message de Heikkineen, l'invitation de Buarque et la collaboration de Marcus et sa présence prochaine à Belfast. Elle ne fut pas très enthousiasmée par le plan que Cassandre et lui avaient échafaudé, mais reconnaissait que l'effet de totale surprise serait à leur avantage. Elle espérait que d'ici là les rares pistes qu'ils avaient ouvertes les mèneraient enfin vers des réponses plus concrètes. Elle lui fit part de son intention de se rapprocher de l'équipe du MAC, puis elle lui avait parlé de Cillian, de ses soupçons à l'encontre de Murray, de sa présence rassurante auprès d'elle. Ils s'étaient promis de se retrouver bientôt. Jason profitait encore de dix jours de vacances avec Cassandre avant de se rendre à Los Angeles pour une commission d'achat au Lacma et Estelle était invitée à Venise la semaine suivante pour la présentation d'un nouveau programme de résidence d'artistes initié par la Biennale d'art.

14
mardi 26 mars

Belfast

Cillian était installé dans l'un des box en panneaux de bois sculpté du Crown Bar. C'était l'établissement le plus vieux et le plus fameux de Belfast. Il aimait cet endroit suranné, kitch, magnifique, presque anachronique qui accueillait avec l'authentique générosité irlandaise les habitués de tous poils et les touristes de passage dans une cacophonie joviale et animée. Il attendait Murray qui devait le rejoindre à dix-sept heures trente, il retrouverait Estelle un peu plus tard. Il n'avait aucune idée de la manière dont il aborderait cette rencontre. Il n'était pas tout à fait détendu et avait déjà commandé un whisky.

Il aperçut Murray. Il se leva et héla son ami par-dessus les stalles de bois. Murray sourit et passa d'abord par le bar pour prendre une bière. Il entra dans le box et se pencha vers Cillian pour lui adresser une belle accolade.

— Salut Cillian, content de te voir enfin ! On te voit rarement par ici. Tu as laissé ton bateau au port ?

— Presque. J'ai rendu visite à Estelle.

Une ombre furtive de contrariété avait traversé le regard de Murray.

— Oh, Estelle a autorisé un pirate à pénétrer dans son antre…

— Plutôt élégant l'antre, avec vue imprenable. Tu le connais ?

— Oui, il fut un temps où je lui rendais souvent visite et où nous passions de très bons moments ensemble.

Cillian appréciait la petite revanche, mais se demandait néanmoins si quelque chose avait pu avoir lieu entre Estelle et Murray. Il écarta aussitôt cette pensée farfelue de son esprit.

— Tu viens à Ballintoy ce week-end ?

— C'est prévu. Et cette fois, je viendrai en meilleure compagnie. Nous arriverons samedi matin.

Cillian serait à Ballintoy avec Estelle dès le vendredi soir, mais ne jugea pas nécessaire d'en informer Murray. Il comprendrait bien assez tôt ce qui se passait entre eux. Après tout, cela ne le regardait plus vraiment. Pour l'instant, il voulait vérifier s'il savait qu'il avait rejoint Estelle en Écosse.

— Tu connais l'ami américain d'Estelle ?

Cillian fut surpris par la question.

— Gloves ? Elle m'en a parlé oui, c'est, c'est une tête, il semblerait… Et toi ?

— Eh non, mais elle m'en a beaucoup parlé aussi. Tu savais qu'ils ont eu une histoire torride tous les deux ?

Cette fois, il était sûr que Murray avait remarqué son agitation et il regretta de s'être laissé déstabiliser de la sorte.

— Euh… Non, elle ne m'a pas mis dans la confidence.

— Je suis certain que tu le rencontreras un de ces jours. Il finira bien par venir la voir ici. Ils étaient en Écosse ensemble la semaine dernière. Ma main à couper qu'il est encore amoureux d'elle.

Murray était indéniablement plus fort que lui à ce genre de jeu.

— Pas étonnant ! Elle est magnifique.

Il était temps que la discussion prenne fin. Ses sentiments amoureux l'encombraient et encore plus dans cette situation artificielle et menaçante. Il remercia le ciel quand une connaissance de Murray s'introduisit dans le box et proposa une tournée. La conversation glissa sans peine vers le prochain match de rugby que jouerait l'Ulster contre la France. Murray était un fan absolu et il oublia presque sa présence. C'était le bon moment pour partir. Cillian engloutit son whisky et salua Murray et son comparse. Il sentit l'effet de l'alcool dès qu'il fut à l'extérieur. Même s'il avait la certitude à présent qu'il ignorait son escapade en Écosse, cette rencontre l'avait mis mal à l'aise, il désirait par-dessus tout retrouver Estelle. Il décida de rentrer à pied. Quarante minutes de marche suffiraient sûrement pour qu'il recouvre ses esprits.

Estelle était assise dans le fauteuil près du large canapé, emmitouflée dans un grand plaid. Ses yeux brillaient, elle reniflait et semblait avoir froid. Elle lui sourit juste avant d'éternuer. Sans un mot, il ôta son blouson et ses chaussures, s'avança vers le bar et prépara deux whiskies. Il s'approcha d'elle en lui tendant un verre, un sourire au coin des lèvres.

— Excellent pour les microbes !

— Merci. Tu as vu Murray ?

Son sourire avait disparu. Il regardait son whisky comme si la réponse gisait au fond du verre.

— Oui. J'ai été maladroit. Je... Estelle ?

— Oui. Que se passe-t-il ?

— Murray et toi vous... Vous avez ???...

— Cillian O'Lochlainn ?

Elle avait prononcé son nom pour qu'il relève la tête et la regarde.

— Non ! Bien sûr que non !

Il soupira.

— Il a esquivé avant même que je n'essaie de poser les questions. J'imagine qu'il a deviné pour nous, c'était sa petite vengeance... Dès qu'il s'agit de toi, je me sens vulnérable, c'est ridicule... Tu sais qu'il t'aime plus que tu ne crois ?

— Peut-être ! Mais peu importe !

— Il m'a parlé de Jason aussi... De Jason et toi...

Il la questionnait du regard essayant d'esquisser un sourire.

— C'était il y a longtemps. Très longtemps. Mais dis-moi si tu as obtenu la réponse que tu attendais.

— Oui, il ignore que j'étais en Écosse avec toi.

Elle vint près de lui sur le canapé. Il posa sa tête dans le creux de son cou et sentit la chaleur de sa peau.

— Tu as de la fièvre.

— Certainement.

Elle finit son whisky en une rasade.

— Je crois que le lit sera un endroit parfait pour toi ce soir.

— Avec un homme tout chaud qui sentirait bon et me caresserait doucement...

Elle éternua et frissonna en s'enroulant dans son plaid. Il se leva et la prit par la main pour la conduire dans la chambre.

— Déshabille-toi ! vite.

Elle n'avait pas cessé de trembler et il s'empressa de la couvrir d'une large chemise posée sur le lit. Elle se tourna vers lui les yeux plus brillants que jamais. L'alcool l'avait un peu enivrée. Tout en reniflant, elle le regardait avec beaucoup d'intérêt et bien que le même genre d'intérêt lui venait à l'esprit il lui adressa son plus beau sourire moqueur.

— Il n'en est pas question !

Il la poussa gentiment sur le lit et remonta aussitôt sur elle la grande couette. Il dégagea les cheveux qui cachaient son visage, elle frissonnait encore et il serra l'édredon autour d'elle. Elle peinait à garder les yeux ouverts. Il caressa doucement sa joue et embrassa le bout de son nez rougi. Elle soupira. Il ferma les rideaux et quitta la chambre. Il se sentait mieux. Il se dirigeait vers le canapé lorsqu'il se souvint du petit téléphone d'Angus Craig qui chargeait depuis la veille. Il prit le portable et vint s'asseoir devant son whisky intact. Il alluma l'appareil. Le cadran indiquait un nouveau message vocal laissé deux jours auparavant. Il hésita quelques secondes avant de l'écouter. C'était la voix de Craig.

Chère Estelle Rambrant, j'espère sincèrement que vous entendrez ce message. Je n'ai pas trouvé d'autre moyen plus sûr pour vous contacter. Je sais qu'il se passe des choses inquiétantes depuis quelques jours, j'ai été informé des différentes attaques qui ont dévasté certaines œuvres inestimables.

Estelle, Herbert Kanno m'a envoyé une lettre de Los Angeles. Elle est arrivée à mon bureau d'Inverness et c'est Doreen qui m'en a fait la lecture. Elle était signée Robert Khann, simpliste anagramme de Herbert Kanno. En résumé, Kanno affirme que sa santé mentale et physique est en danger. Il exprime ses profonds regrets pour la destruction de la toile de Doig et ne supporte plus l'idée de devoir à nouveau faire disparaître une œuvre. Il confesse qu'il aime sincèrement sa collection malgré tout ce qui a pu être dit ou écrit à son sujet. Il déclare qu'il est persuadé d'être victime d'empoisonnement, que sa raison vacille parfois et qu'il est pris d'angoisses violentes provoquées par les œuvres qui l'entourent. Il confie enfin qu'il a aménagé clandestinement chez lui une petite pièce vide de toute création dans laquelle il parvient de temps en temps à recouvrer ses esprits. Il craint d'être surveillé et ses inquiétudes se sont même dirigées vers ses proches, sa femme et son beau-père. Il ne sait à qui s'adresser et il a pensé à moi. Il espère que je croirai son histoire.

Estelle, Kanno a besoin d'aide, mais je n'ai aucune idée de ce que nous pouvons faire pour lui. Tout cela se passe bien loin de nos territoires, mais vous m'aiderez peut-être à trouver une solution. Merci. N'oubliez pas de contacter Doreen à l'Université si vous souhaitez me joindre.

Cillian raccrocha et but une gorgée de whisky. Les recherches qu'avait faites Estelle sur Kanno résonnaient d'un écho particulier à l'écoute du message. Il semblait que sa triste histoire l'était de plus en plus. Il se demandait une fois encore s'ils avaient à eux seuls les moyens de régler une telle affaire et s'ils ne prenaient pas les uns et les autres des risques inutiles qui pourraient qui sait, mettre leurs vies en danger. Rien à ses yeux et surtout pas des divagations frondeuses sur l'art contemporain menées par quelques illuminés ne justifiaient que l'on menace une vie. Mais Craig avait raison, cet appel au secours ne pouvait pas rester sans réponse. L'aide de Jason s'avérait indispensable.

Si les enjeux de cette sombre histoire lui échappaient pour la plupart, Cillian savait instinctivement que son inexpérience et son anonymat dans ce milieu pourraient les servir. Il suffisait de vérifier qu'il n'était pas encore sur la liste noire des comploteurs. S'il doutait maintenant que sa présence à Inverness ait été repérée, il ignorait si le petit homme de Ballintoy avait continué ses « fouilles ». Il faudrait bien qu'il parvienne à surprendre Murray et connaître enfin sa vérité.

Il entendit Estelle éternuer plusieurs fois et se moucher bruyamment. Elle était en nage, la grande chemise collant sur sa peau brûlante. Il prit un tee-shirt et une serviette dans son sac. Elle venait de s'asseoir. Il s'approcha d'elle et fit passer le vêtement trempé par-dessus sa tête. Il essuya doucement la sueur qui perlait sur son corps. Elle était étonnement docile et si ce n'est le sourire qu'elle lui adressa il aurait pu croire qu'elle était presque inconsciente. Elle s'allongea sur le côté le visage penché vers lui. Alors qu'il dessinait le contour de ses lèvres du bout des doigts il soupira et murmura en français.

— Tu es mon amour.

⁎
⁎⁎

Londres

L'annonce de la vente chez Sotheby's de la toile de Banksy, *Devolded Parliament*, avait attiré la foule des meilleurs jours, ceux qui auguraient des enchères sensationnelles. La grande huile peinte par le street artiste en deux mille neuf représentait une assemblée de chimpanzés siégeant au parlement anglais à Westminster. Le propriétaire anonyme de l'œuvre qui l'avait acquise en deux mille onze ne pouvait choisir un moment plus opportun pour s'en séparer. La conduite du Brexit par le Premier ministre Boris Johnson avait déchaîné les tensions et les passions, les débats houleux au parlement s'étaient succédé sans que puisse être adoptée une position unanime sur la manière pour le pays de quitter l'Europe. Ce défaut de démocratie qui semblait poindre là, trouvait soudain sa parfaite illustration dans ce rassemblement de primates en grand format.

James Newton n'avait que faire de ses considérations politiques. Il devait juste acquérir la toile à n'importe quel prix. Newton était américain, fervent collectionneur d'œuvres minimalistes dont il avait accumulé depuis plusieurs années les plus beaux exemplaires. On ne connaissait d'ailleurs pas tout à fait l'étendue de l'ensemble. C'était un homme taciturne. Il aimait le silence, la méditation, la solitude. Il vivait dans un grand ranch perdu au Texas pas très loin de Marfa. Il goûtait peu aux positions de Banksy sur l'art ni à son œuvre qu'il jugeait disparate, vulgaire, ambiguë et démagogique. Il avait carte blanche et il se fichait éperdument des réactions qui ne manqueraient pas de s'exprimer. Il avait prévenu Sotheby's qu'il serait présent à Londres, mais qu'il souhaitait garder un complet anonymat. On mit à sa disposition un bureau et un téléphone, à quelques mètres de la peinture, de la foule, de la folie…

Treize minutes, dix collectionneurs, onze millions d'euros, un tonnerre d'applaudissements… Des chiffres abyssaux qui affirmaient, comme s'il était encore nécessaire de le faire, le dérèglement inquiétant du marché de l'art contemporain. Évidemment, Newton avait emporté les enchères et les aurait emportées de toute façon à n'importe quel prix. Treize petites minutes... Tellement sûr de lui, de sa réussite et de ses motivations. Il était satisfait, juste satisfait. Il savait que la vente ferait la une de tous les médias. Banksy n'était pas un simple artiste, il était un activiste, un militant, une figure incontournable comme il était convenu de dire à présent. Mais peu lui importait, tout ce que Banksy pouvait revendiquer n'avait aucune prise sur ce qu'il venait de réaliser ici. L'artiste ne manqua pas d'ailleurs de réagir dans les heures qui suivirent la vente, une réponse ironique bien sûr, mais qu'il avait accompagnée d'une citation du critique australien Robert Hughes qui retentissait d'une justesse incontestable.

« *L'art devrait nous faire sentir les choses de façon plus claire et plus intelligible. Il devrait nous donner des sensations cohérentes que nous n'aurions pas sinon. Mais le prix d'une œuvre fait désormais partie de sa fonction, son nouveau travail consiste à être accrochée à un mur et à devenir de plus en plus chère. Au lieu d'être un patrimoine commun à l'humanité comme le sont les livres, l'art devient la propriété personnelle de celui qui peut se l'offrir. Imaginez que n'importe quel livre du monde vaille un million de dollars. Imaginez l'effet catastrophique que cela aurait sur la culture* ».

15

mercredi 27 mars

New York

Marcus attendait devant l'entrée principale du Metropolitan Museum. Il s'était posté en haut du grand escalier, son précieux colis sous le bras. Il songeait avec ironie que l'œuvre qu'il avait avec lui aurait une place de choix dans le cabinet des dessins de ce prestigieux musée qui possédait déjà deux études de Pontormo. Marcus était curieux de nature et avait pris la peine de faire une rapide recherche sur la présence du peintre italien dans les collections. Peut-être d'ailleurs s'agirait-il d'offrir la Visitation au musée ? Alors qu'il se laissait bercer par ses divagations de donateur surprise, une femme corpulente serrée dans un manteau rouge-vermillon s'approcha de lui arborant un large sourire cerné d'un rouge à lèvres aussi tape-à-l'œil que la couleur du manteau. Elle s'adressa à lui en français.

— Monsieur Garbot, je suis ravie de vous rencontrer. Suzann Lennon.

Elle lui serra la main énergiquement. Elle regarda le paquet qu'il portait.

— Je vois que vous avez apporté notre ami. Il me tardait de le retrouver.

Elle fixait toujours le colis et Marcus le lui tendit avec précipitation.

— Oui bien sûr. Je comprends votre impatience. Ce n'est pas n'importe quel ami.

— N'est-ce pas ? Mais entre nous, monsieur Garbot, je suis comme vous avec lui, juste un moyen de transport...

— Elle serrait la boîte contre elle comme si elle voulait se réchauffer.

— J'aurais volontiers pris un chocolat chaud en votre compagnie, mon cher, mais je suis attendue avec mon ami par un autre impatient... Puis-je vous poser une question avant de partir ?

— Je vous en prie.

— À qui auriez-vous envie de confier notre ami ?

Il hocha la tête vers le bâtiment du Metropolitan.

— Oh ! Oui, c'est une belle idée, un peu classique non ? Nous avons d'autres projets pour lui, tellement plus excitants... Vous verrez... Merci pour votre collaboration monsieur Garbot.

Il n'eut pas le temps de la saluer. Elle avait tourné les talons et descendait prestement les escaliers malgré son embonpoint. Il demeurait immobile, encore surpris par la brièveté et l'étrangeté de cette improbable rencontre. Il avait juste été durant quelques jours en possession d'une esquisse d'une des peintures les plus connues de Pontormo. Personne ne pouvait croire une chose pareille et lui-même commençait à douter. Le mystère était loin de se dissiper.

Il était temps de rejoindre Jason et Cassandre. Il lui faudrait une bonne demi-heure pour se rendre à Coney Island, une demi-heure pour se convaincre une fois encore qu'il participait bien à cette aventure. Il n'avait pas imaginé que ses retrouvailles avec Estelle quelques jours plus tôt le conduiraient jusqu'ici. Le trafic était dense, il se tenait étonnement droit sur le siège arrière d'un taxi dont le jeune chauffeur était d'un calme remarquable. Il arriva peu après midi devant chez Dona Zita. Il aperçut Cassandre à l'extérieur du restaurant mexicain. Il faisait frais, mais le soleil réchauffait les images, les formes et les personnes. Elle lui adressa un large sourire éclairant son visage. Il vint s'asseoir à la table.

— Bonjour, Cassandre, comment allez-vous ?

— Bien, bien. Jason aura un peu de retard. J'espère que vous avez faim ? Les burritos et les tacos sont une vraie tuerie ici. Je vous commande quelque chose ?

— Pourquoi pas. Faites comme pour vous.

Elle se leva aussitôt et disparut vers le comptoir. Il avait terriblement envie d'une cigarette. Il avait arrêté de fumer quatre ans auparavant. Jason et Cassandre ne fumaient pas et il n'était pas franchement conseillé de le faire, même en plein air, à New York. Cette soudaine lubie n'était que nervosité et il l'éclipsa quand il vit Cassandre revenir avec des assiettes copieuses et odorantes.

— Voilà ! Alors personnellement je mange d'abord et je discute après. Vous verrez, vous ne pourrez pas faire autrement !

— Allons-y ! Bon appétit !

— Hummmph… Merci.

Elle dévorait son burrito comme si elle n'avait rien avalé depuis plusieurs jours. Le plat était en effet délicieux et il apprécia ce plaisir simple de la nourriture partagée avec cette jeune femme enthousiaste. Jason arriva quelques minutes plus tard.

— Désolé pour le retard. Vous avez dû constater que Cassandre n'est pas très bavarde quand elle a faim.

Il s'installa à leur table. Il semblait évident qu'il ne déjeunerait pas.

— J'ai remis le Pontormo à Suzann Lennon tout à l'heure. C'était une rencontre cocasse.

Il n'y avait pas eu de préambule à sa déclaration. Il avait juste besoin d'en parler, rapidement, simplement. Jason avait rencontré Suzann Lennon à plusieurs reprises et connaissait son abord fantasque.

— Tout est toujours un peu cocasse et imprévisible avec elle…

— J'aimerais vraiment savoir ce que va devenir ce dessin. J'avais presque envie de le garder. C'est étrange non ?

— Ne vous inquiétez pas Marcus vous avez fait ce qu'il fallait.

Il percevait clairement les interrogations de Marcus et ne pouvait le rassurer totalement. Ils devaient maintenant préparer ensemble la réponse qu'ils réservaient à cette bande de dingues. Cassandre s'éclaircit la gorge pour attirer leur attention.

— Je vous annonce que le vernissage de l'exposition Cassandre Jeanson au MAC de Belfast aura lieu le vendredi dix-neuf avril prochain.

— C'est une plaisanterie ?

Jason ne pouvait imaginer une telle précipitation.

— Je ne crois pas. Ils ont interverti avec une autre exposition. Ils m'ont précisé les dates du transport, du montage. J'y serai à partir du quinze. Ils ont besoin d'images et d'un texte. Mulligan espérait même que tu écrives quelques lignes... Je lui ai dit que je ne le souhaitais pas. Il n'a pas insisté. Je lui ai envoyé des clichés.

— À peine un mois pour réagir... C'est court, tellement court. Vous avez suffisamment de photographies de Cassandre et moi Marcus ?

Marcus ne semblait pas comprendre ce qu'il se passait exactement. Il était sur le point de répondre lorsque Jason réalisa son ignorance sur leur intention.

— Désolé, nous vous devons quelques éclaircissements...

Il regarda Cassandre qui hocha la tête.

— Cassandre et moi avons décidé de dénoncer le coup monté qu'ils préparent. Et nous le ferons pendant le vernissage à Belfast. À notre façon.

Il expliqua rapidement à Marcus le projet.

— Nous ignorons de quelle manière et quand ils ont décidé de faire circuler la rumeur. Nous comptons sur vous pour le savoir et mieux encore si cela vous est possible de faire en sorte qu'ils l'envisagent le jour du vernissage.

— Je crains qu'ils n'aient nul besoin de mon avis pour œuvrer…

— Vous avez toutes les photos et vous nous avez côtoyés pendant plus d'une semaine. Vous pourrez tricoter facilement les arguments pour les convaincre, non ?

Cassandre était directe, mais elle pensait sincèrement que Marcus participerait à la réussite de leur programme.

— On va faire une super équipe et avec Estelle et Cillian sur place, ils n'ont aucune chance !

Marcus avait levé un sourcil interrogateur en entendant le nom de Cillian. Elle avait lancé un regard plaisantin à Jason.

— Cillian est un très bon ami d'Estelle… Au courant de tout.

— Alors parfait. J'aimerais que nous fassions une dernière photographie. Pour la bonne cause. Je pars demain pour Belfast. Jason avez-vous pu prévenir Estelle ?

— Elle l'est.

— Je ne pense pas pouvoir prendre le risque de la rencontrer là-bas.

— Elle n'y sera pas souvent, sur la côte les week-ends et à Venise le week-end prochain pour une résidence. Vous déciderez.

Ils se levèrent et marchèrent vers l'entrée du parc. Cassandre s'arrêta et enlaça son oncle avec le plus grand plaisir. Jason était moins à l'aise, mais se plia gentiment à la comédie. Marcus fit deux ou trois clichés puis se tourna vers les deux avec un air un peu triste.

— Voilà, c'est le moment de se dire au revoir. Ces derniers jours ont été un sacré tourbillon pour moi, mais je suis heureux, vraiment heureux de vous avoir rencontrés. J'espère que nous saurons déjouer leur lamentable projet.

— Soyez-en sûr Marcus et nous trinquerons ensemble à Belfast.

Cassandre l'embrassa gentiment. Jason lui serra chaleureusement la main.

— Bonne chance Marcus. À bientôt.

Cassandre et Jason continuaient de flâner. Elle le prit par le bras.

— On fait un tour dans la Wonder Wheel ?

— Cassandre…

— Allez ! Je suis sûre que tu ne l'as jamais fait, je me trompe ?

— D'accord, juste un petit tour alors. Il va faire froid là-haut.

En effet, l'air était très frais à cette hauteur, mais la vue sur l'île de Coney et sur Manhattan était fantastique. Cassandre avait encore ce regard émerveillé de l'enfance que Jason aimait tant. Elle parvenait toujours à le transporter hors de son monde, de ses repères, avec la spontanéité et la générosité de son affection pour lui. Il ne résistait jamais à ces moments de bonheur qu'elle lui offrait sans condition. Il l'informa de l'invitation de Buarque.

— Oh génial ! Avec plaisir. Tu crois que je pourrais emmener Elian ?

— Ton amie botaniste ?

— Oui, nous avions prévu de passer le week-end ensemble.

— Vous avez peut-être envie d'être seules ?

— Ah, comme tu es vieux jeu. Nous avons juste envie d'être ensemble et elle a très envie de te connaître aussi.

— Soit. Je ne pense pas que cela posera un problème. Cassandre, j'aimerais que tu restes ici jusqu'à ton départ pour Belfast.

— Tu es sérieux ?

— Très sérieux. Tu sais, tes parents t'ont laissé largement de quoi pouvoir t'installer à New York…

— Je sais, mais pour l'instant je n'ai pas prévu ça. Par contre, je veux bien rester encore un peu. J'aurai bien besoin de tes conseils pour une fois…

*
**

Belfast

Le sommeil fiévreux d'Estelle avait été traversé par un de ces rêves étranges qui l'accompagnaient souvent.

Elle-même, Jason et Cillian étaient tous trois au bord des falaises de craie de Ruegen dans le tableau de Caspar Friedrich. Cillian regardait au loin le voilier blanc qui tremblait sur la mer. Jason avait posé nerveusement son haut de forme et cherchait quelque chose dans l'herbe. Dans une robe d'un rouge éclatant, elle pointait du doigt un invisible objet tombé plus bas dans la paroi. Seuls leurs visages étaient animés et leurs lèvres remuaient comme s'ils chantaient à l'unisson. L'écran des feuillages dodelinait au rythme de leur chant muet. Au loin apparaissait le port de Ballintoy presque comme un mirage, flanqué de ses rochers noirs tels des gardiens imperturbables. Puis soudain, Jason se relevait, ramassait son chapeau et quittait le tableau sans un regard pour ses deux acolytes qui ne pouvaient se libérer de la posture dans laquelle ils étaient peints. Ils tournaient la tête l'un vers l'autre et comme s'ils se reconnaissaient, prononçaient leurs noms en articulant exagérément les syllabes tandis que leurs seuls yeux exprimaient leur regret de ne pouvoir se rejoindre. Le vent se levait et la mer était tout à coup agitée par une houle menaçante qui assombrissait les flots et faisait dangereusement tanguer les deux voiliers blancs du tableau.

C'est avec une sensation de nausée qu'elle se réveilla brutalement. Elle ne savait pas si c'était le matin ou le soir. Elle se redressa dans le lit. Elle avait mal à la tête. Elle portait un grand tee-shirt blanc et fut étonnée de ne pas sentir sur elle la robe écarlate. Elle s'apprêtait à se lever lorsque Cillian entra et s'approcha d'elle.

— Comment te sens-tu ?

— J'ai le mal de mer, j'ai soif, je dois avoir une haleine épouvantable, je ne veux même pas imaginer ma tête…

— Tu es hideuse…

Il mit sa main sur son front.

— Mais au moins, tu n'as plus de fièvre. Tu as crié mon nom toute la nuit en gesticulant, j'ai dû aller dormir sur le canapé…

Il avait prononcé ces paroles avec tellement de malice dans les yeux qu'elle n'avait pu s'empêcher de rire.

— Bon, tu n'as pas crié mon nom, mais j'ai dormi sur le canapé… Je te prépare quelque chose.

— Quelle heure est-il ?

— Presque quinze heures.

— Oh J'étais vraiment KO. Tu sais j'ai encore fait un rêve avec Jason et toi.

— Érotique ?

— Non pas vraiment, mais ça n'a pas d'importance, ce n'est qu'un rêve…

Il lui tendit un verre d'eau qui était sur la tablette.

— Bois ça.

Elle l'avala d'une seule traite.

— Parfait. Nous pourrons poursuivre cette conversation quand tu seras douchée et nourrie.

Il plaça une mèche de ses cheveux derrière son oreille et caressa sa joue avant de se lever. Elle était toujours désarçonnée par ses réactions. Il n'avait pas déjeuné et ils partagèrent une délicieuse salade. Il l'informa du message de Craig. Elle lui proposa d'appeler Jason un peu plus tard ce qu'il accepta avec un grand naturel.

— Tu n'as pas envie que nous partions à Ballintoy demain ?

— Si beaucoup, mais je voudrais rencontrer Mulligan au MAC d'abord. On pourrait partir en fin de journée…

— Parfait et vendredi je te montre le bateau. Il me tarde de naviguer avec toi.

— Je ne sais pas si je t'ai dit que j'allais à Venise en fin de semaine prochaine. Tu m'accompagnerais ?

Il la regardait intensément en acquiesçant de la tête. Il voyait ses yeux encore brillants et son visage fatigué par la nuit de fièvre.

*
**

New York

Jason et Cassandre s'étaient quittés dans l'après-midi. Il filait sur Central Park tandis qu'elle rejoignait son amie à Brooklyn, elle ne rentrerait certainement pas ce soir. Il songeait au désarroi de Marcus devant tant d'événements à gérer. Pas de doute qu'ils tentaient une manœuvre de déstabilisation pour jauger leur nouveau collaborateur. Il fallait absolument l'encourager et l'épauler autant qu'il était possible dans ce double jeu délicat.

Il venait à peine d'arriver chez lui qu'un message détonant de Cassandre l'informait de la vente record du Banksy à Londres. Il y avait décidément de plus en plus de dérèglements dans ce milieu. Il devait écrire un article sur la scène émergente internationale, mais les préoccupations et les récents l'empêchaient de s'y consacrer. Il cherchait depuis deux jours un prétexte pour rencontrer Georges Grosmann. Ses doutes persistaient et son intuition, qu'il avait fine et souvent juste, lui dictait de provoquer ce rendez-vous le plus rapidement possible. Il savait que l'homme lui vouait une certaine considération et que malgré son arrogance permanente il accepterait peut-être un tête-à-tête. Cette suffisance ne le pousserait-elle pas à quelques confidences ? Il faudrait être malin, car Grosmann était intelligent. La sonnerie du portable le sortit de ses projections.

— Bonjour Jason, c'est Cillian

— Oh Cillian… bonjour, comment vas-tu ?

— Bien merci. Angus Craig a laissé un autre message à Estelle. Il a été contacté par Kanno qui a peur pour sa vie, pour sa collection. Il est chez lui à Los Angeles. Il soupçonne ses proches, il parle d'empoisonnement, d'angoisses incontrôlables, il est très affecté. Il a demandé de l'aide à Craig.

— Formidable.

— Pardon ?

— Excuse-moi ! Je cherchais une bonne raison pour rencontrer Georges Grosmann et Kanno en est peut-être une.

— Et si Grosmann est au courant de son appel à l'aide ?

— C'est le risque à prendre. Je suis à Los Angeles fin de la semaine prochaine, j'espère que Kanno sera disponible. Estelle va bien ?

— Oui mieux, elle a passé deux jours avec beaucoup de fièvre et j'ai… euh… j'ai pris de ses nouvelles régulièrement… Elle est debout à présent et rencontre Mulligan demain au MAC.

— Dis-lui que Cassandre a eu confirmation des dates de son exposition. Le vernissage est fixé au dix-neuf avril. Elle arrivera le quinze. Marcus sera à Belfast demain, mais il n'est pas prévu qu'ils se rencontrent. Les choses avancent on dirait. Cillian ?

— Oui ?

— Prend soin d'elle, chéris-la. À bientôt.

Il n'avait pas laissé le temps à Cillian de répondre et avait raccroché. Il regardait bien au-delà du parc.

Belfast

Estelle avait obtenu un rendez-vous avec Mulligan sans aucune difficulté. Elle était connue ici et sa proximité avec Jason Gloves avait ouvert les portes bien plus qu'il n'était nécessaire. Elle l'avait aperçu souvent, mais rencontré une seule dans un bar après un vernissage et elle se souvenait d'ailleurs qu'il était avec Murray.

C'était un homme grand et mince, presque maigre, imperturbablement vêtu de noir hormis ses montures de lunettes, qui étaient aussi vertes que l'herbe d'un pré salé au printemps. Ce genre d'homme sans âge, toujours charmant, mais sans véritable charisme, était un professionnel consciencieux qui enchaînait des expositions d'artistes plus ou moins émergents dans la galerie principale du centre, alternant inlassablement des créateurs locaux, européens et internationaux. Il était là depuis près de dix ans et jouait, sans même s'en rendre compte tout à fait, de son petit pouvoir au sein de l'institution. Le Metropolitan Arts Center était un établissement récent qui avait ouvert ses portes en deux mille douze. Le pari de mixer une programmation d'arts visuels, de théâtre et de danse avait fonctionné et le MAC était devenu rapidement un lieu de rendez-vous prisé par tous les Belfastois. Le bâtiment en forme de trapèze croisait de grands volumes en briques rouges devant lesquels se dressait une tour couverte de plaques de basalte anthracite surplombée par des étages vitrés. Les espaces intérieurs étaient spacieux et la circulation dans les galeries confortable.

Il attendait Estelle au rez-de-chaussée et l'accueillit avec un sourire un peu exagéré en serrant chaleureusement sa main entre les siennes. Elle n'était pas très démonstrative et ce genre d'attitude lui faisait instinctivement prendre ses distances. Il dut sentir sa crispation, car il lui lâcha la main hâtivement.

— Ravi de vous revoir Estelle pour une occasion aussi réjouissante.

Il l'invita d'un geste de la main à s'asseoir à l'une des tables du bar.

— En effet, Cassandre est une artiste magnifique et une jeune femme passionnante. Cette exposition sera sans nul doute une grande réussite pour elle et pour le MAC.

— J'espère secrètement que Jason Gloves viendra soutenir sa nièce le jour du vernissage.

— Cassandre gère très bien sa carrière sans son oncle, mais je peux vous assurer qu'il ne manquera pour rien au monde ce moment.

Le regard de Mulligan s'était illuminé et elle perçut presque un soupir de satisfaction.

— J'accueillerai Cassandre chez moi pendant son séjour ici et si vous n'y voyez pas d'inconvénient je passerai de temps en temps pendant le montage.

— Avec plaisir. Puis-je vous demander si vous accepteriez d'écrire quelques lignes sur Cassandre Jeanson pour l'exposition ? Je sais que le délai est très court, mais nous serions comblés par votre plume.

— Je dois lui en parler. Mais je vous remercie pour cette attention. Vous avez eu la chance de voir son travail à Anchorage ?

— Euh... oui en effet. Ce fut un déplacement très rapide avec un nombre considérable d'artistes à voir, mais je me souviens de la peinture de Cassandre Jeanson que je n'ai pas eu le plaisir de rencontrer pendant ma visite…

— Quel dommage !

— Oui, notre emploi du temps était un peu original.

Elle ne le sentait pas très à l'aise. Peut-être était-il embarrassé de ne pas avoir pris la peine de rencontrer Cassandre.

— Nous montrerons les toiles réalisées là-bas, sept grands formats et des études. Notre galerie sera un vrai Nouveau Monde…

— Tout cela s'est décidé dans l'urgence on dirait… À peine un mois de préparation, bravo c'est courageux.

— C'était ça ou une programmation pas avant dix mois et nous souhaitions avoir la primeur de cette série.

— Étonnant cet intérêt pour une si jeune artiste… Elle a du talent à n'en pas douter, mais rien ne presse…

— Je pense à l'artiste, mais je dois penser au MAC également. Toujours bien d'imaginer que nous saurons les premiers à montrer une des futures meilleures…

— C'est tout ce que je lui souhaite.

Il ne pouvait présager que cette exposition ferait en effet beaucoup parler du MAC, mais pas tout à fait de la manière dont il souhaitait. Estelle n'arrivait pas à percevoir de malhonnêteté ou de cynisme dans l'attitude de Mulligan, juste un intérêt trop peu convaincant pour Cassandre qui l'attristait. Il allait falloir veiller à ce que cette aventure périlleuse ne se transforme pas en fiasco artistique pour la jeune femme. Elle était persuadée que Mulligan n'était qu'un pion dans cette histoire et qu'il ne devait pas en soupçonner un seul instant les dessous peu glorieux.

— Puis-je vous offrir quelque chose ?

— Non, je vous remercie, une prochaine fois certainement.

Estelle s'était levée. Elle était encore un peu fatiguée par ses deux journées enfiévrées et fut saisie d'un bref étourdissement.

17

vendredi 29 mars

Los Angeles

Herbert Kanno était nu. Enfermé dans le grand bureau de l'étage, il avait ouvert les immenses fenêtres qui surplombaient la piscine de la propriété. Depuis quinze minutes, il jetait méthodiquement dans l'eau du large bassin toutes les peintures, sculptures et objets que son poids lui permettait de soulever. Une rage sourde l'habitait. Aucun son ne sortait de ses lèvres serrées en un rictus douloureux. Ses pupilles dilatées roulaient dans ses yeux noirs. Derrière la porte une voix affolée s'élevait.

— Ouvrez monsieur Kanno, je vous en prie, ouvrez !!

Autour de la piscine, des membres du personnel de la maison s'agitaient. L'un d'entre eux tentait de récupérer une grande acrylique de Yoshitomo Nara qui flottait encore, mais Kanno venait de projeter un énorme vase Puppy en céramique, le papier fut violemment transpercé et ne résista pas au naufrage. Le petit visage borgne de la peinture disparut dans le bleu du bassin en se tordant. Ils assistaient au désastre, impuissants. Il régnait un silence impressionnant rompu par les chocs explosifs des pièces qui heurtaient la surface de l'eau avant de sombrer. Cecilia Kanno était arrivée. Elle était subjuguée par le spectacle et resta un moment au bord de la piscine avec les autres, tétanisée par l'invraisemblance. Puis elle aperçut la nudité de son mari et décida de monter. Elle bouscula sans ménagement la jeune femme qui était devant la porte.

— Herbert c'est moi ! Je t'en prie ! Ouvre la porte !

Elle se tourna vers la femme.

— Ne restez pas là ! Trouvez-moi la seconde clef ! Demandez à Barry. Dépêchez-vous !

La fille s'éloigna hâtivement. Cecilia avait attrapé une chaise et s'était assise devant la porte. Elle se pencha sur la serrure et inspira profondément.

— Herbert, s'il te plaît. Calme-toi. Je suis là à présent… Herbert ! Dis-moi quelque chose, je t'en prie.

Elle entendait du bruit de l'autre côté. Puis un choc contre la porte la fit sursauter. Kanno la bloquait avec un meuble.

— Ne reste pas là Cecilia ! Je règle ça… Seul ! Va-t'en !

Elle reconnaissait à peine sa voix, profonde, autoritaire. Elle ne savait absolument pas ce qu'il fallait faire. Elle avait remarqué son comportement déconcertant depuis plusieurs semaines, ses absences prolongées dans cette pièce qu'il avait installée dans une des chambres d'amis et dans laquelle elle n'avait pas pu pénétrer. Elle avait senti avec tristesse la méfiance qu'il avait nourrie peu à peu à son égard et s'était accommodée de cette situation aussi absurde qu'incompréhensible. Elle pressentait depuis quelques jours que les œuvres si nombreuses dans la villa n'étaient pas étrangères à ces errements, mais n'avait pu imaginer leur pouvoir destructeur. Elle avait fortement diminué les doses de médicaments qu'il prenait et se demandait à présent si elle avait pris la bonne décision. Elle entendait toujours les bruits de déplacements d'objets dans le bureau. Herbert ne voulait vraiment pas être dérangé et semblait accumuler autant de meubles qu'il le pouvait devant la porte. Barry venait d'apparaître avec un trousseau de clefs à la main. Il s'approcha de Cecilia qui demeurait le visage collé à la serrure.

— Madame s'il vous plaît.

Elle se leva et poussa la chaise. Sans précipitation, Barry essaya les différentes clefs. Au quatrième essai, le barillet de la serrure se déclencha. Mais la porte était bloquée par plusieurs meubles et il était impossible de l'ouvrir seul. Il proposa à Cecilia d'aller chercher du renfort pour dégager le passage. Elle acquiesça et revint vers la porte.

— Herbert, je vais entrer dans quelques minutes. Je veux être près de toi. Ne reste pas derrière la porte…

— Cecilia, tu ne peux pas me voir tel que je suis maintenant. Je ne veux pas que tu me voies ainsi. Ce n'est pas pensable, j'ai besoin que tu me laisses. Je dois parler à ton père, seulement à ton père.

Sa voix s'était éteinte. Elle entendit comme un gémissement. La peur la gagnait et elle redouta soudain qu'il ne lui arrive quelque chose. Elle collait son oreille sur la porte pour tenter d'entendre ce qui se passait dans la pièce. Barry était accompagné de deux hommes et attendait son signal pour pousser la porte. Elle prit son portable, s'éloigna et composa le numéro de son père. Après quelques secondes, au moment où elle allait raccrocher il répondit.

— Oui !!!???

Le ton de Grosmann était sec, sans la moindre manifestation d'affection. Elle supportait décidément de moins en moins cette attitude cassante.

— Bonjour Papa, c'est Herbert, il y a un problème…

— Il pleure ?

— Je t'en prie. Il est enfermé dans son bureau et balance toutes les œuvres qui y sont dans la piscine.

— Ton mari m'étonnera toujours. Et ???

— Il veut te parler. Tu es la seule personne à qui il souhaite parler d'ailleurs.

— Ah ! … Passe-le-moi alors.

— Ce n'est pas si simple. Il a bloqué la porte.

— Cecilia, je n'ai pas que ça à faire. Débrouille-toi pour lui passer ton téléphone.

Elle s'approcha de la porte et posa sa joue contre le bois blond.

— Herbert, mon père est en ligne sur mon portable.

— Ne tente rien que tu pourrais regretter Cecilia.

Kanno avait encore cette voix pénétrante qui lui était si peu familière.

— Mon père attend de pouvoir te parler...

Sans autre réponse, elle fit un signe aux trois hommes. Ils commencèrent à pousser la porte qui résistait à leur pression. Après d'interminables secondes, elle s'entrebâilla enfin de quelques centimètres.

— Ça suffit comme ça ! Tu peux me passer le téléphone à présent !

Cecilia avança et tendit l'appareil à travers l'ouverture. Elle tentait d'apercevoir son mari, mais ne vit même pas sa main saisir précipitamment le portable. Elle entendit à nouveau le remue-ménage et la porte s'écrasa bruyamment dans son encadrement. Elle ferma les yeux et croisa les bras sous sa poitrine. Kanno avait attrapé le téléphone et s'était assis à son bureau.

— Grosmann, vous êtes toujours là ?

— Oui Herbert, que puis-je faire pour vous ?

— Je viens de flanquer une bonne moitié des œuvres qui sont dans mon bureau au fond de la piscine et je dois dire que je me sens beaucoup mieux. Tellement mieux Grosmann que je sais que mes regrets seront dans quelques minutes à l'image de l'hécatombe que je viens de perpétrer.

— Où voulez-vous en venir ?

— Depuis des mois, j'ai des angoisses incontrôlables provoquées par les œuvres qui sont chez moi. À chaque fois, j'en ai détruit un certain nombre. Vous n'avez rien dit, pas un seul mot, pas de soutien, pas de colère, même pas un étonnement. J'ai constitué cette collection grâce à vous ou devrais-je dire à cause de vous…

Grosmann restait silencieux.

— Depuis des mois, j'ai cessé mes recherches de mathématicien. Je suis un traitement antidépresseur que votre médecin m'a prescrit. Je n'aime pas la vie que l'on mène ici et la joie profonde que me procurait la découverte et la présence de ces œuvres s'est métamorphosée au fil des mois en effroi, en cauchemar, en panique au point de souhaiter les voir toutes disparaître. J'ai bien peur que vous soyez la cause de cette désastreuse confusion.

— Vous divaguez Kanno ! Qu'aurais-je pu faire contre votre volonté perverse ?

— M'en empêcher ! Par tous les moyens m'en empêcher !

Il avait élevé la voix. Comme s'il avait soudain repris conscience, il vit son corps nu affalé sur le fauteuil, son ventre relâché, son sexe fané, ses jambes trop maigres allongées sous le bureau. Il se redressa et passa la main dans ses cheveux ébouriffés.

— J'ai cru en votre bienveillance pour m'initier à ce monde qui m'était étranger, mais vous n'êtes pas bienveillant Grosmann, vous êtes dérangé et féroce, vous avez fait de moi l'instrument de je ne sais quelle bassesse qui vous ronge autant que mon malaise.

— Vous délirez ! Est-ce juste pour vomir ces incohérences que vous avez demandé à me parler ? Si c'est le cas, je ne vais pas perdre mon temps plus longtemps…

— Non Grosmann, je voulais vous informer que depuis quelques semaines j'ai arrêté mon traitement, que mes égarements s'espacent pour me laisser entrevoir ce que je suis réellement et enfin que j'ai l'intention de porter plainte contre vous pour empoisonnement.

— Vous êtes ridicule. Vous n'en aurez pas l'occasion…

— Il est trop tard pour me menacer.

— Je ne vous menace pas Kanno, je vous invite à ne pas commettre cette erreur.

— Erreur ?

— Tout le monde sait que votre raison vacille depuis plusieurs mois. Pensez-vous vraiment que vous trouverez une seule personne pour vous croire ?

— Plus d'une, j'en suis certain.

— Oh ! je vois… Votre bande de mathématiciens utopistes ? Ils vous ont oublié et vous êtes bien seul à présent.

— Je ne pensais pas à eux… Votre fille me croira.

Grosmann ricana lentement.

— Mon pauvre ami. Cecilia n'aurait jamais dû vous épouser. Elle s'éteint doucettement à votre contact et je doute qu'elle se préoccupe de vos états d'âme divagants.

— Comment pourriez-vous le savoir ? Vous ne lui adressez plus la parole depuis des mois sans aboyer ou grogner. Vous ne voyez pas à quel point elle en souffre. Comment pourriez-vous imaginer son affection pour moi ?

Il sentait le terrible mal de tête qui accompagnait toujours son retour à la lucidité commencer à marteler ses tempes. Il ferma les yeux pour mieux se concentrer.

— Ne me menacez plus Grosmann !

Il raccrocha sans laisser l'occasion à Grosmann de répondre. Il plissait les yeux sous l'effet de la douleur qui s'amplifiait. Il se leva en hâte et enfila un pantalon qui traînait sur le plancher. Il s'avança vers l'entrée et dit à Cecilia qu'elle pouvait entrer. Les trois hommes poussèrent la porte jusqu'à ce qu'elle puisse s'immiscer dans la pièce et rejoindre son mari. Elle s'approcha de lui rapidement et vit sa détresse. Elle reconnaissait les effets de la terrible migraine et se dirigea promptement vers le bureau où les médicaments appropriés reposaient dans l'un des tiroirs. Elle prit deux comprimés qu'elle lui amena. Kanno était assis sur le sol et tenait sa tête entre ses mains.

Elle posa sa main sur son bras et il la laissa lui donner les deux pilules qu'il avala sans attendre. Il la regarda avec tendresse.

— Cécilia, je suis désolé, tellement désolé…

— Je t'en prie, ne dis rien.

Elle était prête à pleurer, mais retenait ses larmes. C'était la première démonstration de confiance et d'affection d'Herbert depuis longtemps et elle peinait à apprécier le soulagement qu'elle lui procurait après des semaines de frustration.

— Il faut aller récupérer les œuvres.

— Elles attendront bien encore.

La piscine avait été désertée. Les pièces, ou du moins ce qu'il en restait, avaient été récupérées et rassemblées tant bien que mal le long du bassin. Dessins et toiles n'avaient pas résisté au plongeon. Les deux pantins de Mike Kelley gisaient au milieu des débris de céramique attendant, gorgés d'eau et stoïques, que leur propriétaire vienne les rejoindre. L'eau ondoyait encore légèrement comme une ultime mémoire du récent tumulte. Les fleurs rouges et blanches qui avaient orné le vase flottaient éparses à la surface et il était difficile de distinguer dans cette mise en scène involontaire ce qui ressemblait à une offrande aquatique ou un simple accident domestique.

*
**

New York

Grosmann était resté debout le téléphone à la main. Il était pâle, les mâchoires crispées, les tempes battant au rythme accéléré de son cœur. Il n'avait pas prévu la réaction de Kanno et il était fou de rage.

Son serviteur le plus fidèle venait de le menacer. Cela n'aurait jamais dû arriver. Les puissants psychotropes qui lui étaient administrés depuis des mois ne pouvaient pas lui permettre une telle résistance. C'était insensé. Il y avait une défaillance sérieuse et il fallait y remédier au plus vite. Il se refusait à soupçonner que sa fille ait pu aider Kanno, mais ses paroles résonnaient encore dans son esprit et le doute s'y était introduit. Si Kanno cessait d'être docile, l'action la plus spectaculaire qu'il avait imaginée ne pourrait se réaliser. Il n'en était pas question. Il appela Berthelot.

— Monsieur Grosmann ?

— Berthelot, nous avons un sérieux problème avec Kanno. Il n'est plus sous notre contrôle et il devient une vraie menace. Il faut le neutraliser à tout prix et très rapidement... Trouvez un moyen et quelqu'un pour le remplacer. Prévenez le docteur Higgins, nous n'avons que quelques jours.

— Je... J'ai peut-être une idée. Marcus Garbot m'a informé aujourd'hui même qu'Estelle Rambrant serait à Venise dans quelques jours....

Grosmann réfléchissait vite et efficacement.

— Hum hum... Très judicieux Berthelot. Le clou du spectacle orchestré par Estelle Rambrant. Je n'aurais même pas osé l'espérer. La meilleure amie puis la nièce... Et Gloves à genoux, définitivement... Je vous laisse organiser tout cela. Et n'oubliez pas de vous occuper de Kanno ! Tenez-moi au courant.

**

Belfast

Marcus était arrivé la veille à Belfast, fatigué et encore inquiet pour les jours incertains qui se profilaient. Il n'avait pas essayé de joindre

Estelle, mais pour honorer son double jeu, avait informé Berthelot de son déplacement prochain à Venise. Il s'avéra qu'elle n'était pas en ville et ne rentrerait que dimanche soir. Berthelot lui avait donné le numéro de Murray Dunne, un vieil ami d'Estelle, qui pourrait le renseigner sur ses activités. Il réalisa une fois de plus à quel point cette organisation malfaisante avait pourri les personnes qu'elle avait contactées. Il en faisait partie désormais et se demandait combien de temps encore il serait capable de feindre son engagement envers elle. Il avait joint Murray Dunne qui lui avait donné rendez-vous à Ballycastle, un port prisé des irlandais sur la côte, samedi vers dix-neuf heures au Pub House of McDonnel et conseillé de prendre une chambre avec vue sur la plage au Marine Hôtel. Ce type avait été tellement amical qu'il en avait presque oublié son implication déloyale. Il aurait aimé être en compagnie de Gloves, de Cassandre et d'Estelle. La solitude lui pesait et il n'avait aucune envie particulière. Il se décida cependant à se rendre au MAC pour découvrir le lieu dans lequel se jouerait bientôt, il l'espérait, le dernier acte de la farce tragi-comique. Il fut impressionné par la qualité et la spatialité remarquables du bâtiment et ne put s'empêcher de penser au Chignon. Il n'avait pris aucune nouvelle depuis son départ un peu précipité et l'effervescence brouillonne qui régnait dans ce lieu d'art si singulier lui manqua soudainement tout comme la présence de Sue, la jeune artiste américaine sur laquelle il veillait à sa manière. Il s'étonna de son sentimentalisme inattendu lui qui se targuait en permanence de ne pas mettre d'affect dans son activité professionnelle. L'aventure si saisissante qu'il vivait actuellement bousculait un grand nombre de ces apparentes certitudes. Le prochain épisode aurait donc lieu demain au bord de l'Atlantique, bien loin de l'atmosphère survoltée new-yorkaise. En l'attendant, il prit le chemin du premier pub à sa portée et commanda une Guinness qu'il savoura lentement en se laissant bercer par les accents irlandais colorant avec tant de musicalité la langue anglaise. Il régnait une cordialité sans artifice et Marcus vit arriver devant lui une autre bière noire. Trois grands gaillards au bar lui firent un signe amical. Il envisagea alors que cette soirée puisse être alcoolisée et fraternelle.

Ballycastle

Les gamins arrivaient en petites grappes, accueillis par deux jeunes moniteurs. Cillian observait avec bienveillance la curiosité teintée d'une légère appréhension des enfants qui approchaient des dériveurs stationnés sur la plage. Il avait souhaité être présent pour ce début de saison de l'école de voile. Il était aussi excité que tous ces gosses. Estelle n'avait pas encore vu Cillian au contact de son élément et elle se régalait de son bonheur, de son attention, de son respect. Quand il fut assuré que tout était prêt pour enthousiasmer en toute sécurité ces petites personnes à l'art de la navigation, il se tourna vers Estelle avec un de ses sourires irrésistibles.

— C'est le moment de te présenter ma seconde demeure.

Il la prit par la main et ils se dirigèrent vers le port de plaisance. Alors qu'ils approchaient des quais, il la projeta brutalement derrière lui tout en se faufilant rapidement le long d'une camionnette.

— Mais que se passe-t-il ?

— L' homme là-bas devant la grille du ponton, c'est celui qui m'a assommé à Ballintoy.

L'inquiétude et la colère se lisaient sur son visage soudain crispé. Il tenait toujours Estelle fermement.

— Cillian, tu me fais mal.

— Excuse-moi… Je vais le surprendre.

Alors qu'il venait de lâcher son bras, elle pressa ses doigts sur son poignet.

— Tu ne vas rien faire du tout pour l'instant. Murray arrive demain. Essayons plutôt de savoir ce qu'il se passe.

— Il continue de fouiner. Je ne veux pas qu'il monte sur le bateau.

— Cillian, il n'y a rien ici qui puisse l'intéresser. Et s'il doit fouiller ta seconde demeure qu'il le fasse, peu importe.

Il la regarda intensément et il fut surpris par son calme, par la logique avec laquelle elle percevait les événements présents et ceux à venir.

— Il ne faut pas qu'il nous voie ici.

— Alors, allons boire un café chez McDonnel, c'est à deux pas d'ici.

— Cillian, cet homme est dangereux, sous aucun prétexte tu ne dois t'approcher de lui.

Il remarqua son regard assombri et le ton inquiet de sa voix.

— Je suis sérieuse Cillian. Je ne supporterai pas qu'il t'arrive quoique ce soit.

Il lui caressera le visage.

— Hey ! Tout va bien. Je ne ferai rien qui puisse nous mettre en danger. Je veux juste savoir s'il connaît le voilier. Et s'il le connaît, il n'y a qu'une personne qui a pu le lui dire.

— Murray…

— Oui, je le crains…

Le petit homme était toujours bloqué à la grille du ponton, celui où était accosté le voilier de Cillian. Un homme s'approchait. Il salua l'intrus qui semblait engager une conversation polie. Il pointa rapidement du doigt tout en souriant le dernier voilier du quai, le Bendhu. Ils franchirent la porte et se dirigèrent ensemble vers le bateau. Le petit homme appelait quelqu'un. Il fit demi-tour en haussant les épaules et salua l'autre qui attendit de le voir quitter le ponton. Il s'avançait vers eux et Cillian eut juste le temps de tirer Estelle vers lui en contournant le fourgon. L'homme rejoignit sa voiture quelques mètres plus loin, démarra et quitta le port par la route du haut. Estelle vit la mine contrariée de Cillian et pouvait presque sentir la nappe de colère qui flottait autour de lui. Elle posa doucement la main sur sa nuque. Il se tourna vers elle en essayant de sourire.

— Montons à bord maintenant !

Il la prit par la main et l'entraîna sur le ponton. Il avançait d'un pas décidé. L'homme qui avait accueilli l'intrus était sur le pont de son voilier. Cillian s'arrêta.

— Vous ne devriez pas faire entrer un étranger... Je suis le propriétaire du Bendhu...

— Oh ! excusez-moi, votre ami souhaitait vérifier si vous étiez là, il a dit qu'il vous arrivait de dormir à bord. Je suis désolé si cela vous a contrarié...

— Cet homme n'est pas mon ami !

Estelle percevait la tension de Cillian et vit pour la première fois les traits de son visage durcis par l'agacement. Elle sourit gentiment au plaisancier.

— Ne vous en faites pas, tout va bien.

Cillian n'avait pas attendu et regardait Estelle s'approcher.

— Ce type est inconscient.

— Ce type est juste gentil et il s'est fait tromper par ton gangster. Je comprends ton inquiétude, mais restons calmes. Il ne lui a pas laissé le loisir de rentrer. S'il cherche encore, c'est qu'il manque d'informations. Je suis certaine qu'ils ignorent que tu étais avec moi en Écosse. Et Murray ne le sait pas non plus. Essayons de savoir ce qu'ils pensent trouver ici. Je ne suis pas tranquille moi non plus... Souris maintenant !

Il soupira et esquissa enfin un sourire. Il enjamba le bastingage et tendit la main à Estelle. Dès qu'elle fut devant lui, il replaça une mèche de ses cheveux derrière son oreille. Elle adorait tant ce geste d'affection.

18

samedi 30 mars

New York

Jason était sur le point de quitter la Galerie Marian Goodman. Il venait de passer deux heures avec l'extraordinaire et généreuse création de Willian Kentridge. Grands fusains, sculptures, animations, vidéos se déployaient sur les trois niveaux ; les œuvres prolixes de l'artiste sud-africain observaient et interrogeaient l'histoire du monde, percutant la mémoire dans ses espaces d'ambiguïté et de savoirs provisoires. Ses paysages d'objets, d'images et de sons, arrangés, combinés et interprétés de différentes manières, décalaient les mythes, inventaient des légendes, sublimaient ou démontaient les mensonges. L'histoire se lisait autrement et ses récits y amenaient leurs énigmes, leurs rythmes, leurs poésies. Jason aurait aimé revoir l'homme qu'il n'avait rencontré qu'une seule fois à Londres quelques années auparavant et il était très fier qu'une de ses vidéos soit présentée dans « l'Exposition » à Toulouse. Son portable sonna au moment où il poussait la porte vers la sortie.

— Jason Gloves ?

— Lui-même.

— Bonjour, je suis le secrétaire de monsieur Kanno à qui vous avez laissé un message récemment.

— Absolument.

— Monsieur Kanno est très honoré de l'attention que vous lui portez, mais il est souffrant depuis un moment et craint de ne pouvoir vous recevoir aux dates que vous avez évoquées.

Jason devait réagir au plus vite pour ne pas risquer de perdre ce contact inespéré.

— Je comprends évidemment… Mais dites-lui qu'Angus Craig a vraiment insisté pour que je découvre sa collection. Je ne suis pas souvent à Los Angeles et ce serait une occasion exceptionnelle.

Il y eut un silence de plusieurs secondes à l'autre extrémité que Jason interpréta comme un bon signe.

— Bonjour monsieur Gloves, Herbert Kanno. Je ne voulais pas être désobligeant. Je suis juste un peu perturbé en ce moment et je craignais de ne pouvoir vous recevoir correctement. J'ai beaucoup d'estime pour le professeur Craig qui m'a souvent parlé de votre attachement unique aux artistes avec qui vous collaborez. Si vous acceptez d'être accueilli par un homme fatigué, je me ferai un réel plaisir de vous recevoir et de vous présenter une partie de ma modeste collection.

— Avec la plus grande joie !

— Voyez les détails de votre visite avec Edward. Je me réjouis à l'avance de vous rencontrer, monsieur Gloves.

Après qu'il eut précisé avec le secrétaire la date et l'heure de son rendez-vous, Jason saisit son autre portable qu'il avait toujours avec lui et laissa un message à Estelle.

Je rencontre Herbert Kanno chez lui samedi prochain et je passe le week-end avec Buarque à Wellfleet. Nous avançons… Prends soin de toi. À très bientôt

La réponse ne se fit pas attendre.

Heureuse de lire ces nouvelles alors que des amis ici me trahissent. Vivement te voir.

Il était grand temps de rejoindre Cassandre et de prendre la route pour Wellfleet. Il n'était pas mécontent de quitter la clameur omniprésente de la cité et d'aller goûter aux accords moins agressifs de l'atlantique.

*
**

Ballintoy

Estelle et Cillian n'avaient pas encore franchi la première marche du petit escalier que Lorna ouvrait grand la porte, arborant son sourire chaleureux. Elle vint vers eux et les embrassa affectueusement. Ils étaient tendus à l'idée de se trouver face à face avec Murray, mais avaient décidé de ne rien laisser paraître de leur trouble. Ils entrèrent enfin et s'avancèrent vers la cuisine où Michael et Murray sirotaient une bière. Cillian fut le premier à saluer Michael d'une ferme accolade puis se tourna vers Murray en lui serrant la main énergiquement. Michael avait embrassé bruyamment Estelle sur les deux joues et Murray l'avait pris dans ses bras si affectueusement qu'elle en fut un peu gênée, jetant un regard perplexe à Cillian à qui cette soudaine tendresse n'avait pas échappé. Michael offrit du vin et de la bière à tous et les conversations s'animaient pendant qu'ils préparaient un déjeuner léger. Cillian était très mal à l'aise et peinait à contrôler sa colère contre son soi-disant ami. Il prétexta un petit coup d'œil sur les nouveaux pavements du rez-de-chaussée pour s'éclipser. Estelle l'aperçut quelques minutes plus tard au bout du jardin, bien droit devant l'océan. Elle allait retourner à la joyeuse conversation lorsqu'elle vit Murray s'approcher de lui. Son cœur s'était mis à battre un peu plus vite.

— Tu aurais pu me dire qu'Estelle et toi…

Cillian s'était tourné brusquement. Sa mâchoire était contractée.

221

— Ah oui ? J'avais besoin de ton autorisation ?

— Tu connais mes sentiments pour elle non ?

— Non Murray, je ne les connais pas.

L'extrémité des oreilles de Murray avait rougi et on entendait vibrer dans sa voix une pointe d'agressivité.

— J'espère que tu la baises correctement parce qu'elle mérite le meilleur !

Cillian s'était avancé à quelques centimètres de Murray, son visage contre le sien, le toisant du regard avec une telle fureur qu'on pouvait imaginer le coup de tête qui allait suivre. Il tremblait de rage, mais parvint juste à lui siffler en pleine face.

— Je ne baise pas Estelle, Murray, je l'aime.

Estelle vit ce qui se passait. Elle s'élança pour les rejoindre, mais Michael l'attrapa fermement par le bras.

— Laisse-les régler ça ! Ça sera mieux je t'assure.

Lorna s'était approchée de la baie et voyait les deux hommes s'affronter. Elle ne contredit pas Michael et éloigna Estelle. Michael veillait, prêt à intervenir si cela s'avérait nécessaire. Murray n'avait pas bronché et il avait encaissé les paroles de Cillian sans le quitter des yeux. Sa jalousie était absurde, sans fondement, il savait pertinemment qu'Estelle n'avait toujours eu pour lui qu'un profond et sincère sentiment d'amitié mais c'était plus fort que lui. Il détourna enfin le regard et recula d'un pas. Cillian, encore sous le choc des mots posa deux doigts sur la poitrine de Murray.

— Je te conseille de ne plus parler une seule autre fois d'Estelle tel que tu viens de le faire si tu ne veux pas que je te fracasse la tête. Tu as complètement perdu l'esprit.

— Peut-être pas ? Elle est bien trop intelligente. Et pour toi et sûrement pour moi aussi. Tu vois Cillian, je suis beau joueur. Et si tu l'aimes vraiment comme tu le prétends, alors prends le plus grand soin d'elle, car elle va en avoir besoin.

Cillian n'eut pas le temps de répondre à la menace, car Murray avait filé et disparu dans la maison. Estelle le rejoignit quelques secondes après. Il était pâle et regardait droit devant lui en serrant les mâchoires. Elle posa une main sur son épaule.

— Que s'est-il passé ? J'étais inquiète.

— Murray s'est égaré dans la vulgarité et je n'ai pas supporté.

— Regarde-moi Cillian !

— Je ne passerai pas une minute de plus avec lui. Il a perdu la tête.

— Tu as appris quelque chose ?

Cillian pivota vers elle. Son visage était livide. Il planta son regard agité dans le sien et éleva la voix.

— J'ai appris que je ne laisserai personne te manquer de respect et te menacer. Je ne veux plus qu'il t'approche !

Estelle fut déroutée par son attitude et ne comprenait pas tout à fait ce qui s'était joué là. Elle ressentit pour la première fois une véritable inquiétude qui vint troubler son regard. Il s'aperçut de son émotion et regrettait déjà son comportement excessif. Il la serra contre lui.

— Excuse-moi ! Je suis un pauvre idiot. Je n'aurais pas dû m'emporter, j'ai oublié ce que nous devions faire… Je vais rentrer chez moi un moment, je vais me calmer. Je ne veux pas croiser Murray.

— Tu ne le croiseras pas, il est parti.

Michael venait d'approcher.

— Reste avec Estelle et avec nous. Que le ciel d'Irlande me tombe sur la tête si je ne sais pas pourquoi vous vous êtes embrouillés…

Il regarda Estelle avec son généreux sourire et l'attrapa par le bras.

— Rentrons ! Il va pleuvoir et Lorna s'impatiente.

Estelle saisit la main de Cillian. Elle était glacée et les articulations de ses doigts encore blanchies par la récente crispation. Elle avait envie de le réchauffer, de le réconforter, il avait l'air soudain si fragile et fatigué. Elle le tira dans le sillage de Michael qui n'avait pas lâché son bras. Les premières gouttes de pluie rebondirent sur leurs têtes lorsqu'ils atteignirent la maison. Alors que Michael montait rejoindre Lorna, Cillian enlaça Estelle vigoureusement et l'embrassa à pleine bouche. Elle fut surprise par son élan, mais se laissa emporter par sa fougue. Quand il se détacha d'elle lentement elle vit que son visage avait repris quelques couleurs et sa bouche encore entrouverte ébauchait un timide sourire. Elle approcha son front contre le sien et ils demeurèrent ainsi quelques secondes.

Ils avaient mis Lorna et Michael dans la confidence et durent leur apprendre la trahison de Murray. Les yeux de Lorna s'étaient emplis de larmes et Michael passait nerveusement ses mains dans sa chevelure blanche. L'incompréhension qui accompagna les premières révélations se transforma au fil de l'histoire en une profonde tristesse. Cillian savait que Murray avait dû partir à Ballycastle et qu'ils devaient absolument vérifier s'il rencontrerait le petit homme. Il cherchait une solution qui leur permettrait de dénicher un poste d'observation discret, mais cela semblait délicat alors que la moitié de la ville le connaissait. Malgré les réticences d'Estelle, ils décidèrent de descendre tous les quatre à Ballycastle y boire un verre. Ils se mirent en chemin vers dix-huit heures et rejoignirent le port vingt minutes plus tard. Ils entrèrent au McDonnel.

C'est Marcus qui aperçut Estelle le premier. Il était arrivé en avance pour son rendez-vous avec Murray et sirotait une Guinness, accoudé à une table près d'une fenêtre. Il faillit cracher sa bière en la reconnaissant et fut tenté de courir vers elle. Puis elle le vit à son tour et ne put cacher sa surprise. Ni Murray ni le petit homme ne se trouvaient ici. Elle se pencha vers Cillian en lui murmurant à l'oreille puis sortit du bar. Il s'approcha de la table de Marcus.

— Je suis Cillian O'Lochlainn. Estelle vous attend à l'extérieur.

— Oui… Bonsoir, je suis Marcus Garbot… Merci… Je… J'y vais.

Il se leva précipitamment. Lorna, Michael et Cillian s'installèrent à la table laissée libre. Marcus s'avançait prudemment sur le trottoir, Estelle l'attendait en face sous un fronton de maison. Il traversa et vint près d'elle.

— Marcus, mais que fais-tu ici ? Je te croyais à Belfast… Je suis contente de te voir…

— Moi aussi Estelle. J'ai rendez-vous dans vingt minutes avec Murray Dunne.

Le visage d'Estelle s'était fermé. Il la regardait comme s'il s'excusait.

— Je sais qui il est, mais je ne sais pas ce qu'il veut. Vous devriez peut-être partir ou je risque de mal jouer la partie. Comment puis-je te joindre ?

Elle nota rapidement sur une carte le numéro de sa seconde ligne ainsi que celui de Gloves qu'elle déposa au creux de sa main.

— Appelle-moi sur ce numéro dès que tu peux. Il y a celui de Gloves aussi. N'utilise pas ton téléphone pour le faire. Fais attention à toi !

Elle s'élança vers le pub. Quelques minutes plus tard, il la vit quitter les lieux, accompagnée de ses amis. Dès qu'ils furent hors de portée, il reprit le chemin du bar. Estelle avait fait demi-tour pour lui demander où il était descendu, mais elle s'arrêta lorsqu'elle aperçut Murray et le petit homme s'approcher. Il n'y avait plus de doute possible cette fois et elle en fut profondément affectée. Cillian l'avait rejointe et observait sombrement les deux acolytes. Il glissa sa main dans la sienne et ils rejoignirent Lorna et Michael. Cette journée les avait tous ébranlés. La pluie tombait à nouveau, ils n'étaient pas certains d'avoir envie de rester ici. Cillian proposa alors d'aller prendre un verre chez lui. Il y avait eu une forme de soulagement général dans la façon d'accepter simplement cette invitation.

Murray avait repéré immédiatement Marcus, il n'était pas difficile de reconnaître le français brun et tout en noir au milieu de ces têtes rousses, blondes, à casquette… Il s'avança vers lui suivi par le petit homme et tendit une main ferme au-dessus de la table. Marcus s'était levé.

— Murray Dunne et mon ami Jack Tilmor.

— Marcus Garbot, bonsoir.

Murray s'installa tandis que Jack Tilmor allait commander trois Guinness.

— Vous avez fait bon voyage ? New York Ballycastle, vous devez être un peu dépaysé non ?

— En effet.

Marcus n'avait aucune envie de perdre son temps en politesses convenues.

— Je sais que vous avez vu Estelle Rambrant très récemment, vous aurez certainement des informations intéressantes à me transmettre.

— Pas tant que cela. Estelle n'est pas très bavarde ces derniers temps et depuis qu'elle s'est entichée de ce grand marin, quasi impossible de l'approcher. Vous connaissez Estelle aussi, il me semble.

— Oui, nous avons collaboré avant qu'elle ne quitte la France. Très professionnelle, mais pas facile, toujours un peu distante. Donc pas d'événements dont je ne suis pas déjà au courant ?

Jack Tilmor posa les trois pintes sur la table et s'assit.

— Je ne pense pas. Elle sait que la nièce de Gloves expose au MAC. Elle a rencontré Derek Mulligan. Elle hébergera l'artiste et passera certainement voir si tout se fonctionne bien pendant le montage.

— Cassandre Jeanson a été prévenue du deal avec son exposition ?

C'est Tilmor qui répondit.

— Jacques Berthelot l'appelle demain.

— Ça n'est pas un peu tard pour la convaincre ?

— Berthelot a toujours les bons arguments... D'ailleurs, il m'a informé que vous lui aviez annoncé qu'Estelle Rambrant serait à Venise en fin de semaine prochaine.

— Exactement.

— Nous allons avoir besoin d'elle là-bas et de vous par la même occasion.

Le petit homme avait laissé le silence s'installer pendant qu'il regardait Marcus avec intérêt. Marcus réfléchissait à toute vitesse pour trouver la réaction adéquate à cette nouvelle inattendue.

— De quoi s'agit-il ?

— Un de nos collaborateurs est tombé soudainement très malade et ne sera pas en mesure de réaliser l'action éclatante que nous lui avions confiée à Venise. Nous sommes très embarrassés, car nous ne pouvons décaler le timing de cette opération.

— Et en quoi Estelle Rambrant pourrait-elle vous aider ?

— En devenant l'actrice principale du spectacle…

— Vous délirez… Dois-je vous rappeler qu'elle cherche depuis un moment à nous démasquer ?

— Elle ne se méfiera pas de vous, monsieur Garbot.

Il commençait à avoir chaud et n'appréciait pas la tournure que prenait la conversation.

— Elle a beaucoup d'instinct…

— Elle en aura moins lorsque vous lui aurez administré quelques doses d'un produit merveilleux qui transformera remarquablement, et le temps qu'il faudra, son si beau regard sur la création contemporaine.

Marcus sentait une sueur glaçante descendre le long de sa colonne vertébrale.

— Il n'a jamais été question dans mon contrat de nuire physiquement à Estelle. Dites-m'en plus si vous voulez que je participe à cette opération.

— Ne vous inquiétez pas, les effets seront tout à fait provisoires, spectaculaires, mais provisoires. Les conséquences de ses actes quant à elles seront peut-être d'une nature plus indélébile…

Marcus se sentait de plus en plus mal et il ne lui avait pas échappé que Murray s'assombrissait au fur et à mesure que Tilmor déroulait le plan.

— Vous surestimez ma proximité avec Estelle. Sous quelle forme le produit doit-il être pris ?

— Quelques whiskies aromatisés d'une dose de magie feront l'affaire. Elle aime le whisky, je crois ?

— En effet. Elle ne voudra pas que je l'accompagne à Venise vous vous en doutez…

— Oui bien sûr, vous la verrez une première fois à Belfast et vous la retrouverez le samedi à Venise.

— Vous pouvez maintenant me dire ce qui se prépare, je suppose…

— Attendons la première dose… Vous aimerez à n'en pas douter.

Marcus réussit à lui sourire et leva son verre vers les deux hommes qui firent de même en prononçant le « Slàinte » irlandais. Il but une longue rasade de bière qui cachait plus son trouble qu'elle n'étanchait sa soif. Jack posa sa pinte et fixa durement Marcus.

— Il serait extrêmement fâcheux, monsieur Garbot qu'elle puisse avoir connaissance de ce projet. Vous avez jusqu'ici rempli vos missions avec conviction et nous comptons sur votre efficacité pour que ce chapitre soit l'un des meilleurs de notre histoire. Vous ne souhaiterez pas qu'il lui arrive quelque chose n'est-ce pas ?

Marcus ne répondit pas, mais toisa malgré lui l'homme arrogant. Il fallait absolument qu'il quitte cet endroit s'il ne voulait pas être confondu. Il se leva un peu solennellement.

— Je suppose que vous me contacterez à Belfast… Messieurs.

Il hocha la tête et se dirigea vers la sortie. À peine dehors, il ouvrit grand la bouche et respira profondément. Il avait presque la nausée.

En croyant avoir nourri innocemment le besoin d'informations de la clique, il leur avait tout simplement offert Estelle sur un plateau. Ils devaient se douter de quelque chose pour l'avoir mis en garde aussi clairement. Il avait soudain envie de parler à Jason, juste pour se sentir rassuré, écouté.

*
**

Wellfleet

La grande maison en bois était éclairée comme un théâtre un soir d'opéra. La nuit était tombée depuis une demi-heure, mais le ciel d'un bleu profond semblait avoir gardé quelque flamboyance du récent coucher de soleil. Jason avait arrêté la voiture dans une large allée. Cassandre se pencha vers le pare-brise pour mieux regarder la villa. Elle émit un petit sifflement admiratif avant de se tourner vers Elian qui se réveillait doucement.

— Oh oh… Pas mal, dis donc… On sent la mer juste à côté.

— La baie de Cape Code d'un côté et l'Océan Atlantique de l'autre. Il y a pire endroit pour poser une maison… Je ne suis venu ici qu'une seule fois avec un ami qui m'avait convaincu de pêcher le grand bar rayé. Je me suis terriblement ennuyé et je n'ai évidemment rien attrapé…

Un homme avait ouvert la porte d'entrée et s'avançait vers la voiture. Ils en sortirent tous les trois. Eduardo Buarque leur adressa un large sourire.

— Ravi de vous accueillir ici. Soyez les bienvenus !

— Merci beaucoup. Permettez-moi de vous présenter ma nièce Cassandre et son amie Elian.

— Enchanté mesdames !

Il s'approcha d'elles et les prit chacune par le bras avec beaucoup d'élégance. Il fit un signe de tête à Jason et entraîna ses invités vers la maison. Totalement ouverte sur la baie la grande demeure était lumineuse comme en plein jour et la fantaisie de Buarque éclatait au premier regard. Plusieurs canapés et fauteuils des frères Campana semblaient avoir été juste déposés dans la pièce spacieuse. Une caisse, une table ancienne, un bloc de verre faisant office de guéridons étaient couverts de livres et de petites sculptures d'ours polaires. Une peinture ovale, insaisissable, visqueuse, précieuse et aquatique d'Adriana Varejao agitait ses crabes rouges et roses et ses algues vert métallique. Derrière un canapé Barocco Rococo trônait un gigantesque concert d'oiseaux de Franz Snyders, magnifique et incroyable copie de la toile de l'Ermitage à Saint-Pétersbourg.

Une sculpture mur en briques colorées et émaillées d'Adriano Costa, cadencée comme une partition, discutait avec un sofa dodu en fausse fourrure de camaïeu rose. Près de la cuisine ou du moins ce qui y ressemblait, un mural peint de Paulo-Nimer-Pjota introduisait, non sans humour, un Mickey Mouse curieux d'histoire de l'art. Des céramiques affublées de masques grotesques gisaient sur le sol, archéologie improbable d'une société caricaturale et bouffonne. Jason jubilait devant cette excentricité intelligente et généreuse.

Buarque avait disparu derrière un bar en acajou. Il réapparut quelques secondes plus tard arborant un large sourire en direction de ses invités. La cinquantaine, il était grand et mince et se déplaçait avec une grâce de danseur. Il s'approcha de Jason et s'immobilisa à ses côtés alors qu'il observait le Concert de Snyders.

— Je les entends chanter, vous savez ?

— J'en suis persuadé.

Il se tourna vers lui absorbé soudain par le chant de ses oiseaux.

— C'est un grand plaisir d'être ici en votre compagnie. Merci pour votre invitation.

— Oh ! c'est moi qui vous remercie Jason de me consacrer un peu de votre temps et je souhaite que vous ne soyez pas déçu d'être venu.

Il fit un tour sur lui-même avant de jeter un regard pétillant vers Cassandre et Elian qui circulaient gaiement dans la large pièce en y savourant toute la fantaisie.

— Alors c'est le moment de boire quelque chose non ?

Il se tourna vers Cassandre et dit dans un français parfait teinté par son incomparable accent brésilien.

— Mademoiselle Cassandre, quel breuvage vous ferait plaisir ?

— Eh bien un verre de vin peut-être…

— Très bien. Elian vous aimerez la Margarita j'en suis certain et Jason vous appréciez le whisky non ?

Ils acquiescèrent tous les trois en se dirigeant vers le bar. Buarque était naturellement très amical, sa convivialité et son esprit étaient authentiques. Jason ne parvenait pas à imaginer que cet homme aussi passionné et accueillant était complice d'une quelconque manigance contre la création contemporaine. Il savait que son invitation ne relevait pas d'un pur hasard et il attendait que son hôte lui en dévoile la raison. En patientant, il savourait son hospitalité sincère avec beaucoup de bonheur. Buarque avait préparé les boissons en un clin d'œil et les avait rejoints de l'autre côté du meuble. Il s'était servi un whisky. Il trinqua joyeusement avec ses invités avant de réclamer leur attention.

— Mes amis, votre présence ici me réjouit. Je suis arrivé il y a quelques jours et avec moi, tout ce qui nous entoure. Je ne devrais plus être en possession de ces beautés, mais je n'ai pas été capable de m'en séparer.

L'étonnement s'affichait sur les visages de Cassandre, Elian et Jason.

— J'ai cru pendant un moment que la farce dans laquelle on m'avait convié à jouer serait drôle et excitante. Mais elle s'est avérée cruelle, indécente et vaine.

Buarque avait bien sûr remarqué l'incompréhension de ses invités et en particulier celle de Cassandre et Elian. Il leur sourit gentiment.

— Je n'ai pas l'intention de ternir notre soirée avec cette triste histoire, mais je suis incorrigiblement égocentrique et j'aimerais soulager ma conscience avant de célébrer comme il se doit notre rencontre.

Il tourna son regard vers Jason.

— Je sais que vous me connaissez en tant que collectionneur, mais peut-être pas en collectionneur perverti…

Jason avait hoché la tête en haussant légèrement les épaules. Buarque lui sourit presque tristement. Cassandre toussota doucement.

— Monsieur Buarque, mon oncle et moi savons plusieurs choses sur ce qui se passe et sur ce qui vous affecte, certainement pas tout, mais suffisamment pour vous dire qu'elles nous touchent également personnellement.

— Je ne voulais pas vous offenser…

Jason but une gorgée de whisky et s'avança vers Cassandre qui avait saisi la main d'Elian.

— Il n'y a aucune offense. Cassandre ne souhaite peut-être pas en savoir plus pour l'instant.

— Oui évidemment, je suis vraiment désolé de ma maladresse.

Il frappa ses deux mains l'une contre l'autre et leva les yeux au ciel.

— Alors je vous propose, Mesdames, de descendre, de prendre un maillot de bain ou pas dans votre chambre immédiatement à droite et de profiter de la piscine et de vos boissons pendant que j'assomme Jason avec quelques confessions.

Cassandre lui décocha un franc sourire et entraîna Elian vers l'escalier. Elle se retourna vers les deux hommes.

— Vous avez une demi-heure…

— Votre nièce est surprenante.

— Oui, et je suis désolé qu'elle soit mêlée à cause de mon nom à cette lamentable affaire. Son amie Elian ne sait rien de tout cela. Pourquoi vouloir me parler Buarque ?

Il baissa la tête en soupirant longuement, avala le reste de son whisky et emplit de nouveau son verre et celui de Jason.

— Parce que j'ai appris fortuitement qu'ils auraient adoré que vous fassiez partie de notre petite équipe et qu'ils ont renoncé à vous contacter. Votre réputation d'incorruptible n'est pas une légende on dirait.

Quand nous avons été réunis à Paris il y a un peu plus d'un an, cette blague monumentale qui consistait à brouiller les pistes, faire croire que nous nous détachions de l'art contemporain en disparaissant des médias, des expositions, des foires ; en acquérant des œuvres anciennes, en nous séparant de quelques-unes de nos pièces qui filaient droit vers une société fantôme, tout cela nous a amusés, excités, pauvres arrogants que nous étions, que j'étais du moins... Je me demande encore aujourd'hui comment j'ai pu accepter ce jeu obscène et malhonnête. Nous étions tellement remplis de notre petit pouvoir, de notre position, tellement sûrs de nos goûts ; tellement présomptueux sous nos airs de collectionneurs engagés... Nous avons même baptisé notre cercle « farces et attrapes ». Puis les consignes se sont transformées, il ne s'agissait plus simplement d'acheter ou de vendre. Les œuvres que nous cédions disparaissaient bel et bien, celles que nous achetions ne nous appartenaient pas réellement. Et puis ces dernières semaines, nous avons été informés des destructions ou disparitions d'œuvres réalisées dans des lieux publics révélant des indices sur notre groupe, en tout cas son nom. Vous en avez certainement entendu parler.

— Oui malheureusement.

— Certains d'entre nous y ont personnellement participé. Il y a toujours eu beaucoup d'argent en échange de notre collaboration... J'ai refusé dernièrement de m'y associer et la réaction ne s'est pas fait attendre. Notre interlocuteur Jacques Berthelot s'est montré très persuasif, presque menaçant en me rappelant qu'il était impossible de faillir à mon engagement. J'ai pris peur pendant quelques jours et cette peur, au lieu de me rendre docile m'a aidé à réfléchir à cette gigantesque foutaise, ce caprice répugnant qui agitait cinq privilégiés amateurs d'art. L'étions-nous encore d'ailleurs ? Alors que le monde s'embrase et déraille, nous jouons une partition pathétique et ridicule, nous trahissons les artistes qui ont fait notre fortune et notre réputation, nous trahissons tous les artistes en fait…

Jason avait beaucoup de questions à poser, mais il sentait le besoin et l'urgence de Buarque à exprimer ces aveux. Derrière la décontraction et la bienveillance naturelles se dissimulait une culpabilité authentique énoncée simplement, lucidement et sans effets. Il fit une pause en dégustant lentement son whisky. Ses yeux noirs fixaient un point dans la pièce. Puis il regarda Jason avec sympathie.

— Vous n'allez pas le croire, mais je ne sais toujours pas qui est à l'origine de tout cela.

— Vraiment ? J'ai du mal à vous croire en effet.

— Oui. Et je ne sais pas si j'ai envie de découvrir de qui il s'agit. Je n'ai aucune idée de ce qui va se passer à présent. Pensez-vous que je puisse faire don de ma collection à un musée ?

— Mais pourquoi vous séparez de vos œuvres maintenant ?

— Parce qu'on m'a demandé de les détruire et de le faire savoir. Un incendie « criminel » chez moi à São Paulo qui ravagerait tout… Avec une petite dédicace à la mode « farces et attrapes » la boucle bouclée en quelque sorte… avec panache.

Il y eut un autre silence et un autre soupir.

— J'ai loué cette maison et déménagé la plupart des œuvres ici il y a dix jours. Un peu naïf n'est-ce pas ? J'imagine qu'ils savent déjà… Mais quelle importance, je crois que si je ne suis plus propriétaire des œuvres ils ne pourront pas les atteindre.

— Il s'agit peut-être d'une simple menace ?

— J'aimerais beaucoup qu'il en soit ainsi, mais ils sont prêts à tout.

— Un peu tard pour avoir des regrets non ? Une procédure de donation à un musée est très longue et...

Buarque se leva et s'approcha très près de Jason.

— Alors, acceptez ma collection !

— C'est ridicule Buarque. Nous venons à peine de faire connaissance. J'ai beaucoup de respect pour vos choix artistiques et la façon généreuse dont vous avez toujours accompagné de jeunes artistes. J'ai du mal à comprendre ce qui vous a poussé dans cette lamentable histoire et peut-être encore moins à l'accepter. Vous êtes sympathique, mais vous ressemblez à un gamin facétieux qui vient de réaliser l'énorme bêtise qu'il a faite. Je ne suis ni joueur ni collectionneur et cette foutaise comme vous dites met aujourd'hui ma nièce en danger.

Jason avait imperceptiblement haussé le ton. Il était mal à l'aise devant cet homme paniqué qui ne savait plus comment faire pour stopper les événements. Il ne voulait pas fuir ses responsabilités, mais protéger de la destruction des œuvres et peu importait à ce moment qu'elles lui appartiennent ou plus. Buarque regardait Jason avec attention, son visage était devenu grave. Il passa ses deux mains dans ses cheveux bruns en appuyant sur son crâne.

— Je suis tellement désolé, je ne cherche pas votre indulgence. Je n'ai plus rien à perdre si ce n'est peut-être ce qui reste de ma conscience d'homme. Je n'ai pas d'enfant, pas de famille qui compte sur moi ou pour moi. Acceptez ma collection Jason ! Je sais que vous ne le ferez pas pour moi, mais vous le ferez pour les artistes. Acceptez ma collection et je vous aiderai ainsi que votre nièce si je le peux.

Jason détestait prendre des décisions dans l'urgence et celle-ci ne serait pas sans conséquence.

— Laissez-moi quelques heures pour réfléchir.

Buarque avait à peine eu le temps d'esquisser un timide sourire que Cassandre et Elian apparaissaient en haut de l'escalier, les cheveux encore mouillés. Leur décontraction apaisa immédiatement l'atmosphère pesante qui planait au-dessus des deux hommes. Cassandre s'approcha d'eux.

— Tout va bien par ici ?

— Oui jusqu'à présent… Votre oncle est un homme précieux Cassandre et je suis heureux de l'avoir enfin rencontré.

Jason avait plissé les yeux en la regardant et Buarque avait souri gentiment. Le reste de la soirée fut décontracté et joyeux. Buarque ne s'embarrassait pas avec le protocole et les pizzas accumulées dans le congélateur avaient fait le délice de tous. Elian avait improvisé une salade tout à fait mangeable avec quelques végétaux trouvés dans le jardin. Il y avait eu d'autres verres de vin, d'autres whiskies. Cassandre observait Jason qui comme d'habitude prenait plus de temps que les autres à se détendre. Elle devinait ce qui le préoccupait et tandis qu'Elian expliquait à Buarque comment reconnaître quelques plantes comestibles, elle s'approcha de lui. Il regardait attentivement un étrange petit collage baroque et satirique du Péruvien Christian Bendayàn.

— Hey ! Tu devrais profiter un peu de la soirée non ?

— C'est ce que je fais. Je suis heureux que tu sois là.

— Jason, Buarque est un type bien. Je ne sais pas exactement quelle est sa responsabilité dans ce désastre, mais il vient de lâcher l'affaire on dirait.

— En effet, mais je crains bien que le manège ne continue de tourner sans lui.

— Peut-être, mais ça sera plus compliqué. Accepte sa proposition.

Il leva les sourcils.

— Tu as entendu notre conversation ?

— En grande partie oui… Désolée.

— Ne le sois pas. Et puis tu as raison, nous avons un nouveau complice. Je ne sais pas encore comment il pourra nous aider, mais il nous aidera.

Il lui sourit gentiment en lui prenant les deux mains.

— Je suis inquiet pour toi Cassandre, nous ne savons pas ce qu'ils vont faire et…

— Nous en avons déjà parlé. Ils vont forcément prendre contact avec moi. Nous étions d'accord Jason, ne changeons rien à notre plan maintenant.

Ils rejoignirent Elian et Buarque dont le visage avait pris des couleurs sous l'effet de l'alcool. Sa bonne humeur ne pouvait pas tout à fait éclipser la faible lueur d'inquiétude qui persistait dans son regard. Alors que Cassandre s'asseyait près d'Elian, Jason s'approcha de lui.

— Prenons un moment demain matin pour parler de ma future collection d'art brésilien… Et de votre indispensable présence au vernissage de Cassandre à Belfast le vendredi dix-neuf avril prochain.

Buarque afficha un large sourire avant de lever son verre. Jason tendit le sien à son tour et le cristal tinta joliment.

19

dimanche 31 mars

Divers lieux

Jason s'était couché le premier vers deux heures non sans avoir discuté passionnément avec Buarque de peinture et de peinture encore. Il s'était levé tôt avant les autres profitant de la lumière exceptionnelle du matin pour explorer le jardin et descendre sur la plage au pied de la maison. Buarque l'avait rejoint peu de temps après. Ils avaient parlé longuement des conditions de leur marché avant de remonter et de prendre un café. Cassandre et Elian apparurent vers midi. Le ciel était azur, la mer dans la baie était sereine et ondulante, les conversations étaient enjouées. Tout ressemblait à un moment agréablement partagé entre amis. Tous profitaient de ces instants sachant bien que les prochains jours seraient incontestablement plus troublés. Ils furent de retour à New York vers vingt-deux heures. Buarque avait failli les accompagner, mais il avait préféré rester encore un peu en compagnie de ses œuvres.

*
**

La pluie n'avait pas cessé de tomber à Ballintoy, Estelle et Cillian n'avaient pas réussi à gommer les événements de la veille et malgré la bienveillance de Lorna et Michael qui les avaient emmenés déjeuner à Portrush, un voile d'inquiétude avait terni leurs regards toute la journée. Cillian supportait de moins en moins de ne pouvoir intervenir et flairait un danger qui le rendait nerveux et irritable. Estelle avait attendu en vain un appel de Marcus et redoutait qu'il ne lui soit arrivé quelque chose. Elle avait laissé un message à Jason qui était resté sans réponse. Cillian qui naviguait le lendemain matin vers Bowmore ne pouvait rentrer à Belfast avec elle. Elle avait minimisé leur séparation en arguant qu'elle aurait absolument besoin de concentration pour préparer sa présentation pour Venise. Il avait hoché la tête en haussant légèrement les sourcils. Ils s'enlacèrent longuement avant qu'elle ne grimpe dans la voiture et disparaisse dans l'allée. Elle fut à Belfast en début de soirée. Elle n'avait pas souhaité rester chez elle et demeura avec Lorna et Michael.

*\
**

Marcus était rentré à Belfast dès le dimanche matin. Pendant le trajet qu'il fit en autocar, son esprit coulait de sombres pensées comme la pluie dense qui ruisselait le long des vitres. Il avait tordu des dizaines de solutions pour échapper aux menaces qui pesaient sur Estelle s'il échouait à l'empoisonner. Il n'avait pas réussi à gagner leur confiance. Avaient-ils réellement découvert son double jeu ou l'intimidation était-elle une de leurs méthodes privilégiées ? Il avait compris que Murray Dunne n'était qu'un pion docile de la machination et que Jack Tilmor devait avoir les coudées un peu plus franches, mais Jacques Berthelot demeurait son interlocuteur direct. En arrivant à son hôtel, il avait décidé de l'appeler le lendemain pour tenter d'enrayer la machine. Il savait qu'il devait rassurer

Estelle, mais il se sentait pour le moment incapable de lui parler et encore moins de lui mentir. Il hésitait encore à contacter Jason pour l'informer de cette nouvelle embuscade. Il s'était allongé sans même enlever son manteau et alors qu'il ressassait pour la énième fois la manière dont il aborderait Berthelot, le sommeil qu'il n'avait pas trouvé la nuit dernière l'avait soudain rattrapé sans s'annoncer.

*
**

C'est Jack Tilmor qui avait ramené Murray à Belfast. Il était contrarié et le fut encore plus lorsque Jack lui rappela vertement les règles du jeu. Rien ne lui avait échappé, la jalousie à peine contenue qui lui faisait perdre le contrôle de ses actes et son échec cuisant à découvrir l'avancée des recherches d'Estelle Rambrant et l'implication de Cillian O'Lochlainn dans un autre rôle que celui de son amant… Murray n'avait même pas tenté de se défendre tant la pensée qu'on puisse blesser Estelle le tourmentait. Puis Tilmor lui avait exposé la marche à suivre pour remettre à Marcus les capsules de psychotrope et lui expliquer leur fonctionnement et leur effet. Quand il l'avait déposé devant chez lui, Murray avait fait demi-tour et avait trouvé un pub encore ouvert. Il avait siroté quelques Guinness avant de réaliser que l'alcool commençait à troubler sa vue et qu'il était temps de rentrer.

lundi 1er avril

Belfast

Depuis son réveil quelques minutes plus tôt Marcus n'avait pu détourner son regard du paysage surprenant qu'il avait de sa chambre. Il avait enfin ôté le manteau avec lequel il s'était endormi, avait tourné le fauteuil vers la grande baie en angle d'où l'on plongeait sur la rivière Lagan qui traversait Belfast. Mais il ne pouvait détacher son regard des deux immenses grues jaunes qui se dressaient sur un des anciens chantiers navals de Harland et Wolf, ceux-là mêmes qui avaient vu la construction du Titanic. Ces deux géants surnommés Samson et Goliath étaient devenus des symboles inébranlables de l'histoire de la cité et il avait en tête la vidéo de *Every breaking wave* du groupe irlandais U2, une chanson d'amour fou sur fond de guerre civile dont certaines scènes avaient été tournées dans cet endroit mythique. Il éprouva un plaisir intense à se trouver là observant ces colosses immobiles sous un ciel menaçant et énervé. Il était à peine huit heures trente lorsque son téléphone retentit. C'était Berthelot, il se crispa aussitôt avant de décrocher.

— Bonjour Monsieur Garbot, je ne vous réveille pas j'espère ?

— Pas du tout.

— Je suis heureux que vous ayez pu rencontrer Tilmor samedi et qu'il vous ait fait part de notre prochain projet.

— En effet, mais je regrette qu'il n'ait pas jugé utile de m'en dire plus sur notre objectif final. J'ai senti une légère défiance qui, je ne vous le cacherai pas, m'a un peu contrarié.

Il essayait de tenir le rôle qu'il avait créé depuis ses débuts dans cette partie et il aurait volontiers à cet instant avalé un grand verre d'eau pour adoucir sa gorge qui s'était brutalement desséchée.

— J'en suis navré. Tilmor manque parfois de délicatesse quand il veut s'assurer du parfait engagement de nos collaborateurs. Mais ne vous inquiétez pas, nous avons décidé de ne pas vous laisser seul pour mener à bien cette mission. Vous connaissez certainement Joachim da Silva ?

— De réputation bien sûr.

— Da Silva est un précieux associé et il viendra en personne vous épauler auprès d'Estelle Rambrant.

Marcus ne pouvait pas faire grand-chose pour éviter ce nouveau et impressionnant obstacle.

— Oh, c'est un honneur de pouvoir le rencontrer. Je… je suis troublé vraiment… Je pensais que Murray Dunne serait mon interlocuteur…

— Oh il le sera, mais Da Silva vous accompagnera pour rencontrer Estelle Rambrant à Venise.

— Parfait ! Parfait.

— D'ici là, nous comptons sur votre talent pour la troubler jeudi soir. Murray vous donnera tous les détails.

— Vous pouvez compter sur moi… Êtes-vous satisfait des images que je vous ai fait parvenir ?

— Oh oui parfait. Rien de bien croustillant évidemment, mais j'imagine qu'il était difficile d'en obtenir plus n'est-ce pas ? Quelques bonnes légendes et cela devrait suffire pour étayer notre petite rumeur.

— En effet, mais la confiance que Gloves m'a accordée a dépassé tous mes espoirs. J'espère que vous pardonnerez mes piètres talents de photographe…

— Pardonné ! J'ai oublié de vous dire que Suzann a beaucoup apprécié votre brève rencontre au Metropolitan.

— Moi de même.

— Je vous souhaite une bonne journée, monsieur Garbot. Je vous invite à profiter un peu de Belfast. Murray est un guide fantastique.

Marcus n'eut pas le temps de lui dire au revoir. Il avait tourné le dos au fabuleux paysage comme pour ne pas mêler cette beauté inhabituelle à la conversation affectée et sordide à laquelle il venait de participer. Il appellerait Gloves dans l'après-midi avant de contacter Estelle.

Il avait faim et envie d'un café fort et chaud. Le week-end pourri ne lui avait pas laissé le loisir de goûter la cuisine locale. Il regrettait de découvrir cette partie de l'Irlande dans de telles conditions, mais il décida de suivre les conseils de Berthelot et prendre du temps pour arpenter la ville avant que Murray ne lui fasse signe. Il restait quatre journées avant de voir Estelle, de la tromper, de la droguer. Cette idée le tourmentait et il n'imaginait pas réellement pouvoir entrer dans la peau d'un simple touriste en attendant cette confrontation.

*
**

New York

Exceptionnellement, Cassandre s'était levée la première, elle sirotait un grand café, debout devant la *fenêtre du Central Park* comme elle l'avait nommée. Elian était restée avec elle et le lit partagé, plutôt étroit, avait altéré son sommeil. Mais plus encore que la présence d'Elian dans ce lit trop petit, les pensées inquiètes qui ne cessaient de gonfler autour de sa prochaine exposition et des conditions si extravagantes de sa réalisation mettaient à rude épreuve sa confiance et son enthousiasme. Elle savait que cette incroyable opportunité n'était pas le fait de ses recherches, mais l'outil d'une odieuse machination qui n'avait d'autre but que de briser la réputation de son oncle. Elle attendait le contact qui tardait à venir et la crainte de ne pas être à la hauteur de ce défi s'insinuait doucement dans son esprit. Elle entendit du bruit dans la cuisine et vit apparaître Jason.

— Quelque chose ne va pas ?

— Pas du tout. Elian ronfle un peu… Non je plaisante, le lit est étroit pour deux…

Jason sentait le malaise de Cassandre. Il s'approcha d'elle.

— On peut tout arrêter Cassandre si tu veux…

— Oh non certainement pas ! C'est juste que j'ai un peu la trouille maintenant et puis aucune nouvelle, aucun contact…

— Quoi qu'il arrive à présent, nous ne changeons rien à notre plan. Buarque sera avec nous le jour du vernissage et j'espère bien pouvoir réunir d'autres complices qui risquent de bouleverser leur petite fête.

Cassandre lui sourit en haussant les épaules.

— Concentre-toi sur ton exposition. Je t'assure qu'elle occultera toute cette bassesse.

Il l'attrapa et la prit dans ses bras. Il était prêt à tout pour que rien ne lui arrive et il sentait en lui une détermination qu'il n'avait jamais connue. Il désirait plus que tout confondre Grosmann dont il était persuadé de la responsabilité dans cette affaire. Sa prochaine rencontre avec Kanno lui permettrait sans doute de vérifier ses soupçons. Il la regarda.

— Tu as dit quelque chose à Elian ?

— Non, mais je pense qu'elle a de l'intuition. Jason… Je crois que…

— J'ai remarqué…

— Tu dois te dire que je m'emballe une fois encore…

— Je n'ai pas dit ça.

— Je ne sais pas si je peux te dire ça, mais c'est la première fois que je ressens ce… cet… enfin je ne sais pas dire le mot. Tout est tellement évident avec Elian. J'ai toujours envie qu'elle soit à mes côtés, je…

— Tu es dingue amoureuse. Ne change rien !

Elle aimait quand Jason employait des mots qui ne faisaient pas partie de son vocabulaire courant juste pour lui faire plaisir. Elle ébaucha un sourire taquin qu'il perçut aussitôt.

— Merci de ne pas te moquer de ton vieil oncle…

Son second portable retentit et il répondit promptement en espérant entendre la voix d'Estelle, mais c'est Marcus qui l'appelait de Belfast. Il expliqua rapidement, mais clairement la dernière et sinistre mission qu'on lui avait confiée. Jason devint blême. Il aurait aimé se rendre à Venise pour protéger Estelle, mais ne pouvait en aucun cas remettre ses rendez-vous à Los Angeles et en particulier celui avec Kanno. Quand Marcus lui précisa que Da Silva le rejoindrait là-bas, son cœur s'était mis à battre plus fort. Cassandre qui le regardait vit le trouble envahissant qui ôtait la couleur de son visage. Elle s'approcha de lui et posa une main sur son épaule. Jason la regardait, presque hagard, et tout en écoutant Marcus il tentait de trouver une solution pour que tout cela n'ait pas lieu. Il ne pouvait pas prévenir Estelle sans la mettre en danger encore plus et Marcus ne pouvait pas refuser sans dévoiler leur complicité. Il se préparait quelque chose de terrible à Venise dont Estelle serait la principale interprète et victime, mais où, quand, comment ? Cassandre s'était éloignée vers le bureau de Jason et écrivait quelque chose sur une feuille de papier. Elle revint et leva le papier devant Jason. Le nom de Cillian y était inscrit en majuscules suivi d'un point d'exclamation. Il regarda Cassandre intensément.

Marcus ne savait pas si quelqu'un accompagnait Estelle à Venise, mais il lui semblait que les autres envisageaient qu'elle y soit seule. Ils convinrent que la meilleure parade serait qu'une personne puisse veiller sur elle. Jason évoqua l'espoir que son ami Cillian puisse être disponible pour être à ses côtés. Beaucoup de détails restaient à régler pour éviter le pire à Venise. Marcus n'avait pas encore reçu d'instructions précises hormis sa rencontre avec Estelle prévue jeudi soir. Jason l'assura de toute l'aide qu'il pourrait lui apporter. Lorsqu'il raccrocha, Cassandre planta son regard noir dans le sien.

— Appelle-le maintenant !

— C'est un peu délicat Cassandre !

— Délicat ? oui en effet ! Je vais rejoindre Estelle à Venise…

— Ne sois pas puérile, ça serait la pire des choses à faire.

— Alors, Appelle-le !

— Je ne sais pas si…

— Appelle-le !

*
**

Ballycastle

Cillian avait très mal dormi. Après le départ d'Estelle, il était descendu sur la plage au pied de Bendhu et avait projeté à nouveau le film du week-end, désolant et perturbant. Il était à Ballycastle et attendait son coéquipier. La météo n'était pas bonne et la traversée jusqu'à Bowmore serait sportive. Il savait que la rencontre avec l'école de voile d'Islay promettait de beaux projets, mais les circonstances entamaient son enthousiasme. Il pensait déjà à son retour et ses retrouvailles avec Estelle jeudi à Belfast. Lorsque son téléphone sonna, il crut un instant lui parler. Mais c'est le nom de Gloves qui s'affichait sur le cadran et il en fut très surpris.

— Jason bonjour.

— Désolé Cillian de te déranger.

— Mais tu ne me déranges pas. Que se passe-t-il ?

— Je... J'ai un service à te demander.

— Je t'en prie.

— Estelle part à Venise ce week-end...

— Oui, je sais, je l'accompagne.

— Ah, mais c'est fantastique... je n'ai plus rien à te demander alors.

— Mais que se passe-t-il encore ?

— Reste à ses côtés ! Tout le temps. Tu verras certainement Marcus jeudi soir chez elle et tu le verras aussi à Venise avec Da Silva. N'oublie pas que Marcus est avec nous, quoiqu'il arrive.

— Jason, je ne suis pas certain de comprendre tout ce que tu dis.

— Il faut juste la protéger et je sais que tu le feras.

— Tu pourrais m'en dire plus. Encore un coup tordu en perspective ?

— Je sais seulement qu'ils veulent profiter de sa présence à Venise. C'est tout ce que je peux te dire Cillian, crois-moi.

— Je ne la lâcherai pas d'une semelle.

— Je compte sur toi. Autre chose demande lui de contacter Angus Craig et de le convaincre de nous rejoindre à Belfast pour le vernissage de Cassandre.

— Ce sera fait. Viendras-tu bientôt aussi ?

— Quelques jours après Cassandre je pense. Merci.

À la fin de l'appel, Cillian était resté un moment immobile sur le pont du voilier. Des idées confuses embrouillaient son esprit. S'élancer vers Estelle, casser la gueule de Murray, s'assurer des intentions de Marcus, dormir, oublier ce mauvais rêve… Mais son coéquipier venait d'arriver et il était temps de préparer le Bendhu à la traversée vers l'Écosse.

*\
**

Londres

La pente était douce pour descendre jusqu'à la salle des turbines de la Tate Modern. L'immense fontaine de Kara Walker trônait au beau milieu de l'imposant hall. La *Fons Americanus* culminait à treize mètres au-dessus d'un bassin de douze mètres de diamètre. Inspirée par le Victoria mémorial en face du Palais de Buckingham, la sculpture monumentale en stuc blanc évoquait avec causticité, fantaisie et simplicité la question de la traite des esclaves noirs perpétrée aussi bien par l'Europe, l'Afrique et l'Amérique. La fontaine aux accents presque burlesques déroulait cependant son message de mémoire et c'est « la fille des eaux », figure centrale dominant les personnages emblématiques de la révolte, les bateaux, les requins, les nageurs et les égarés se déployant au pied de la sculpture, qui faisait jaillir de ses seins et de sa gorge tranchée l'eau symbolique et bruyante comme un océan.

La femme qui venait de s'immobiliser du côté opposé à l'entrée du hall regardait fixement la statue dont les seins expulsaient sans interruption le liquide transparent. Elle portait un grand manteau matelassé noir sur lequel un petit sac à dos bleu se découpait comme un coin de ciel. Elle fit lentement le tour de la fontaine et vint se replacer quasiment au même endroit, là où elle tournait le dos à un maximum des caméras de surveillance. Il n'y avait qu'un seul gardien à cette heure matinale, mais suffisamment de visiteurs pour ne pas être immédiatement repérée. Elle devait agir vite pour réussir sa performance. Elle s'approcha un peu plus du bassin. Elle entrouvrit alors son manteau et débloqua le tuyau relié au bidon de mercurochrome qu'elle gardait sur son ventre. Le liquide rouge se déversa aussitôt et souilla rapidement la surface de l'eau. Personne n'avait encore réagi. Elle continuait de vider le grand flacon en tremblant un peu et le rouge, tel du sang frais, se propageait de plus belle. Un homme vit soudain la couleur envahir le bassin et cria vers la femme qui venait d'enjamber le rebord de la piscine. Elle tapait des mains la surface de l'eau pour mélanger le produit plus rapidement. Elle parvint à atteindre la grille d'évacuation du système pour y injecter directement le mercurochrome. Le résultat ne se fit pas attendre. Des seins et de la gorge de la déesse noire arquée au sommet de l'édifice s'écoulèrent alors les jets d'eau teintés d'un rouge irréel. Deux gardiens accouraient et sautaient dans le bassin pour attraper la femme. Elle avait eu le temps, avant d'être saisie sans ménagement, de lancer des poignées de petits papiers multicolores tels des confettis sur lesquels on pouvait lire « Farces et attrapes, les meilleures... ». Le mercurochrome n'avait pas seulement coloré l'eau, mais étrangement rougi les sculptures laissant les parties non immergées constellées de gouttelettes roses. Les visiteurs ébahis ne savaient pas exactement à quel événement ils venaient d'assister et certains d'entre eux s'étaient mis à applaudir. La femme, qui ne manifestait aucune forme de résistance et qui avait elle-même partiellement rosi, était fermement ceinturée par les deux gardiens. Elle souriait sans le voir à ce public inattendu et médusé. La vidéo de l'événement aquatique fut évidemment postée sur les réseaux sociaux quelques minutes plus tard.

21

mardi 2 avril

Belfast

Estelle s'était obstinément consacrée à la préparation de son intervention vénitienne depuis que Michael l'avait déposée chez elle la veille dans la matinée. Elle relisait une dernière fois ses notes. Elle avait imaginé une résidence chorale réunissant de jeunes artistes, des photographes et des théoriciens de l'art immergés au cœur de la biennale durant quatre mois, bénéficiant d'un espace de recherches et de travail à l'Arsenal. Une totale indépendance leur serait garantie afin que leur résidence soit non seulement un moment privilégié de création, mais aussi une lecture critique et documentée de l'un des plus grands événements internationaux dédiés à l'art contemporain. L'essentiel de son argument était posé et elle espérait que les conditions qu'elle proposait seraient intégralement acceptées par l'organisation. C'est Alberta Uccellino, une vieille amie qu'elle avait rencontrée il y a bien longtemps à Bologne lorsqu'elles étaient étudiantes, qui l'avait sollicitée alors qu'elle était responsable depuis deux années de la mise en place d'un nouveau programme de création au sein de la biennale. Ce projet l'enchantait, évidemment Venise y était pour quelque chose, mais elle appréciait de plus en plus la collaboration avec de jeunes artistes et le soutien qu'elle pouvait leur apporter dans leurs parcours parfois incertains. Et l'idée d'un week-end là-bas avec Cillian était plutôt excitante.

Elle avait presque réussi à effacer le triste souvenir des jours récents à Ballintoy. Cillian avait dès le dimanche soir dérogé à leur marché improbable de ne pas communiquer pendant quarante-huit heures en lui adressant un de ses messages d'amour si délicieux et elle avait adoré qu'il ne respecte pas le contrat. Elle avait envie à présent d'entendre sa voix un peu rauque. Elle l'appela brièvement pour lui suggérer d'arriver le plus vite possible jeudi, lui dire que Marcus l'avait contactée et la verrait certainement avant son départ pour Venise, pour lui rappeler enfin avec humour qu'elle l'aimait encore. Cillian n'avait pas évoqué sa courte conversation avec Jason estimant qu'il serait bien temps de le faire jeudi soir. Il avait essayé d'être détendu, elle avait cependant perçu une légère tension dans sa voix qu'elle attribua à la concentration nécessaire à l'exercice de la navigation.

Alors qu'elle s'apprêtait à dévorer une salade dans son canapé tout en lisant ses mails, elle remarqua une alerte de la Tate Modern. Elle se remémora aussitôt l'annonce faite par le Astrup Fearley d'Oslo quelques jours plus tôt et sut d'instinct que quelque chose venait d'arriver. La fontaine de Kara Walker installée dans le hall aux turbines de la Tate avait été souillée par une dose massive de mercurochrome déversée dans le bassin par une femme ayant apparemment agi seule. Le monument était inaccessible jusqu'à une date inconnue. Estelle n'eut aucun mal à trouver une vidéo de l'agression. La femme était exceptionnellement calme et la transformation de la couleur de la fontaine était fascinante malgré les dommages irréversibles que causerait une coloration au mercurochrome. L'attention d'Estelle fut attirée par les centaines de petites étiquettes que la femme avait lancées autour d'elle. La vidéo permettait de les déchiffrer et elle frémit lorsqu'elle put lire « *farces et attrapes, les meilleures…* »

La signature ne laissait aucun doute sur l'origine de l'attaque. Elle prit un carnet qui traînait sur la table basse, trouva un stylo. Elle entreprit de lister les différents attentats qui avaient eu lieu depuis quelques semaines : Laura Owens à New York, Damien Hirst à Oslo, Paola Pivi à Paris, Ai Wei Wei à Shanghai, Kara Walker à Londres sans compter le Peter Doig brûlé par Kanno. Six spectaculaires destructions en à peine vingt jours aux quatre coins du monde. Ce qui la frappait le plus était cette détermination inébranlable et froide qu'avait affichée chacun des auteurs. Il y avait quelque chose de mystérieux dans leur comportement, un détachement du réel, presque une absence. Elle envoya un message à Jason.

Tu as certainement appris ce qui est arrivé à la Tate… Qu'allons-nous faire ? Faut-il vraiment que nous attendions le vernissage de Cassandre pour faire cesser tout cela ? Comment s'est passée ta rencontre avec Buarque ? Donne-moi des nouvelles s'il te plaît. Je t'embrasse.

Jason lui répondit aussitôt malgré l'heure très matinale à New York.

Oui, j'ai vu le Fons Americanus. Quelle pitié ! Estelle, Buarque m'a légué sa collection par précaution. Je t'expliquerai. Il faisait bien partie de la bande des Farces, mais vient de lâcher. Nous pouvons le considérer comme notre allié à présent. Cillian veille sur toi et fais confiance à Marcus. Quoiqu'il arrive. Je serai à Belfast le dix-sept. Je t'embrasse.

*
**

New York

L'hôtesse de la galerie sursauta violemment lorsque la voix tonitruante de Georges Grosmann gronda derrière la porte de son bureau. Il n'y avait heureusement aucun visiteur en ce début d'après-midi. Elle ne distinguait pas les paroles qui étaient vociférées, mais comprit que son patron était furieux. Jacques Berthelot était arrivé quelques minutes auparavant et elle n'aurait pas souhaité être à sa place en ce moment. Elle sursauta une seconde fois lorsqu'elle entendit un grand fracas de verre brisé. Elle était certaine que la table du bureau venait d'être cassée. Elle hésitait à aller demander ce qui se passait, mais le tonnerre vocal qui suivit l'en dissuada totalement.

Berthelot n'avait jamais vu Grosmann dans un tel état. Il avait saisi le sanglier en bronze de Pompon qui était posé sur la longue table en verre fumé et l'avait reposé avec une telle violence que le grand plateau bleuté avait explosé en mille morceaux. Les livres, dossiers et autres objets qui s'y trouvaient s'étaient effondrés sur le sol.

— Kanno injoignable depuis cinq jours ! Vous vous foutez de moi Berthelot ! Il ne peut PAS être injoignable ! Il ne peut pas nous filer entre les doigts ! Et qui a imaginé qu'Estelle Rambrant le remplacerait ?

— Un concours de circonstances…

— Un concours de circonstances ??? Il nous a fallu des mois pour conditionner Kanno et vous pensez pouvoir la transformer en redoutable paranoïaque de l'art en un week-end ? Vous délirez !

— Nous allons juste lui administrer la bonne dose de produits…

— Mais vous voulez la tuer ??? C'est ça ???

Grosmann avait hurlé et Berthelot savait qu'il devait calmer le jeu avant que quelqu'un puisse entendre ce qui se passait.

— Bien sûr que non ! Je comprends votre colère, monsieur Grosmann…

— Je ne pense pas Berthelot. Il n'est pas question qu'il arrive quoique ce soit de grave à Estelle Rambrant vous m'entendez ?

— Ce ne sera pas le cas, je vous l'assure. Nous sommes si près du but. La Pointe de la Douane et Jason Gloves… Imaginez le retentissement, sa plus proche amie et collaboratrice le trahit avant la révélation de sa scandaleuse relation avec sa nièce. De quoi satisfaire parfaitement vos objectifs. Vous m'avez fait confiance jusqu'ici et vous n'avez pas été déçu.

— Ce n'est pas la question. Il semblerait plutôt que certaines choses nous échappent, VOUS échappent ! Nous devons envisager maintenant que des personnes cherchent à démasquer notre entreprise et qu'elles se sont organisées pour ça. Comment expliquer que nous ne puissions pas les arrêter ? Estelle Rambrant. Parlons-en justement ! Nous sommes convaincus qu'elle a découvert quelque chose, mais aucune trace, aucune preuve, c'est grotesque.

— Il faut croire qu'elle n'en sait pas tant que cela. Nous avons évité qu'elle mette son nez dans nos affaires lorsque nous avons invité avec persuasion son amie Bérénice Johnson à quitter Sotheby's. Nous la surveillons, elle et un de ses amis, mais rien ne...

— Soyez sérieux Berthelot ! Cette fille est plus intelligente que vous. Qui la surveille ? Son vieil ami irlandais ? Le redoutable Jack Tilmor ? Brrr... Le prétentieux monsieur Garbot ? Da Silva l'intouchable ?

— Je pense que...

— Arrêtez de penser Berthelot ou pensez un peu à Gloves ! Il est de la même trempe que Rambrant. Vous croyez sincèrement qu'il ne se doute de rien ? Je suis persuadé qu'ils savent tous les deux et qu'ils cherchent tous les deux.

— Marcus Garbot semble avoir gagné sa confiance...

— À vérifier le grand jour... Autre chose ?

— Euh... Eh bien...

— Accouchez Berthelot !

— Eh bien Eduardo Buarque est introuvable depuis quelques jours.

— C'est une plaisanterie n'est-ce pas ?

Grosmann, qui tournait alors le dos à Berthelot se retourna lentement vers lui en le toisant. Il éleva la voix.

— Dites-moi que c'est une plaisanterie Berthelot !

Berthelot boutonna sa veste par réflexe et tira les poignets de sa chemise. Il affronta le regard de Grosmann.

— Malheureusement pas. Introuvable à Sao Paulo. Il a disparu après que je lui ai suggéré un incendie dans sa maison...

— Un quoi ?

— Un incendie. Buarque était réticent…

— Vous lui avez demandé de foutre le feu chez lui pour détruire sa collection c'est ça ?

Berthelot hocha la tête en silence.

— Berthelot jusqu'ici vous avez été parfait, mais là vous avez totalement perdu la raison.

Il s'était approché si près de lui que des postillons éclaboussaient son visage. La colère de Grosmann était immense et ses mâchoires se serraient et se desserraient au rythme de son cœur emballé. Berthelot déglutit lentement tout en reculant. Il sortit un mouchoir de sa poche poitrine et essuya son visage avec précaution.

— Sa maison a été vidée, son numéro de téléphone ne fonctionne plus…

— Je crois que j'en ai assez entendu.

Il tremblait légèrement. Il avança à grands pas vers la bibliothèque dans laquelle des bouteilles d'alcool et quelques verres occupaient un compartiment. Il se servit un brandy qu'il avala d'un trait en grimaçant. Il revint vers Berthelot en se raclant la gorge bruyamment. Ses yeux étaient encore noirs et étincelants de rage, mais il s'adressa à lui d'une voix presque voilée.

— En résumé, Buarque n'est qu'un lâche, bien trop fantaisiste pour continuer à nous suivre. Il a peur et il ne risque pas de nous faire de l'ombre. Ma fille aime vraiment ce grand mathématicien farfelu et elle le protégera bec et ongles. Il nous reste Estelle Rambrant pour réussir notre dernière et exceptionnelle plaisanterie et un scandale à faire éclater pour ruiner notre incomparable Jason Gloves. Ai-je oublié quelque chose ?

— Euh oui, le voyage du Pontormo, la petite cerise sur le gâteau…

— En effet… Berthelot si nous échouons sur nos prochains événements tout cela aura été vain. Je me demande même si cela ne l'est pas déjà.

— Vous pouvez compter sur de fidèles collaborateurs pour achever votre mission et…

— La connaissez-vous vous-même Berthelot ?

Il y eut un silence pesant durant lequel Berthelot tentait de trouver une réponse imparable.

— Vanité, vacuité et suffisance d'un petit nombre qui croit détenir la vérité et le monopole du savoir et du mystère de la création.

Grosmann le regarda en haussant les sourcils d'étonnement.

— Vous me surprenez Berthelot, vous me surprenez.

— … Vous avez certainement appris que notre événement à la Tate Modern a été un franc succès ?

— Oui oui très réussi.

Grosmann plissa les yeux et semblait réfléchir intensément.

— Berthelot, vous n'avez plus le droit à l'erreur.

— Je comprends. Tout se passera bien maintenant, parfaitement bien… Viendrez-vous à Belfast ?

— Oui, je serais heureux de voir Gloves se décomposer… Même si…

Son regard se troubla un instant.

— J'ai beaucoup de respect pour Jason Gloves. Beaucoup trop…

L'hôtesse fut soulagée que le calme soit revenu alors qu'un couple d'habitués de la galerie poussait la porte d'entrée. Elle leur adressa un immense sourire en guise de bienvenue.

mercredi 3 avril

Belfast

Marcus avait retrouvé Murray près de la grande serre des jardins botaniques. Le temps était magnifique, les allées du parc spacieuses et odorantes. Il avait profité de la proximité du Ulster Museum pour en découvrir les collections ainsi qu'une splendide exposition de Sean Scully. Il était un peu en avance et goûtait la douceur du moment assis sur un banc, la tête légèrement penchée en arrière pour savourer le soleil de l'après-midi.

— C'est un lieu agréable pour se poser non ?

Marcus demeurait surpris depuis sa rencontre avec Murray par le ton si amical qu'il utilisait. Rien à voir avec ce Tilmor qui suintait de toute part la malfaisance. Il se redressa et hocha la tête en guise de bonjour.

— Je profitais de la belle lumière. Mais nous avons d'autres choses à faire, il me semble. Souhaitez-vous que nous restions ici ou avez-vous prévu un endroit plus « intime » pour ma leçon ?

Marcus ne voulait pas succomber à la sympathie même s'il en manquait cruellement et ne voulait pas non plus baisser la garde. Murray vint s'asseoir près de lui. Il regardait droit devant lui. Il sortit de sa poche une boîte en métal argenté qu'il ouvrit en actionnant un petit bouton-poussoir. Trois capsules transparentes en forme de goutte reposaient sur le fond. Il prit l'une d'entre elles entre ses doigts, elle n'était pas beaucoup plus grande qu'un noyau de cerise. L'enveloppe était un peu rigide. Murray avait posé la capsule dans la paume de sa main.

— Voilà. Il suffit d'une pression vers le haut pour briser l'entonnoir et verser le contenu dans du liquide. Incolore et inodore. À déposer dans son verre demain soir.

— Quels sont les effets ?

— Une légère confusion mentale, peut-être un mal de tête quelques heures après l'administration de la première capsule, puis une forme de disposition à l'écoute, à la bienveillance, à la compréhension et même un peu d'euphorie. La première capsule est celle qui est marquée ici.

Il montra une gravure minuscule représentant des ailes sur la goutte qu'il tenait.

— Vous devrez lui donner samedi soir les deux autres en une seule prise. Elle fera certainement beaucoup de cauchemars et ne pourra pas supporter la présence des œuvres qu'elle verra le lendemain à la Pointe de la Douane. Au point qu'elle voudra les détruire et qu'elle aura alors en elle toutes les ressources « artificielles » pour faire face à n'importe quel obstacle à sa volonté. Les effets s'estomperont en fin de journée et elle aura beaucoup de difficultés à se souvenir de ses actes durant encore vingt-quatre heures.

Il y eut un silence tendu. Marcus n'arrivait pas à croire à un tel scénario. Il regardait le sol intensément et ses mains étaient devenues moites. Il ferma les yeux un instant comme s'il pouvait échapper à cette improbable réalité. Murray l'observait quand il les rouvrit.

— Je suis soulagé qu'ils ne m'aient pas demandé de le faire. Même si apparemment il n'y a aucun danger, qui peut savoir la réaction de quelqu'un… Et puis il s'agit d'Estelle…

— Je ne suis pas son ami. Mais je veux juste être totalement certain que cette drogue ne présente aucun risque pour sa vie. Je demeure surpris que vous n'ayez pas trouvé une autre personne...

— J'ai une lettre qui vous donnera toutes les informations que vous devez connaître ainsi qu'une note stipulant que ce produit ne peut être mortel que s'il est administré à une dose quatre fois supérieure à celle qui est programmée. Impliquer Estelle Rambrant dans cet événement est une chance inespérée pour l'organisation.

Murray avait prononcé cette dernière phrase comme s'il la récitait.

— Bien. Autre chose ?

— Vous devrez convaincre Estelle de vous retrouver à Venise samedi soir en présence de Joachim Da Silva. Ils se connaissent, mais ne sont pas vraiment bons amis.

— Un argument à proposer ?

— L'édition d'un ouvrage critique sur les nouvelles formes de l'exposition dirigée par Da Silva à laquelle il souhaite l'associer. Pour la broderie... Vous trouverez sûrement les mots justes.

— Ça ne sera pas facile de faire gober à Estelle Rambrant que Da Silva veut travailler avec elle... Vous n'avez pas idée de leur animosité réciproque.

— Comment peut-on détester Estelle ?

— On peut, croyez-moi.

— Je dois vous rappeler une dernière fois qu'il serait vain et dangereux de ne pas respecter votre engagement.

— Déjà dit.

Murray lui remit enfin la petite boîte et une enveloppe contenant toutes les informations utiles pour son séjour à Venise. Il se leva et alors qu'il lui serrait la main il prononça ces quelques mots gardant la tête basse.

— Je regrette ce qui arrive à Estelle.

Marcus le regarda en grimaçant légèrement, signe de sa perplexité.

— Les remords sont un peu tardifs...

Il marcha lentement, longeant les vieux bâtiments de la Queen's University qui le projetèrent soudain comme au cœur de l'Angleterre du dix-neuvième siècle. Préoccupé par les prochains jours navrants qui l'attendaient il était peu enclin à l'observation de la ville, mais cette dernière était si surprenante, si désarmante qu'on ne pouvait éviter de voir sa laideur et sa beauté mélangées, son passé et son futur en attention, ses eaux et ses terres enveloppées. Marcus sentait autant la dissonance que l'harmonie. Il pouvait comprendre qu'Estelle avait eu envie de s'installer ici et il aurait tant aimé en parler avec elle. Il doutait d'être capable demain soir d'aborder cette conversation, mais la simple évocation de son éventualité avait gommé son appréhension durant quelques minutes.

*
**

New York

Cassandre et Elian, équipées de poches en papier, cueillaient avec méthode des échantillons de plantes et de mauvaises herbes. Elian inscrivait le nom de chaque spécimen sur les sacs qu'elle empilait dans un large cabas. Elles étaient descendues tôt de chez Jason et arpentaient les berges du Lake de Central Park et Central Park West pas très loin du Musée d'histoire naturelle. Cassandre adorait faire l'assistante, Elian était une pédagogue hors pair dont la patience et le savoir l'enchantaient. Ces plantes indisciplinées comme elle les appelait, étaient souvent comestibles et se révélaient être des éléments déterminants de la biodiversité, aussi mal loties qu'elles pouvaient l'être au bord d'un trottoir. Alors qu'elles avaient décidé de remonter en prévision d'un solide petit déjeuner, une femme corpulente serrée dans un long manteau vert s'approcha.

— Mademoiselle Jeanson ?

Elle se tourna et leva les sourcils.

— euh... Oui ?

— Je m'appelle Suzan Lennon, auriez-vous quelques minutes à me consacrer ?

Cassandre connaissait ce nom. Elle fit un petit signe pour rassurer Elian qui observait la scène en silence.

— Je sais qui vous êtes, que voulez-vous ?

— Vous donner une information essentielle sur les conditions de votre prochaine exposition à Belfast.

— Ici ? Mais Derek Mulligan m'a déjà...

— Ah oui monsieur Mulligan bien sûr. Mais il n'a pas pu vous transmettre ce que je vais vous dire... Parce que... parce qu'il n'est pas en possession de cette information plus... personnelle.

Cassandre ne se sentait pas à l'aise et elle devinait que ce qu'elle était sur le point d'entendre était ce qu'elle redoutait d'entendre depuis quelques jours.

— Ce que vous devez donc savoir, chère mademoiselle Jeanson c'est que le jour du vernissage de votre exposition au MAC une rumeur très embarrassante pour votre oncle et pour vous-même va circuler et risque de perturber, évidemment le déroulement de l'inauguration, mais bien plus encore sa vie et sa carrière.

— Mais ça veut dire quoi exactement ?

— Vous n'aurez absolument rien à faire. Absolument rien. Ne rien dire et ne rien faire. Nous nous occuperons de tout.

— Nous ? Mais que voulez-vous dire ? Qui êtes-vous ? Que va-t-il arriver à Jason ?

— Croyez-moi mademoiselle Jeanson, souciez-vous uniquement de votre avenir. Il serait tellement pathétique que votre première exposition personnelle soit un désastre...

Cassandre sentait son cœur s'emballer. Perdre son calme au risque de dévoiler ce qu'elle savait n'était pas une option envisageable à ce moment précis.

— Vous pensez vraiment que je me soucie plus d'une exposition que de mon oncle ?

— Je n'y comptais pas tout à fait à vrai dire, mais vous vous soucierez certainement de votre chère amie Elian n'est-ce pas ?

Cassandre se tourna précipitamment vers Elian comme pour vérifier qu'elle était encore là. Elle s'attendait à être contactée depuis un moment, mais elle ne l'avait pas imaginé en ces circonstances, par cette personne et avec ces nouvelles menaces qu'elle n'aurait pas soupçonnées.

— Qu'est-ce que vient faire Elian ici ?

— Elle est malencontreusement sur votre chemin.

Cassandre lui aurait volontiers sauté dessus et fait passer l'envie de garder le sourire insupportable qu'elle affichait depuis le début de la conversation. Elle avait la gorge sèche. Elle planta son regard dans celui de Suzann Lennon pendant de longues secondes avant que celle-ci ne cligne enfin des yeux.

— Ne pensez plus à rien d'autre qu'à votre prochaine, fulgurante et spectaculaire réussite, mademoiselle Jeanson. J'aurai peut-être le plaisir de vous féliciter en personne à Belfast.

Elle resserra la ceinture de son manteau et tourna les talons. Cassandre la regarda s'éloigner, immobile et blême. Elian s'était approchée et avait posé une main sur son épaule.

— Ça va ? Quelqu'un que tu connais ?

— Une fan...

Elle avait parlé avec une voix plate, presque atone dont elle prit conscience aussitôt. En se retournant vers Elian elle s'était ressaisie et lui sourit gentiment.

— Allez ! Petit déjeuner !

Jason était déjà dans son bureau lorsqu'elles arrivèrent. Cassandre le rejoignit. Elle avait du mal à masquer son malaise.

— Suzann Lennon vient de me parler.

Jason vit immédiatement que sa nièce était perturbée. Il se leva et s'approcha d'elle.

— Tu vas bien ?

— Oui, je crois. J'avais imaginé des tas de plans sur la manière dont ça se passerait, mais je ne m'attendais pas à ça…

Il y eut un court silence.

— Elle a parlé de toi évidemment et puis… Elle a parlé d'Elian…Et la menace était on ne peut plus claire.

Jason ferma brièvement les yeux en soupirant.

— Cassandre je…

— Non ça va. Je veux seulement que tu sois avec moi, le plus possible. Tu sais, ça me dépasse qu'il puisse exister de telles ordures pour défendre un projet aussi fumeux. Ces arrogants ne vont bientôt plus rien comprendre. Je suis en colère et j'ai peur.

— Elian est au courant ?

— Non, je ne crois pas qu'elle ait entendu la conversation.

— Alors, ne l'inquiète pas pour l'instant. Dis-lui que je j'aimerais qu'elle m'accompagne à Belfast pour assister au vernissage. J'ai reçu l'invitation d'ailleurs. Très réussie…

Cassandre sourit enfin et serra Jason dans ses bras.

— C'est génial ! Merci.

Jason, toujours aussi à l'aise avec les démonstrations d'affection, repoussait gentiment sa nièce.

— C'est normal. Cette fille me plaît… Je veux dire elle est extra… Avec toi… Tu as l'air heureux.

Elle hocha la tête doucement en signe d'acquiescement et sortit du bureau. Jason était tout aussi déterminé que Cassandre à confondre cette bande de fous. Il attendait avec impatience sa rencontre avec Kanno et avec inquiétude le voyage d'Estelle à Venise. Il était de plus en plus persuadé qu'il devait affronter Grosmann en personne, d'une manière ou d'une autre. Il ne restait pas beaucoup de temps.

jeudi 4 avril

Belfast

Cillian longeait la baie de Belfast et serait chez Estelle dans une vingtaine de minutes. Il était presque dix-neuf heures. Ces quatre journées avaient duré une éternité. Il n'avait cessé de penser à elle et au danger qu'elle courait. Sa préoccupation devait être si visible que son coéquipier lui demanda plusieurs fois s'il n'était pas malade. Les deux traversées avaient été rudes et fatigantes, la mer rugueuse et contrariante. Ils avaient accosté à Ballycastle vers dix-sept heures trente, rincés par la pluie et l'effort. Il avait pris quelques minutes pour se changer et boire un café chaud avec Jeffrey avant de le laisser fermer le Bendhu. Il s'était arrêté pour acheter quelques roses. La fleuriste avait entrepris durant quelques minutes de lui expliquer la signification des couleurs. Malgré son impatience, elle lui prépara un somptueux bouquet de roses rouge et orange. Elle l'informa en baissant légèrement les yeux et en inclinant la tête que la dame à qui il était destiné n'aurait aucun doute sur ses intentions. Il la remercia et lui sourit poliment en se demandant si Estelle avait une quelconque connaissance de la symbolique des fleurs. Il avait écouté durant tout le trajet un vieil album de Crosby, Stills & Nash. Il ne se lassait pas de *Lady of the Island*, une chanson d'amour si sensuelle qui lui donna envie de la rejoindre le plus vite possible.

Il respira profondément quand il arrêta le moteur. Il prit le sac qu'il avait préparé avant son départ pour Islay et claqua le haillon du coffre. Il s'avançait à grands pas vers l'entrée de l'immeuble lorsqu'il fit demi-tour presque en dansant. Il revint vers la voiture et en sortit le bouquet de roses. La porte du bas était ouverte. Il lui fallut à peine quelques secondes pour monter. Son cœur s'était mis à battre plus intensément, il se sentait un peu niais avec les roses et se demandait si elle portait son grand pull bleu. Quand la porte s'ouvrit et qu'elle lui dit bonsoir en français en l'invitant à entrer, il laissa tomber son sac sur le sol, posa sa main libre derrière sa nuque et approcha sa bouche de la sienne avec impatience. Le baiser était voluptueux et il fallut quelques longues secondes à Estelle pour se détacher de lui. Il tenait toujours son bouquet qu'il leva enfin vers elle avec quelques mots maladroits en français.

— Bonsoir Estelle, des quelques fleurs pour vous… pour toi.

Il était vraiment irrésistible. Elle l'aurait bien dévoré tout cru devant la porte, mais elle n'avait pas oublié son invité. Elle s'éclaircit sobrement la gorge en saisissant le cadeau et en le regardant gentiment.

— Merci, elles sont magnifiques. Cillian euh… Laisse-moi te présenter Marcus Garbot… L'ancien collègue français que tu as rencontré récemment…

Estelle avait tourné la tête vers Marcus qui était assis dans un des canapés. Il se leva alors qu'ils approchaient et tendit la main à Cillian juste à peine embarrassé. Cillian planta son regard dans le sien et la serra fermement. Estelle imaginait très bien la méfiance qu'il pouvait éprouver pour un étranger qui avait discuté avec Murray et le petit homme.

— Je devais absolument donner quelques informations à Estelle concernant sa présence à Venise et… Je n'en ai pas pour longtemps…

— Estelle vous a certainement dit que je l'accompagnais ?

Marcus regarda Estelle qui haussa doucement les épaules.

— Quelle merveilleuse idée ! Je rêverais moi aussi d'une trêve romantique.

Estelle vit la crispation de la mâchoire et les yeux sombres de Cillian.

— Marcus, il n'y a aucun problème, Cillian est parfaitement au courant, de tout.

— Je ne suis pas inquiet Estelle… Il faut seulement que tu acceptes de rencontrer Da Silva et lui laisser penser que tu acceptes aussi une contribution à sa fausse revue critique qui comme je te l'ai expliqué n'est pas censée aller dans le sens des théories défendues par Gloves. Il faut leur faire croire que tu es juste un tout petit peu corruptible…

Cillian lui, était inquiet et savait qu'il se préparait quelque chose de bien plus périlleux pour Estelle. Il n'imaginait pas qu'elle puisse jouer la comédie à ce point. Il était incapable d'évaluer le degré de vérité ou de mensonge dans les paroles de Marcus, mais il devait à tout prix la protéger. Il se leva.

— C'est une heure décente pour déguster un whiskey non ? Marcus, si vous n'y voyez pas d'inconvénient nous pourrions convenir que vous serez le seul à savoir que « j'escorte » Estelle à Venise ?

— C'est une excellente idée !

Marcus n'était pas certain de paraître décontracté. Cillian était un gars impressionnant qui semblait réfléchir vite et efficacement et qui ne laisserait personne faire du tort à Estelle. Il se demandait comment il serait capable de verser le contenu de la capsule dans le verre d'Estelle et même de quelle manière il y parviendrait, la présence de Cillian compliquant le processus. Il serait démasqué ou il réussirait à déjouer son attention. Cillian revint avec deux verres, l'un qu'il tendit à Estelle, l'autre à Marcus. Estelle se leva soudain.

— Excuse-nous un instant Marcus.

— Mais je vous en prie.

Elle fit signe à Cillian de la suivre dans la chambre. Elle poussa la porte derrière eux et l'attira vers elle. Il la regardait malicieusement.

— Nous pourrions peut-être attendre qu'il soit parti…

— Cillian, je voudrais que tu te détendes un peu avec Marcus. Je t'assure que ce n'est pas facile pour lui.

— Tu as sûrement raison et…

Il se pencha vers son épaule et embrassa tendrement son cou.

— Il ne va pas rester longtemps n'est-ce pas ?

— Pas longtemps du tout…

Elle trouva Marcus très pâle quand ils le rejoignirent au salon. Il s'était un peu recroquevillé sur lui-même et elle aperçut une goutte de sueur perler sur sa tempe. Cillian était allé chercher son whisky. Assis près d'Estelle il levait à présent son verre vers eux pour trinquer. Elle avala une gorgée d'alcool. Marcus s'était immobilisé et regardait désespérément ses chaussures. Il tremblait légèrement.

— Marcus, tu te sens bien ?... Marcus ?

Il leva la tête vers Estelle et esquissa un triste sourire.

— Oh pardon. Oui… Ça va merci. Je… J'ai pris froid hier et… déjà ce matin j'étais un peu fébrile et… Je vais rentrer à mon hôtel, je crois… Et me reposer… Je dois aussi affronter Da Silva samedi et mieux vaut être à la hauteur n'est-ce pas ?

— Tu es sûr que ça va ? On peut t'accompagner si tu veux…

— Non je te remercie. Je vais rentrer. Merci, merci à tous les deux.

Il avait repris un peu de couleur, mais il tremblait toujours. Il les salua d'un geste timide de la main. Dès qu'il sortit de l'immeuble, une violente nausée le plia en deux et la brûlure du whisky écorcha sa gorge lorsqu'il vomit. Il l'avait fait et il se sentait si misérable de ne pas avoir trouvé une solution pour l'éviter. Il n'arrivait plus à se persuader qu'il n'avait pas eu le choix. Sa seule consolation, s'il pouvait encore y en avoir une, était la présence de Cillian aux côtés d'Estelle. Elle adoucissait sa lâcheté, elle atténuait son inquiétude. Alors qu'il se redressait et essuyait sa bouche d'un revers de manche, son téléphone portable venait d'enregistrer un message.

Bonjour Marcus, Je sais que tu n'es pas du genre à donner des nouvelles à tes amis tous les jours, mais quinze sans un de tes commentaires intelligents et acides sur ce que tu vois m'étonnent et peut-être même m'inquiètent. Qui l'eût cru, mais tu nous manques… Fais un signe. Sue

Marcus s'attendait si peu à lire un message de Sue qu'il avait ri en soupirant, comme si ces quelques lignes le raccrochaient soudain à la réalité de sa vie. Quelqu'un pensait à lui à ce moment précis, quelqu'un qu'il appréciait plus qu'il ne lui laissait paraître.

Estelle et Cillian dégustaient leur whiskey en grignotant des cubes de fromage et des chips de légumes. Elle avait fini par disposer les roses dans un vase de Murano qu'elle avait posé sur la table basse. Le parfum était fort et enivrant.

— Ton ami n'a pas l'air en très grande forme. Désolé de te demander ça, mais tu es certaine qu'il est fiable ?

— Évidemment ! Je ne voudrais pas être à sa place, il risque plus que nous, tu sais…

— Ne dis pas ça s'il te plaît !

Sa voix s'était faite soudain plus autoritaire et plus sombre. Il regretta aussitôt. Il s'approcha d'elle et caressa sa joue très doucement.

— Excuse-moi. Je n'ai pas cessé de penser à toi Estelle. Je voudrais tant que toute cette histoire se termine, que nous partions un moment ensemble, sur le Bendhu ou autrement, comme il te plaira…

Elle regardait ses yeux bleus, sa bouche si bien dessinée, son long nez, ses pommettes hautes, son grand front, son menton volontaire. Elle aimait ce visage, elle l'aimait. Elle colla sa bouche sur la sienne et leurs langues s'enroulèrent. Elle le repoussa gentiment.

— Et si nous parlions un peu…

— Oui bien sûr. Que veux-tu savoir ?

— Ton voyage à Islay ?

— Intéressant.

— Mais encore ?

— Très intéressant…

Il la fixait intensément et ses yeux bleu clair viraient au bleu nuit. Estelle avait capté la métamorphose et son propre désir s'emparait d'elle. Il faisait nuit et les lueurs du port de Belfast brillaient comme des étoiles terrestres. Elle se leva hâtivement pour fermer les lumières dans la pièce. Avant de le rejoindre près du canapé, elle s'était déshabillée. Il fit de même quand il la vit apparaître nue sur l'écran de la grande baie. Il se leva et s'approcha d'elle. Sa silhouette vibrait. Il posa doucement ses mains sur sa taille puis les descendit sur ses fesses. Il sentait sa peau frissonner au contact de ses doigts et sa respiration devenir soupir. Il savait qu'elle le regardait, mais il ne pouvait discerner que les éclats intermittents qui éclairaient ses pupilles. Il la pressa contre lui et la chaleur de son corps fut un incomparable délice. Son désir oscillait sans cesse entre une délicatesse extrême et une sensualité déchaînée.

— Dis-moi ce que tu veux Estelle.

— Embrasse-moi !

Il prit sa bouche passionnément, longuement tandis que leurs doigts s'aventuraient là où leurs corps se laissaient envahir pas le plaisir. Elle s'écarta un instant pour voir son visage, ses yeux, son désir. Il s'agenouilla devant elle et posa sa bouche sur la toison de son pubis. Elle ouvrit légèrement les cuisses et il cueillit son sexe lentement. Sa langue était douce, précise et impitoyable. Elle repoussa sa bouche. Il se redressa et elle vint attraper son sexe bandé entre ses doigts. Il était si excité qu'il stoppa le mouvement de ses doigts. Il l'entraîna sur le canapé, et vint en elle avec fougue. Il embrasait son ventre sans retenue et sentit la vague de plaisir qui les emportait soudain avec véhémence. Ils s'agrippèrent l'un à l'autre au plus fort du ravissement. Il avait toujours envie de la prendre dans ses bras et de la voir après leurs corps à corps harassants. Il blottit sa tête au creux de son épaule. Elle respirait son souffle chaud et son corps encore palpitant contre elle. Ses cheveux avaient gardé le parfum des embruns. Elle aurait aimé rester ainsi pendant des heures.

— J'ai terriblement faim.

Il se redressa les bras tendus au-dessus d'elle. Il l'observait comme on regarde une pierre rare.

— Quoi ?

— Tu me plais de plus en plus…

Il se leva agilement sans un autre mot. Elle fit de même et enfila le grand pull bleu avant de le rejoindre derrière le comptoir de la cuisine. Il préparait quelques sandwiches. Il portait la nudité avec naturel et élégance.

— Tu as prévu quelques vêtements pour Venise ?

— Oui, j'ai acheté une veste et une chemise à Islay. Il y avait un kilt magnifique, mais j'ai pensé que ça manquerait de discrétion.

Elle le regarda avec malice.

— Un kilt ? Hum, il faudra essayer ça un de ces jours… Et… où sont la veste et la chemise ?

— Dans mon sac… Je…

Elle lui adressa un regard moqueur avant d'aller ouvrir le grand sac en cuir resté à l'entrée. Elle sortit une grande poche en papier kraft qu'elle ouvrit aussitôt. Elle déplia une veste couleur bleue nuit comme les yeux de Cillian en certains moments, superbement coupée dans un fin lainage, légèrement cintrée. Une chemise blanche en coton complétait la panoplie. Elle s'approcha de lui avec les vêtements.

— Tu as vraiment trouvé ça à Islay ?

— Évidemment. Pourquoi ?

— Je n'arrive pas à y croire. Montre-moi à quoi tu ressembles.

Elle lui tendit la veste en riant, il la boutonna et se redressa en la regardant avec son envoûtant sourire. Même avec un sac poubelle sur le dos elle l'aurait trouvé élégant et irrésistible, mais cette veste à même sa peau le rendait plus désirable que jamais.

— Pas mal du tout Cillian O'Lochlainn.

Elle fit glisser ses doigts lentement sur sa peau le long des revers jusqu'aux deux boutons qu'elle libéra avec adresse puis remonta ses mains sous le tissu et effleura sa poitrine. Elle ne l'avait pas quitté des yeux. Les sandwiches attendraient encore un moment.

La douleur dans sa tête était tellement forte qu'elle en avait la nausée. Elle ouvrit les yeux avec peine. Lorsqu'elle s'assit sur le lit, elle prit son crâne à deux mains pour tenter de contenir les battements puissants qui frappaient ses tempes. Elle était trempée de sueur. Elle ne voulait pas réveiller Cillian. Elle décida d'aller se rafraîchir le visage. Alors qu'elle se levait doucement, les élancements se firent plus violents et elle fut saisie d'un soudain vertige qui la fit trébucher au pied du lit. Cillian sursauta et fut près d'elle aussitôt. Elle pleurait de douleur en silence. Il l'avait prise dans ses bras.

— Estelle ! Que se passe-t-il ?

— Ma tête ! Ma tête va exploser !

Il l'avait lâchée et courait chercher un antalgique dans son sac. Il lui amena avec un verre d'eau. Elle avait commencé à trembler et ses larmes continuaient à couler le long de ses joues pâles. Il ne savait pas quoi faire.

— J'appelle un médecin...

— Non restons calme.

Il l'enveloppa dans la couette. Il n'avait pas osé la bouger de peur d'accentuer la douleur. Il resta près d'elle de longues minutes. Lorsqu'il entendit sa respiration redevenir régulière et sentit le poids de son corps apaisé dans ses bras, il décida de la remettre dans le lit. Elle ne se réveilla pas. Il remonta la couette et s'allongea enfin. Il était trois heures. Il veilla sur elle jusqu'au petit matin avant de sombrer dans un sommeil nerveux.

24

vendredi 5 avril

Belfast

Elle se réveilla vers huit heures avec la sensation d'avoir percuté un mur. Elle bougea la tête avec précaution pour vérifier que l'invraisemblable douleur de la nuit avait disparu. Plus aucune trace apparemment si ce n'était l'impression qu'on avait voulu aspirer ses yeux à l'intérieur de son crâne. Lorsqu'elle se tourna vers Cillian, il la regardait gentiment. Il dégagea quelques mèches de cheveux qui flottaient sur son visage.

— Comment te sens-tu ?

— Ça va… Je ne sais pas ce qui m'est arrivé. Je suis désolée, tu avais besoin de te reposer…Et j'ai besoin d'être parfaitement efficace. Un grand oral et des retrouvailles avec le sinistre Joachim da Silva…

— Tout va bien, je suis avec toi. Nous serons bientôt à Venise et j'ai bien l'intention d'en profiter malgré les tristes sires qui t'y attendent.

Il embrassa tendrement le bout de son nez et se glissa hors du lit. Il ouvrit le grand rideau de la chambre qui fut envahie par une lumière extraordinaire. La clarté soudaine provoqua un élancement aigu dans les yeux d'Estelle et elle dut les protéger des deux mains. Cillian qui avait aperçu sa grimace et son geste referma aussitôt le store.

New York

Jason avait ressassé depuis la veille l'éventualité et surtout la conséquence d'une rencontre avec Georges Grosmann. Il ne pouvait plus attendre. Il savait qu'il devait être prudent, mais sentait qu'il était en mesure si ce n'est de l'intimider, au moins de semer le doute dans son esprit malade et peut-être de vérifier ses soupçons. Il n'avait aucune idée de la manière dont il aborderait la partie, mais il avait remarqué qu'il avait pu faire confiance ces derniers temps à ses capacités d'improvisation. C'est donc sans prendre rendez-vous et sans savoir si Grosmann serait présent qu'il avait décidé de se rendre à la Galerie. L'exposition actuelle se terminait aujourd'hui et Grosmann était souvent à la galerie le dernier jour d'un show.

Lorsqu'il arriva, il l'aperçut immédiatement dans l'une des salles, discutant cordialement avec un couple de collectionneurs qu'il avait déjà rencontré et qui semblait captivé par une grande toile de Woods. Il s'avança vers la banque d'accueil.

L'hôtesse le reconnut aussitôt et s'empressa de lui demander ce qu'elle pouvait faire pour lui être agréable. Jason lui dit qu'il aurait aimé s'entretenir un moment avec Georges Grosmann si cela était possible évidemment. Il lui décocha un de ses sourires énigmatiques dont la jeune femme peinait à détacher son regard. Il haussa légèrement les sourcils en attendant une réaction. Elle baissa les yeux et se dirigea, non sans se cogner d'abord à une chaise, vers le fond de la galerie. Jason l'observait attentivement et percevait dans son attitude l'appréhension qu'elle avait d'interrompre la conversation. C'est l'un des deux collectionneurs qui remarqua sa discrète présence. Alors qu'elle s'adressait à son patron, il se tourna en direction de Jason et sans aucune expression sur son visage lui fit un signe de la main. Jason répondit par un hochement de la tête. La jeune femme revint rapidement vers lui en l'invitant à s'installer dans le bureau de Grosmann en attendant qu'il le rejoigne dans quelques minutes. Elle lui indiqua le grand canapé et lui proposa un verre. Il déclina l'offre. Elle s'éclipsa en fermant doucement la porte.

La pièce était spacieuse et il remarqua que seules des œuvres d'artistes français y avaient leur place. Il se leva pour aller voir de plus près un bronze de Louise Bourgeois, « Tits », une magnifique petite sculpture formelle et symbolique de la plus new-yorkaise des artistes françaises. Il n'avait jamais eu l'occasion de la regarder de si près et il appréciait l'intimité inattendue qu'il partageait avec elle. Il la prit dans ses mains et put ressentir en plus de son poids, son incomparable charge émotionnelle. Il la garda quelques secondes avant de la replacer dans la bibliothèque. Il marcha soudain sur un éclat de verre qui crissa sous ses pieds. Il regarda le sol et remarqua plusieurs débris amassés le long des rayonnages. Grosmann qui était entré sans un bruit l'observait depuis quelques secondes.

— Elle attire tout le monde. Louise était une reine non ?

Jason se retourna sans surprise.

— Elle l'est toujours. Merci de m'accorder un moment.

— Jason Gloves... En tête à tête, je n'y croyais plus vraiment.

— Je n'avais pas imaginé que vous souhaitiez me rencontrer.

— Votre imagination est défaillante alors. Que puis-je faire pour vous ?

— Vous laisser convaincre de travailler avec moi pour ma prochaine exposition ?

— Le Chevalier de l'art contemporain, sans peur et surtout sans reproche aurait soudain l'envie de travailler avec moi ?

— Je n'apprécie pas votre façon de faire, mais je sais reconnaître la collection d'un homme passionné ou du moins qui l'a été.

— Toujours sincère n'est-ce pas ? Vous savez bien sûr que ce sale défaut ne vous a jamais rendu très sympathique. Vous êtes aussi glacial que je suis arrogant... L'entente risque de ne pas être très cordiale.

Il s'avança vers une petite table bancale sur laquelle se trouvait une boîte de cigares. Il en prit un et l'alluma lentement dans un nuage de fumée odorante.

— J'ai brisé mon bureau hier avec une sculpture de Pompon. Mes cigares y étaient posés à la même place depuis tant d'années. Je ne sais pas pourquoi je vous dis cela. Les circonstances peut-être…

Jason sentait pointer l'énigme ou le piège. Il ne devait pas perdre de vue l'objectif de sa visite.

— Ma sincérité suscite parfois les confidences.

Grosmann avait souri presque malgré lui.

— Dommage que nous ne nous soyons pas rencontrés plus tôt, nous aurions peut-être réalisé de grandes choses ensemble.

— Qui sait ?

— Eh bien, j'ai mieux qu'une confidence à vous offrir, je vais vous montrer quelque chose qui va vous intéresser j'en suis sûr… Suivez-moi !

Ils sortirent du bureau et se dirigèrent vers le fond de la galerie. Grosmann poussa une porte quasi invisible puis ils longèrent un large couloir vers un portail métallique blindé. Il composa un code sur un petit boîtier qu'il avait dans sa poche et la lourde porte s'ouvrit en déclenchant l'allumage de plusieurs plafonniers. C'était une gigantesque réserve qu'occupaient de chaque côté d'une allée centrale des containers de différentes dimensions. Ils se dirigèrent presque jusqu'au bout du hangar avant que Grosmann ne s'arrête devant l'un d'eux et en débloque l'ouverture. Il entra en invitant Jason à le suivre. Il devina une très grande peinture près de lui. Quand Grosmann éclaira la pièce, il reconnut immédiatement la toile dystopique de Banksy récemment achetée à Londres. Il la voyait pour la première fois et fut impressionné par ce qu'elle dégageait de réalité et de malaise.

— C'était vous ?! Je n'y aurai pas pensé. Pourquoi l'anonymat ?

— Pour éviter les bavardages et les critiques futiles, pour la soustraire un moment au bruit étourdissant du monde de l'art.

— Vous la dissimulez seulement au regard de tous.

— Vous parvenez encore à être idéaliste. Vous savez pourtant comment le marché fonctionne Gloves, vous évoluez dans ses plus hautes sphères, on s'arrache vos conseils, on redoute vos critiques, on rêve de vos prochaines expositions... Je ne sais pas ce qui vous anime, vous n'êtes pas riche, vous n'êtes pas mondain, vous n'êtes même pas collectionneur.

— Je ne m'en porte pas plus mal. Et si j'avais besoin des artistes et de l'art pour que ma vie soit plus intéressante que l'art ?

— Robert Filliou* ne savait pas ce qu'il disait, figure de style tout au plus...

Grosmann était un interlocuteur cultivé et un collectionneur avisé, mais Jason ne voulait pas se laisser bercer par ses paroles habiles.

— Vos réserves sont donc remplies d'œuvres devenues invisibles ?

— Pas toutes, rassurez-vous ! J'achète, j'attends, je vends... Elles ont une vie qui m'échappe et j'apprécie de plus en plus qu'elles disparaissent de la mienne. Je m'allège, je m'allège et le mystère de la création se fait en même temps plus léger à mon cœur.

Gloves observait Grosmann qui semblait à cet instant ne s'adresser à personne d'autre qu'à lui-même. Il n'avait pas prévu cette exceptionnelle introspection.

— Je vais vous faire un aveu Gloves. Je suis heureux de partager ce moment avec vous. Votre tentative de m'arracher quelques confessions a presque réussi. Vous êtes intelligent et vous comprendrez que je ne collaborerai pas avec vous, je n'en ai pas envie. Trop tard certainement, oui trop tard. Je ne sais pas dans quelles autres circonstances nous nous reverrons, mais nous nous reverrons. Oh, je ne vous ai pas dit. J'ai vu votre exposition en France, vous m'avez étonné une fois de plus, je ne croyais pas que ce déferlement et cette touffeur me procureraient autant d'émotion.

Vous possédez encore cette sorte de grâce qui illumine tous vos projets. Gardez-la bien ! Elle m'a abandonnée depuis un certain temps.

Il éteignit la lumière dans le container et Jason vit une dernière fois la lueur de la toile de Banksy. Ils rebroussèrent chemin jusqu'à l'entrée de la galerie et Grosmann le salua d'une poignée de main silencieuse. L'entrevue avait été plus « cordiale » et plus pénétrante qu'il ne l'avait imaginée. Grosmann aurait pu être en d'autres circonstances un interlocuteur passionnant. Il était néanmoins persuadé qu'il était l'instigateur de cet incroyable complot et qu'il mourait d'envie de dévoiler son secret. Fier ou peut-être même embarrassé par ce qu'il avait accompli, il désirait maintenant le faire savoir, le partager avec quelqu'un susceptible d'en saisir les ressorts et les objectifs. Jason comprit qu'il aurait encore une occasion de le rencontrer et qu'il s'agirait alors d'un autre type de confrontation.

Venise

Ils venaient de grimper dans un water taxi. Ils seraient à la Giudecca dans quarante minutes environ. Cillian n'avait pas vu Venise depuis plusieurs années, une virée ennuyeuse avec un couple excentrique et bruyant qui avait préféré un hôtel de luxe sur le Grand Canal plutôt que la Marina de la Certosa où il avait accosté le voilier. Il avait néanmoins gardé un souvenir lumineux et coloré de cette cité incomparable et des gens cordiaux et joyeux qu'il avait rencontrés. Estelle aimait toujours autant la traversée entre l'aéroport et Venise, ce temps incomparable qui lui permettait de prendre la mesure de sa présence ici, dans cette lumière et cette atmosphère sensuelles qui imprégnaient chaque particule d'eau, de pierre, d'air. Elle était détendue.

Après sa nuit perturbée la journée avait été étrangement calme. Cillian, plus attentionné que jamais l'avait couvée du regard, craignant une autre terrible migraine. Elle avait remarqué son inquiétude même s'il tentait de s'en défendre et l'avait rassuré confirmant que seule la luminosité l'incommodait un peu. Elle avait calé sur son nez ses lunettes de soleil en souriant comme une starlette. Après qu'il eut dit l'appel de Jason elle avait contacté la revêche assistante d'Angus Craig lui demandant de l'informer que Jason rencontrait Kanno demain et que sa présence à Belfast le dix-neuf avril serait très appréciée. Ils avaient bouclé une valise dans laquelle elle avait déposé la veste bleue. Le voyage avait été calme. Estelle s'était assoupie sur l'épaule de Cillian. Il l'avait serrée contre lui, dégagé une mèche rebelle de son visage. Il ne pouvait se séparer de cette appréhension latente qui l'accompagnait depuis plusieurs jours. Ne pas savoir ce qui allait se passer le rendait nerveux et vulnérable. Il serait son ombre pendant quarante-huit heures.

Le bateau s'était arrêté devant le ponton de l'hôtel. L'ancien moulin à farine, devenu l'un des hôtels emblématiques de Venise, étalait ses grandes façades en briques rouges de chaque côté de sa tour d'angle. À l'époque florissante de son activité, le Molino Stucky avait employé plus de mille cinq cents ouvriers. Ses toits crénelés lui donnaient l'allure d'un château fort moderne. Si l'architecture du bâtiment n'avait rien en commun avec celles des palais et des églises de pierre elle était cependant un repère incontournable de la cité. Dans un peu plus d'une demi-heure, le soleil se coucherait et Estelle ne voulait pas manquer le spectacle que l'on en avait de la terrasse du Skyline, le bar juché sur le toit de l'hôtel. Ils rejoignirent leur chambre, cossue, spacieuse avec vue imprenable sur le canal de la Giudecca et Venise. Cillian appréciait le confort et le pittoresque de l'endroit même s'il préférait sans aucune hésitation la couchette du Bendhu.

Elle ouvrit la valise et se changea rapidement. Elle avait enfilé une longue robe chemiser bleu ciel en soie imprimée d'un fin motif végétal, l'étoffe était à peine transparente. Elle avait gardé ses bottes et remonté négligemment ses cheveux avec un peigne. Elle disparut quelques secondes dans la salle de bains et revint en souriant, ses lèvres colorées de rouge carmin. Il était resté planté au bord du lit durant ces quelques minutes ; lorsqu'elle le regarda en fronçant les sourcils il s'empressa d'enfiler sa veste bleue.

Cinq minutes plus tard, ils admiraient Venise du haut de la terrasse, un spritz à la main. C'était un instant unique que celui de la fusion du ciel et de l'eau en une seule couleur de bleu que même la nuit ne pourrait transformer. La ligne des nuages se désagrégeait, les scintillements et les reflets des bâtisses, des lampadaires et des vaporettos dessinaient un serpent flottant et vibrant entre les cieux et les flots. Le campanile de San Marco et le dôme de Santa Maria della Salute hissaient leurs remarquables silhouettes vers le bleu intense. Les sons eux-mêmes s'atténuaient dans l'air dont on pouvait presque sentir l'épaisseur.

Après quelques minutes silencieuses, Estelle s'était rapprochée de Cillian et regardait son beau visage penché vers le panorama. Il se tourna vers elle.

— C'est magnifique !

Elle se serra contre lui et l'embrassa tendrement. Une onde inattendue de plaisir traversa son ventre. Elle se mordit la lèvre alors qu'il attrapait sa taille.

— J'ai faim. Si nous allions dîner ?

Lorsqu'ils arrivèrent à la Trattoria Altanella, une belle femme brune d'une cinquantaine d'années ouvrit un large sourire en apercevant Estelle.

— Oh Signora Estelle, Che piacere verderti ? Paolo ! Vieni a vedere chi c'é ?

— Bonsoir Alberta, je suis heureuse de te voir aussi, il y a si longtemps que je n'étais pas venue.

Alberta regarda Cillian avec intérêt puis Estelle.

— È il tuo... amico ?

— Si. Cillian, je te présente Alberta.

— Enchanté.

— Incantata…

Elle se tourna vers Estelle.

— É molto bello no ?! Tienilo per te.

Un homme élancé avec d'incroyables yeux verts ôtait son tablier de cuisinier et s'avançait en souriant vers Estelle. Il la prit dans ses bras avec une immense affection.

— Sei il sole della mia giornata Estelle. Ma ché piacere !

— Ignazio, tu n'es qu'un flatteur… Quel plaisir de te revoir !

Il observa Cillian en fronçant les sourcils puis se tourna vers Alberta.

— Devo temere la competizione ?

— Nessuna possibilità ! L'hai visto, davvero ?

Cillian se doutait qu'il était le centre de la petite conversation. Estelle le regardait malicieusement et il sentait combien la bienveillance de ces deux-là envers elle était sincère. Le dîner fut extraordinaire. La fraîcheur des poissons et des coquillages était sublimée par les inventions culinaires de Paolo. La polenta grillée fut un délice absolu et le Barolo blanc parfaitement fruité. Estelle avait dévoré Cillian des yeux au point qu'il se sentit presque timide lorsqu'elle glissa son pied sous la table et vint le remuer doucement entre ses jambes. Elle était belle, légèrement enivrée, il avait envie de l'embrasser.

— Est-ce que tu m'accompagnerais dans un ancien moulin à farine tout près d'ici ?

— Avec plaisir.

Elle se redressa hâtivement et enfila son manteau. Cillian se dirigea vers le comptoir où Alberta l'accueillit d'un geste de la main qui signifiait qu'ils étaient leurs invités. Puis elle le tira vers elle par le revers de la veste.

— Cillian, sarai gentile con lei !

Estelle était là.

— Il l'est, tellement… Ne t'inquiète pas. On se voit avant mon départ. Embrasse Paolo.

Alberta regarda Cillian de la tête aux pieds en soupirant.

— Si Bella… e… buona notte no ?!

Cillian lui adressa son merveilleux sourire et lui colla un baiser sur la joue. L'air un peu frais de la nuit avait accéléré leurs pas et ils furent très vite à l'hôtel. Ils demeurèrent immobiles, les bras ballants dans l'ascenseur et jusqu'à ce qu'ils soient dans la chambre ils ne prononcèrent pas une parole. Estelle avait ôté son manteau et ses bottes et se tenait devant la fenêtre. La lumière nocturne transperçait l'étoffe de sa robe. Il vint derrière elle et remonta sa main le long de sa cuisse. Elle soupira lentement avant de se tourner vers lui. Son regard était troublant.

— Cillian, j'ai… j'ai très envie de toi.

— Je l'ai remarqué vois-tu…

— Je… je ne sais pas comment… Je veux te voir…

Elle semblait presque inquiète. Cillian commença à se déshabiller. Elle le regardait intensément et lorsqu'il fut nu il resta debout devant elle en essayant de capter le sien. Elle s'immobilisa à quelques centimètres de lui.

— Je ne veux pas que tu bouges… en aucun cas.

Elle caressa ses lèvres avec le bout de sa langue puis l'embrassa suavement. Elle vint poser ses doigts sur sa bouche humide, toucha ses dents, puis l'embrassa encore. Il soupirait et souhaitait par-dessus tout la caresser même s'il aimait cette douce et sensuelle frustration. Puis elle vint sucer et mordiller ses tétons tout en effleurant le haut de ses fesses. Elle mordit soudain un peu plus fort et Cillian se cambra.

— Tu me fais mal Estelle.

Elle redressa la tête et il vit un fugace éclair sauvage dans son regard. Elle ne dit rien. Elle s'était assise sur la chauffeuse près de la fenêtre et attirait son ventre vers son visage. Son pénis était tendu de désir et il gémit lorsqu'elle le saisit par les hanches et le prit fougueusement dans sa bouche. Sa langue et ses lèvres enfiévrées le dévoraient et il sentait son plaisir sur le point d'exploser. Il se retira soudainement et souleva Estelle fermement. Elle haletait et elle le regardait comme s'il était une friandise.

— Tu me rends fou ! Faisons une pause tu veux ? Tu es une vraie diablesse…

Elle sourit enfin et sembla alors réaliser ce qu'elle faisait.

— J'ai dit quelque chose d'horrible, de déplacé ?

Il éclata de rire.

— Dit ? Estelle, tu as remarqué que j'étais nu ?

— Oui bien sûr, je me délecte de toi.

— En effet, intensément, furieusement même. Mais nous avons tout notre temps non ?

— Je peux enlever ma robe si tu veux.

— Je vais le faire. Dans quelques minutes. Quand nous aurons ouvert le champagne qui attend depuis notre arrivée.

— Je risque d'être un peu ivre ?

— Certainement.

Il ouvrit la bouteille qui était encore fraîche dans l'eau glacée et servit le champagne dans deux coupes. Il invita Estelle à s'asseoir sur le lit et lui tendit un verre. Ils hochèrent silencieusement la tête en se regardant. Estelle vida d'un trait sa coupe. Il fit de même avant de poser la bouteille au pied du lit. Il s'approcha d'elle et commença de déboutonner sa robe. Elle était nue sous la soie qu'il écarta pour prendre ses seins dans ses mains. La peau était d'une douceur extrême et les tétons s'étaient durcis instantanément au contact de ses doigts. Elle soupira en fermant les yeux. Il glissa la robe ouverte sur ses épaules. La blancheur de sa peau rayonnait dans la clarté nocturne. Il se pencha pour embrasser ses seins, d'abord doucement puis ouvrant grand sa bouche sur les mamelons excités. Estelle se cambrait sous les piques du désir. Il fit rouler la robe sous ses fesses et ôta délicatement sa culotte qui disparut le long de ses jambes.

— Allonge-toi et mets tes mains derrière la tête… Fais-moi confiance.

Il s'était agenouillé devant elle. Il glissa ses doigts le long de son ventre, lentement puis les déplaça vers l'intérieur de ses cuisses, ses caresses étaient infiniment douces puis il les ouvrit largement avant de presser sa bouche sur son sexe offert. Sa langue s'aventurait avec gourmandise et adresse. Il savait qu'elle voulait le toucher. Il releva la tête dans un souffle.

— Ne bouge pas ! Pas tout de suite.

Il la caressa encore quelques secondes jusqu'à ce qu'il sente leurs désirs ne faire qu'un. Elle eut un regard et un gémissement comme une imploration, il inspira profondément. Elle s'était levée, il s'était assis sur le bord du lit. Elle vint se poser délicatement sur lui en passant ses jambes de chaque côté de ses hanches. Il se fondit en elle et il fut impossible de stopper le déchaînement de plaisir qui explosait à chacun de leurs mouvements. Ainsi enlacés ils s'aimèrent de longues minutes. Alors il la souleva doucement et la renversa paisiblement sur le lit. Il s'était allongé près d'elle et lui tenait la main. Ils étaient souvent submergés d'émotion après avoir fait l'amour, mais ils l'étaient encore plus cette nuit. Estelle avait deviné leur trouble.

— Cillian, j'ai manqué de tact ce soir ?

— Pardon ?

— Je veux dire que… peut-être… Je n'ai pas été très délicate…

Il se tourna vers elle et prit son visage entre ses doigts.

— Peut-être un peu… Sauvage… Mais je t'aime aussi comme ça.

samedi 6 avril

Los Angeles

Jason était entré dans le Broad Contemporay Art Museum par l'incontournable installation Urban Lights de Chris Burden, qui était devenu un vrai symbole de Los Angeles. Le bad boy du Body art avait une passion pour la grande cité. Les deux cents lampadaires des années vingt et trente qu'il avait chinés pendant des années, érigés en sculpture totémique et monumentale sur le Wilshire Boulevard, dans un condensé architectural impressionnant, un temple de colonnes et de volutes chapeautées de lumière, plongeaient le passant dans l'âge d'or de la cité des anges qui avait poussé si vite et si intensément.

La commission d'acquisition venait de s'achever. Il avait eu du mal à convaincre le jury d'initier une politique d'achat tournée vers la jeune création. La collection Eli Broad n'avait plus besoin des grands noms de l'art contemporain, ce qu'elle possédait déjà depuis longtemps et qui était présenté ici au sein du LACMA avec beaucoup d'adresse et d'attrait pour le public. Il ne se lassait pas de prendre l'ascenseur vitré qui montait et descendait sur trois niveaux dans une cage envahie par les slogans de Barbara Kruger ou de déambuler parmi les pièces de John Baldessari. Il avait rejoint le bout de la passerelle du second étage et regardait l'iconique signe Hollywood qui surplombait la colline en face de lui.

Un déjeuner était prévu avec les membres du comité dont faisait partie Elizabeth Campbell, professeure d'histoire de l'art à l'Université de Californie qui avait insisté pour qu'il l'accompagne. La dernière fois qu'ils s'étaient rencontrés, elle avait tenté maladroitement de le séduire et il avait temporisé maladroitement son enthousiasme. Elle était intelligente, drôle, jolie et… mariée. Il n'était pas plus disposé aujourd'hui à se laisser amadouer même s'il pouvait aisément imaginer la qualité de leur échange. Il ne lui laissa donc pas le loisir d'être déçue puisqu'il déclina immédiatement et poliment son invitation. Elle l'avait regardé en haussant les épaules avec un petit sourire pincé.

L'image d'Estelle s'était immiscée dans son esprit et il en fut presque irrité. Il ne s'était jamais questionné sur toutes ces années où comme lui elle était restée seule et ne l'avait jamais imaginé à nouveau amoureuse. Mais ce qui se passait avec Cillian était d'une autre teneur, il peinait à articuler les mots « histoire d'amour ». Ce gars était dingue d'elle et Estelle avait enfin compris qu'il la troublait vraiment. Il avait vu cela immédiatement dès qu'ils s'étaient rencontrés tous les trois au bar de l'hôtel à Inverness. Il n'avait pas prévu cette situation alors qu'il venait à peine de la retrouver et de partager quelques moments précieux d'intimité. Il avait réagi comme un vieil amant arrogant et possessif. Il le regrettait évidemment, mais il avait aussi douloureusement pris conscience qu'Estelle aurait pu être la femme de sa vie. Ce qui l'agaçait le plus, c'était cette rumination mélancolique et inutile qui parasitait son esprit dans les moments les moins appropriés ou les plus inattendus. Il était sur le boulevard lorsqu'il s'échappa de la pensée d'Estelle. Il la savait à Venise et il l'espérait en sécurité avec Cillian. Il avait laissé Cassandre et Elian chez lui, l'endroit qu'il avait estimé le plus sûr pour elles deux jusqu'à son retour le lendemain matin.

Il avait rendez-vous avec Kanno à quinze heures. Sa villa se situait sur Macapa Drive à environ quarante minutes d'ici. Il acheta un burrito et un café et se dirigea vers Mulholand Drive juste pour profiter un moment du panorama spectaculaire sur la ville. Il arriva légèrement en avance, mais les grilles s'ouvrirent dès qu'il apparut.

Une longue allée bordée d'immenses palmiers et d'arbustes succulents menait à une bâtisse de style hispanisant dont les murs ocre et les portes sombres alourdissaient l'ensemble des volumes et des ouvertures déjà un tantinet théâtral. Une des deux grandes portes s'ouvrit et un jeune homme pâle aux cheveux noir de jais, entièrement vêtu de noir vint l'accueillir avec un large sourire qui contrastait tant avec sa rigueur physique et vestimentaire.

— Bonjour monsieur Gloves, je suis Edward, le secrétaire de monsieur Kanno. Il est impatient de vous recevoir.

L'intérieur de la villa était aussi dépouillé que l'extérieur était exubérant. Aucune peinture, aucune sculpture, aucune œuvre n'était visible et la sensation d'un vide immense envahit Gloves alors qu'il suivait l'assistant de Kanno au premier étage. Ce dernier l'attendait à l'extrémité d'un large couloir qui distribuait plusieurs pièces. Jason fut impressionné par sa taille. Il était grand et carré et si ce n'est cette attitude d'un homme éprouvé par quelques problèmes de santé récents, il demeurait dans ce physique la volonté et la dynamique qui avaient dû le caractériser totalement avant cette déchéance. Il accueillit Jason avec une simplicité et un plaisir non feints.

— Je ne pensais plus pouvoir vous rencontrer.

— C'est un grand plaisir pour moi monsieur Kanno.

— Appelez-moi Herbert s'il vous plaît. Je n'aurais pas imaginé il y a encore quelques semaines vous recevoir ici. Je ne sais pas par quoi commencer et…

— C'est grâce à Angus Craig que je suis ici aujourd'hui. Et je suis là pour vous aider, si vous le voulez bien.

Kanno l'invita d'un geste à entrer dans la pièce où il passait le plus clair de son temps depuis un moment. Une table, un fauteuil, un large canapé, des livres à même le sol et la « méchante » peluche de Mike Kelley posée sur une chaise que Jason reconnut aussitôt. Cela n'échappa pas à Kanno.

— Mon cadeau de mariage de Grosmann. La première sculpture de ma collection à laquelle je suis très attachée et peut-être la seule qui me restera juste pour ne pas oublier que j'ai cru être collectionneur.

Jason le regarda en fronçant les sourcils.

— Mais vous l'êtes. Grosmann n'a pas acheté les pièces que vous possédez.

— Il m'a beaucoup conseillé et souvent intelligemment je dois avouer, mais il m'a surtout manipulé pour que je devienne son chien fidèle, son sujet le plus docile, l'exécuteur aveugle de je ne sais quelles basses œuvres que son esprit tordu a conçues. Vous allez certainement avoir du mal à croire ce que je vais vous dire.

— Je ne pense pas malheureusement.

— Depuis de longs mois, je suis pris de violentes crises d'angoisse provoquées, je ne l'ai découvert que tardivement, par la proximité d'œuvres d'art. Elles se sont accentuées au point que mon seul soulagement était de les détruire. J'ai brûlé, crevé, découpé, cassé et récemment immergé un certain nombre d'entre elles qui étaient dans la maison. Je ne suis pas de nature dépressive ou anxieuse, ou du moins je ne l'étais pas. Je ne vous cacherai pas que le changement de vie après mon mariage m'a néanmoins perturbé. Cécilia, le monde de l'art, Los Angeles… Ma tête a tourné et je pense que Grosmann a saisi ce moment d'incertitude et de vertige. Il m'a fait croire à une sorte de bienveillance artistique en voulant me communiquer sa passion. Je me suis pris au jeu, sincèrement, sans méfiance, avec enthousiasme, même s'il fallait souvent supporter son cynisme et son arrogance, mais il l'est avec tout le monde. Il m'avait même recommandé son médecin qui avait suggéré que je prenne un petit « remontant », histoire de pouvoir retourner à mes recherches que j'avais quelque peu délaissées.

Il s'interrompit quelques secondes en regardant Jason en soupirant.

— Je n'ai parlé à personne de tout cela. Même pas à ma femme. Je devenais irascible, nerveux, l'effet contraire de celui auquel je m'attendais. Et puis il y a eu cette première alerte avec la toile de Doig que j'avais sous les yeux en permanence dans mon bureau. Je ne la supportais plus, j'avais envie de m'en débarrasser, enfin de la jeter dehors… J'ai appelé Craig à ce moment-là, un sursaut inutile de lucidité…

— Je connais la suite.

— C'est la première œuvre que j'ai détruite. J'y ai mis le feu dans le jardin. Je ne me souviens pas de ce qu'elle est devenue… Mon état a empiré, le docteur Higgins a changé le traitement. Je me suis installé ici, je ne voulais plus voir personne et surtout pas une œuvre d'art. C'est Cecilia qui a compris que quelque chose ne tournait pas rond. C'est elle qui a diminué les doses de médicaments. Mes crises d'angoisse et de destruction se calmaient et les maux de tête qui les accompagnaient systématiquement aussi. Il y a dix jours, après m'avoir avoué qu'elle était à l'initiative du nouveau dosage, elle m'a annoncé que j'arrêtais la thérapie. J'avais tant douté d'elle alors qu'elle me protégeait. Je me suis senti bien pendant trois jours au point de me croire capable de retourner dans mon bureau, mais au bout de quelques minutes le cauchemar m'a submergé et la violence de mon délire s'est abattue sur tous les objets qui étaient à ma portée et que j'ai balancés dans la piscine. Cécilia est arrivée peu après. Lorsque j'ai repris mes esprits, j'ai parlé à Grosmann, je l'ai menacé, je l'ai fait taire.

Il avait souri tristement et s'était tourné vers la fenêtre.

— Grosmann m'a empoisonné, mais je n'ai aucune preuve pour l'accuser.

— Mais les médicaments ?

— Disparus.

— Des complices ici ?

— Tout le monde à part Cécilia et Edward. Grosmann est capable de tout pour convaincre quelqu'un et l'argent reste un de ses arguments les plus persuasifs.

— Il saura donc très vite que je vous ai rencontré ?

— Peut-être pas. Un des employés n'a pas repris son poste depuis lundi et nous le soupçonnons d'être le voleur… Grosmann règle les choses méthodiquement une par une.

— Je suis moi-même menacé par cette histoire Herbert, mais nous tentons avec quelques amis, dont Angus Craig, de mettre fin à leurs agissements.

— Oh ! j'en suis vraiment désolé, j'aimerais pouvoir vous aider également…

— Viendriez-vous assister au vernissage de la première exposition de ma nièce à Belfast les dix-neuf avril prochain ?

Il avait été surpris par l'invitation, mais regarda Jason avec intérêt.

— Si cela peut vous être utile ?

— Bien plus que cela ! Nous pourrions ensemble les accabler et les abattre… publiquement. Mais nous devons rester prudents et surtout discrets. Deux de mes amis sont actuellement à Venise pour essayer de déjouer un de leurs traquenards.

— Je devais être à Venise ce week-end.

Jason comprit soudain que c'était Kanno qui devait être à Venise et qu'Estelle était tout simplement sa remplaçante.

— Excusez ma curiosité, mais il s'agissait d'un voyage d'agrément ?

— Non, pas vraiment. Grosmann m'avait organisé un rendez-vous avec le directeur de la Pointe de la Douane, un prêt d'œuvres pour une exposition à venir. Je n'étais pas vraiment rassuré même si j'avais commencé à baisser la dose de médicaments. Puis il y a eu ce dernier incident et j'ai coupé tout contact avec lui et son homme d'affaires.

— Berthelot ?

— Oui, vous le connaissez ?

— Pas personnellement, mais il est le bras droit de Grosmann, un bras d'acier…

— Il est aussi glaçant que Grosmann est grossier…

— Merci pour ces informations. Je suis inquiet pour mon amie Estelle qu'ils souhaitent piéger à Venise ce week-end, mais je n'en sais pas plus. Je…

— Je suis sincèrement désolé de ce qui arrive. Vous pouvez compter sur moi Jason. Je serai à Belfast le dix-neuf et vous savez comment me joindre. Vous avez peut-être un peu de temps pour jeter un œil sur les œuvres qui ont échappé à ma colère ?

— Avec plaisir.

Kanno avait esquissé un sourire plus détendu. Il invita Jason à le suivre dans le grand couloir épuré.

*
**

Venise

C'est Estelle qui avait fixé le rendez-vous en fin d'après-midi avec Marcus et Da Silva. Cillian l'avait accompagné le matin aux Giardini où avaient lieu sa journée d'études et la présentation de son projet. Il s'était assuré jusqu'à l'entrée de la salle où se déroulait la réunion qu'elle y était en sécurité. Il avait profité de ces quelques heures pour déambuler dans le vaste parc qui rassemblait les pavillons de quelque cinquante pays exposant depuis plus de cent ans des artistes sélectionnés pour les représenter. Certains des édifices avaient été construits il y a plus d'un siècle et il régnait dans ces jardins vides une espèce de trouble anachronique. Puis il avait rejoint le bord de la lagune et laissé son regard filer au gré du trafic des vaporettos, des barques et autres véhicules flottants qui parcouraient Venise. La lumière légèrement voilée prodiguait ses reflets verts et gris sur l'eau dansante et il avait eu l'envie que le Bendhu puisse naviguer en ces flots remarquables.

Ils avaient convenu qu'elle rencontrerait les deux hommes à l'Osteria Al Squerro dans le quartier de Dorsoduro, un lieu animé et populaire, très fréquenté par les étudiants de l'Académie des arts de Venise et situé juste en face d'un atelier de restauration de gondoles. Estelle savait que Cillian apprécierait l'endroit et l'ambiance. Ils avaient décidé également qu'il resterait à distance pour ne pas être repéré par Da Silva.

Il était dix-sept heures quand elle le rejoint sur le ponton des Giardini. Elle arborait un sourire resplendissant et Cillian sut immédiatement que sa proposition avait été pleinement approuvée. Il avait hâte que ce fichu rendez-vous ait lieu même s'il redoutait ce qui allait s'y passer. Ils ne prirent aucun risque et n'arrivèrent pas ensemble sur place. Ils avaient vu juste, car Joachim da Silva et Marcus étaient déjà là. Elle s'approcha d'eux alors que Cillian restait à distance.

— Bonsoir Estelle. Cet endroit est... pittoresque... Comme tu les aimes non ? Tu sais que le spritz est servi dans un gobelet en plastique si tu restes à l'extérieur ?

— Bonsoir Joachim. Tu aurais certainement préféré aller prendre un verre au Danieli ? Bonsoir Marcus.

— Bonsoir Estelle. Cet endroit est parfait. Tu bois un spritz ?

— Avec plaisir.

— Et tu souhaites rester dehors ?

— Évidemment !

Marcus se fraya un chemin jusqu'au comptoir du bar déjà très fréquenté à cette heure et commanda un spritz. Lorsque le gobelet aux reflets orangés fut prêt, il sortit discrètement les deux capsules de sa poche, l'animation était telle que personne ne pourrait voir sa manipulation. Il avait bu deux whiskies avec Da Silva avant de rejoindre le Squerro et se sentait audacieux, presque sûr de lui. Il libéra le contenu de la première capsule et alors qu'il amorçait le même geste vers la seconde gousse il la remit précipitamment dans la poche de son manteau. Il ne pensa pas un seul instant aux conséquences de cette décision, mais il se sentit soulagé de l'avoir prise. Il revint au bord du canal avec un large sourire sur les lèvres et tendit le spritz à Estelle qui avait, semblait-il, une conversation plutôt tendue avec Da Silva. Ce dernier observa attentivement Marcus qui lui fit un imperceptible signe de tête.

— Estelle, retrouve-moi demain matin à la Pointe de la Douane. Tu ne seras pas déçue, c'est un collectionneur qui te plaira, ses idées vont te séduire et cette revue sera géniale, même Gloves sera abasourdi.

— Ne te réjouis pas à l'avance Joachim, mais je viendrai, nous aviserons ensuite.

— L'essentiel est que tu viennes, le reste aura lieu…

— Toujours sûr de toi n'est-ce pas ?

Marcus assistait à la joute sans broncher. Il savait seulement qu'il venait peut-être de changer le cours des événements à venir et cette perspective le rendait momentanément joyeux. Estelle dégustait son apéritif.

— Je te vois aussi demain Marcus ?

— Certainement.

Da Silva s'impatientait. Il détestait ce genre d'endroit.

— À demain Estelle. Onze heures. Bonne soirée

Elle les regarda s'éloigner. Quand ils furent hors de sa vue, elle se tourna là où s'était posté Cillian et le trouva en grande conversation avec une jeune femme charmante qui semblait beaucoup apprécier sa compagnie. Il capta son regard et lui adressa un de ses sourires diaboliques. Elle s'approcha lentement d'eux. Il l'attrapa par la taille dès qu'elle fut à sa portée et la fille fut un peu décontenancée par la fougue avec laquelle il venait de l'embrasser. Elle le salua poliment et s'éloigna vers l'intérieur du bar.

— Tu es un goujat. Cette jolie fille nourrissait quelque espoir…

— Je pense aussi oui… Alors, dis-moi.

— Demain, onze heures Pointe de la Douane.

— C'est tout ?

— Oui pour l'instant. Et maintenant ?

— Je pensais que nous pourrions…

Il s'approcha d'elle et l'attira vers lui en approchant sa bouche de la sienne.

— Hummm… Aller dîner non ?

Ils se retrouvèrent peu après chez Alberta et Ignazio qui apprécièrent leur présence amicale et amoureuse. Il était à peine vingt et une heures trente quand ils rejoignirent leur hôtel.

— Un dernier verre ?

Il n'y avait pas eu de dernier verre. Le vin du dîner les avait gentiment enivrés et Cillian était impatient de l'aimer. Elle succomba à son tumultueux désir et quand ils furent repus l'un de l'autre, ils s'endormirent enlacés sans plus penser à ce qu'il adviendrait le lendemain.

— Elle est toujours aussi exaspérante. Vous n'auriez pas dû lui laisser le choix de notre lieu de rendez-vous.

Da Silva marchait vite sans même un regard pour Marcus. Il avait l'air contrarié et ses yeux naturellement noirs étaient encore plus sombres.

— Elle sera moins à l'aise demain. Elle a toujours eu cette façon agaçante de discuter avant d'accepter quelque chose.

Marcus ne pouvait s'empêcher d'être un peu d'accord avec Da Silva. Il sentit la capsule dans sa poche et se demanda ce qui allait arriver à Estelle avec cette demi-dose.

— Berthelot vous a dit que le produit que vous avez offert à Estelle a été légèrement amélioré pour garantir son plein effet ?

Marcus s'arrêta net et sortit brutalement de sa méditation. Il ferma le poing sur la goutte de poison. Il répondit en essayant de contenir sa colère.

— Non. Cela aurait été la moindre des choses. Nous étions d'accord sur les risques que…

— Calmez-vous ! Elle sera juste un peu plus sonnée que prévu. Vous l'appréciez tout compte fait. Vous n'aviez pas programmé de vous en prendre à elle n'est-ce pas ? Cette aventure est pleine de rebondissements et d'imprévus. C'est ce qui la rend excitante vous ne trouvez pas ?

— Je suis plus rationnel et je n'aime pas les surprises.

— Vous dînerez peut-être avec moi ?

— Pourquoi pas.

Marcus n'avait pas envie de se retrouver seul à ruminer ses craintes et ses faiblesses et il était curieux d'appréhender Da Silva un peu plus, de voir peut-être autre chose sous la suffisance permanente.

dimanche 7 avril

Venise

Elle regardait le rameur en haut de forme de Gustave Caillebotte, assise en face de lui dans la barque. L'homme avait posé son veston, remonté les manches de sa chemise rayée et tirait vers lui les deux rames du bateau. Il regardait sur la droite, la bouche et le menton volontaires, le haut de forme coiffant une belle tignasse châtain. Alors qu'elle observait la petite tache sombre sur son genou, elle entendit clairement le clapotis des rames dans l'eau et le chant des oiseaux. Elle releva la tête et vit que l'homme n'était autre que Cillian. Il manœuvrait énergiquement et regardait obstinément sur sa droite. Elle lui dit quelques mots qu'elle n'entendait pas. Cillian tourna la tête vers elle. Son visage se crispa en un épouvantable rictus de méchanceté. Il criait son nom à tue-tête sans interruption et sa bouche s'éclairait d'un sourire effrayant qui le rendait méconnaissable. Ses mains peintes se raidissaient comme s'il se retenait de la frapper.

La barque de droite, celle qui figurait dans la peinture, s'avançait vers eux, les deux hommes se retournèrent, Gloves était l'un d'eux et il se mit à l'invectiver avec autant de haine et de rage que Cillian. Au moment où les deux embarcations se croisèrent, Cillian salua Gloves en ôtant son chapeau d'un geste élégant. Il le posa près de lui sur le veston. Il passa sa main dans ses cheveux et lorsqu'il regarda à nouveau Estelle, un filet de sang coulait de son nez et glissait sur sa lèvre supérieure. Il l'essuya avec le bout de son doigt qu'il mit dans sa bouche lentement sans la quitter des yeux.

Estelle se réveilla en sursaut, totalement désorientée. Le jour n'allait pas tarder à abandonner la nuit. Elle s'était assise. Elle aperçut Cillian près d'elle dans un sommeil paisible comme il l'était souvent. Son visage était serein et aucun filet de sang n'avait coulé de son nez. Elle ferma les yeux quelques secondes pour reprendre ses esprits. En les rouvrant, elle sentit qu'ils étaient douloureux. Elle se sentait imperceptiblement oppressée. Il passa doucement une main apaisante le long de son dos.

— Il est si tôt, tu devrais dormir encore un peu. Viens près de moi.

Elle se blottit contre lui.

— J'ai fait un cauchemar affreux. Tu voulais me faire mal... Jason voulait me faire mal...

— Jamais je ne pourrai te faire mal. Jamais... Pas plus que Jason...

Il la serra un peu plus contre lui. Elle resta ainsi les yeux grands ouverts, ne pouvant effacer l'image du visage terrifiant de Cillian.

Elle avait dû porter ses lunettes de soleil lorsqu'ils avaient quitté l'hôtel. La lumière était éblouissante et elle ne pouvait supporter son éclat. Elle n'avait pas pu se débarrasser du souvenir pesant de son rêve et son humeur était chagrine. Cillian avait perçu son malaise et tentait en vain de la détendre, inquiété depuis son réveil par son attitude taciturne et silencieuse. Il était d'autant plus inquiet que Jason lui avait laissé un message lui dévoilant que c'était Kanno qui devait être aujourd'hui à Venise et lui demandant de ne quitter Estelle sous aucun prétexte. Il avait alors décidé de rester à ses côtés et de l'accompagner à la Pointe de la Douane. Elle n'avait pas réagi à ce changement de programme et sembla même apprécier qu'il la prenne gentiment par l'épaule.

C'est Da Silva qui les aperçut. Il se tourna brusquement vers Marcus qui les avait vus aussi.

— Mais qu'est-ce que c'est que ça ?

— Un fiancé de dernière minute peut-être ??!!

— Pas le genre d'Estelle… Mais soit, nous n'avons plus le choix.

Dès qu'Estelle vit Marcus et Da Silva, elle se détacha de Cillian sans ménagement et s'avança vers eux. Cillian un peu décontenancé était resté en arrière en essayant de capter le regard de Marcus. Ce dernier cligna des yeux vers lui pour le rassurer. Estelle se tourna encore une fois vers Cillian comme si elle s'était soudain rappelé sa présence. Elle avait retiré ses lunettes et son regard était préoccupé. Il se tenait à distance alors qu'ils se dirigeaient vers les espaces d'exposition. Elle semblait s'être raidie et marchait de plus en plus lentement, Marcus et Da Silva la ceinturant. Cillian sentait que quelque chose n'était pas normal et qu'il devait intervenir d'une manière ou d'une autre. Il accéléra et les rejoignit en prenant Estelle sous le bras.

— Vous ne verrez pas d'inconvénient à ce que j'accompagne mon amie.

Da Silva fut tellement surpris qu'il ne s'interposa pas et Marcus soupira discrètement de soulagement devant la pirouette de Cillian. Seule Estelle n'avait pas vraiment réagi. Lorsqu'il la regarda elle était étonnement pâle et son mutisme incompréhensible. Ils grimpèrent l'escalier qui menait aux salles supérieures. Cillian jouait le compagnon attentionné, mais il voyait bien qu'Estelle n'était pas dans son état normal, la sueur perlait sur son front, ses épaules frissonnaient. Ils suivirent Da Silva et Marcus dans la grande salle baignée par la lumière d'une fenêtre en plein cintre où étaient installées les œuvres des deux artistes britanniques Cerith Wyn Evans et Ann Veronica Janssens. Un grand lustre de Murano à pampilles suspendu à hauteur d'yeux clignotait par intermittence au rythme d'une bande-son discrète, une flaque presque fluorescente de poussière de paillettes s'étalait sur le pavement vers l'extrémité de la salle, sublimée par la lueur aquatique de la lagune.

Estelle se cabra et respira soudain plus fort en plissant les yeux. Elle s'écarta de Cillian. Elle paraissait déterminée et hésitante à la fois, elle tremblait à présent. Da Silva s'était reculé et l'observait avec le plus grand intérêt. Lorsqu'elle se jeta en expirant bruyamment sur le lustre, Cillian eut le réflexe de l'attraper fermement par la taille. Elle se retourna à toute vitesse, les yeux hagards et se déchaîna sur lui comme une furie. Elle lui griffa violemment le visage et lui asséna un puissant coup de pied dans le tibia. Il était totalement abasourdi et faillit bien la lâcher tant elle était incontrôlable. Mais il ne céda pas à ses assauts impitoyables et sa force stupéfiante. Elle parvint dans son agitation extrême à frapper violemment le lustre avec un de ses bras, fracassant des dizaines de pampilles qui la coupèrent au passage. Cillian réussit enfin à bloquer ses deux bras. Elle se débattait de toutes ses forces, soufflant et grognant en martelant ses jambes de coups de pied. Elle lui flanqua un incroyable coup de tête dans les côtes qui lui coupa le souffle quelques secondes. Il avait peur, il savait qu'il ne devait plus la lâcher. Il l'éloigna enfin du lustre. Marcus s'approcha alors de lui en tentant d'attraper maladroitement les pieds d'Estelle qui gesticulait toujours. Deux agents de sécurité s'avançaient vers eux avec prudence. Elle semblait se fatiguer. Elle était d'une pâleur effroyable. Elle se tétanisa soudain bloquée par Cillian et se mit à vomir douloureusement. Il desserra l'étau de ses bras et la porta près de la fenêtre. Avant qu'elle ne perde connaissance, elle lui lança un regard empli d'effarement et d'incompréhension. Des larmes roulaient sur ses joues enflammées. Il vit Da Silva, immobile, qui les observait curieusement, presque déçu, avant de disparaître à travers la foule qui avait commencé de s'attrouper à proximité.

Il ne laissa pas les deux agents s'approcher d'elle, mais leur intima d'appeler une ambulance. L'un d'eux s'éloigna alors que l'autre évacuait les curieux. Cillian avait posé Estelle sur le sol et l'avait recouverte avec sa veste. Elle s'était mise à trembler violemment et fut prise à nouveau de nausée. Elle saignait du nez et plusieurs coupures striaient son bras gauche. Il lui souleva la tête pour qu'elle puisse vomir sur le sol. Il essaya sa bouche avec le foulard qu'elle avait laissé tomber. Il avait peur. Un homme vint vers eux calmement. Il s'agenouilla près d'Estelle et adressa un sourire apaisant à Cillian.

— Je suis Jean de Gallereau, le directeur de la Pointe de la Douane. Vous êtes Cillian O'Lochlainn ?

Cillian hocha la tête.

— On m'a fait savoir que votre amie et vous étiez des amis de Jason Gloves et que vous aviez besoin d'aide. Que puis-je faire pour vous ?

Cillian regarda précipitamment autour de lui. Marcus avait disparu lui aussi.

— Il faut emmener Estelle à l'hôpital immédiatement. Je…

— L'ambulance sera là dans quelques instants. Détendez-vous.

Les spectateurs avaient été dispersés. Cillian était seul avec sa colère et Estelle dans ses bras, toujours secouée de spasmes éprouvants. Il sentait la brûlure de ses griffes sur son visage. Le grand lustre abîmé se balançait encore en clignotant irrégulièrement.

— Qui vous a prévenu ?

— Un homme a demandé au personnel de l'accueil de me transmettre le message avant de partir précipitamment.

Ce devait être Marcus. Cillian ne pouvait imaginer que Da Silva, qui avait assisté à la scène comme s'il s'agissait d'un spectacle, ait pu faire preuve d'une quelconque sympathie à leur égard. La confusion qui avait alors envahi son esprit l'empêchait de comprendre le jeu et le rôle de Marcus. Il n'avait pas su protéger Estelle et lui éviter ce danger et il s'en voulait terriblement. Un homme et une femme s'approchaient rapidement avec une civière. Il saisit la main d'Estelle qui ouvrit enfin les yeux. Il passa ses doigts dans ses cheveux collés par la sueur. Il lui sourit tendrement et embrassa son front brûlant. Puis il la laissa aux soins des ambulanciers qui la posèrent délicatement sur le brancard. Il récupéra sa veste avant qu'ils ne l'enveloppent dans une couverture de survie. Au moment où ils la soulevèrent, elle essaya de se redresser en murmurant son nom. Il s'approcha d'elle.

— Tout va bien Estelle, tout va bien…

De Gallereau avait posé sa main sur l'épaule de Cillian.

— Accompagnez-la. Voulez-vous que je prévienne Gloves ?

— Non je vous remercie, je le ferai. Merci pour votre aide

— Je vous en prie. Donnez-moi de vos nouvelles s'il vous plaît.

Il avait patienté plus d'une heure avant qu'un médecin ne prononce son nom dans le hall d'attente. Il s'était approché de lui le visage marqué par l'inquiétude.

— Votre épouse va bien. Elle a eu de la chance. La dose de psychotrope qu'elle a ingurgitée était puissante et je dois avouer qu'elle y a été étonnamment résistante. Nous devons surveiller la forte inflammation de ses yeux. Sa vue est pour le moment altérée par l'effet de la drogue. Elle a demandé à vous voir. Chambre cent sept, juste en face.

Cillian avait souri de soulagement. Il s'élança dans le couloir. Il poussa doucement la porte de la chambre. Estelle semblait dormir, mais elle l'entendit et ouvrit les yeux.

— C'est toi Cillian ?

Il s'approcha du lit et vint s'asseoir près d'elle. Ses yeux étaient rouges et larmoyants, elle était épuisée. Il devina qu'elle voyait mal. Il remit en place une mèche de ses cheveux. Elle sourit alors qu'il lui prenait la main et la portait vers sa bouche pour l'embrasser.

— Comment te sens-tu ?

— Anéantie. Perdue…

Sa voix n'était qu'un murmure. Il vint poser sa tête sur sa poitrine. Il sentait les battements encore rapides de son cœur et sa main douce qui venait de caresser sa nuque. Il releva son visage.

— Tu me vois ?

— Oui, tu t'es battu avec quelqu'un ?

Il ne put s'empêcher de sourire. Il posa un doigt sur la méchante griffe qui balayait sa joue.

— Oh ça ? J'ai tenté de séparer un lustre vénitien et une furie de Belfast…

Elle fronça les sourcils en signe d'incompréhension. Cillian réalisa alors qu'elle ne devait peut-être pas se souvenir de tout ce qui venait d'arriver.

— Je t'expliquerai plus tard. Tu dois te reposer maintenant. Je t'aime.

Elle lui sourit. Elle ferma ses yeux qui pleuraient. Il se pencha et l'embrassa délicatement. Il lécha une larme salée au coin de sa bouche.

Marcus avait rejoint son hôtel très vite. Il était encore sous le choc de ce qui venait de se passer et ne pouvait se débarrasser de l'image insupportable d'Estelle totalement traumatisée dans les bras de Cillian. Da Silva était installé au bar sirotant un Prosecco. Il lança un regard incendiaire à Marcus.

— Vous lui avez tenu la main ?

Marcus était blême de rage.

— Vous êtes une ordure comme je n'en ai pas rencontré souvent. Si ce type n'avait pas été là, que serait-il arrivé à Estelle ?

— La même chose sûrement, mais elle aurait par contre achevé son travail et le spectacle aurait été moins pathétique. Nous espérions du grandiose et nous avons juste vu quelques pampilles de Murano se briser sur le sol… Vous ne deviez pas intervenir Garbot ! Qu'est-ce qui vous a pris ?

— Je suis lâche, mais pas totalement dénué d'attention. Et puis, je vous rappelle que nous étions avec elle. Qui pourrait bien ne pas intervenir en pareille situation, à part vous bien sûr.

— On pourra vous reconnaître !

— Vous croyez vraiment que son ami ne se souviendra pas de nous ?

— Vous l'en dissuaderez.

— Vous l'avez bien regardé ? Ce gars ne laissera personne l'intimider.

— Je vous pensais plus pugnace Garbot. Berthelot m'a vanté votre arrogance et votre zèle. L'admiration que vous portez à Gloves et l'affection que vous avez pour Estelle vous joueraient-elles un mauvais tour ?

La perspicacité de Da Silva déstabilisait Marcus et il devait reprendre ses esprits au plus vite.

— Gloves sera bientôt à terre et mon admiration pour lui aura un goût différent et plus savoureux. Quant à Estelle, en effet je n'avais pas imaginé lui nuire de cette manière aussi violente et oui je le regrette. Alors j'espère que tout cela n'aura pas été vain pour notre projet. Je crois bien qu'il faudra compter dorénavant avec ce grand « fiancé ».

Da Silva ne l'avait pas quitté des yeux et il fut presque convaincu par la tirade de Marcus.

— Vous connaissez Murray Dunne ?

— Bien sûr, je l'ai rencontré deux fois en Irlande.

— Je crois qu'il connaît bien Cillian O'Lochlainn, le « fiancé » d'Estelle. Il ne vous en a pas parlé ?

— Non. Il aurait peut-être dû. Ou vous auriez pu le faire ce matin si vous le connaissiez. Nous aurions pu agir différemment si je l'avais su.

— Je ne le connais pas. Simple déduction. Estelle ne vous avait pas dit qu'elle serait accompagnée ?

— Non plus ! Vous étiez avec moi samedi soir, nous l'aurions remarqué non ? Il ne passe pas vraiment inaperçu ?

Da Silva ne parvenait pas à confondre Marcus. Il pressentait une faille, une duplicité qui l'empêchait de lui faire totalement confiance. Mais il devait à présent prévenir Berthelot et savait que l'échec vénitien provoquerait sa colère.

*⁎⁎

New York

Jason essayait depuis un moment de joindre Estelle, sans réponse. Il était arrivé quelques minutes plus tôt à JFK. Son inquiétude n'avait fait que croître durant tout le vol. Son taxi roulait à vive allure sur le pont de Brooklyn. Cillian n'avait pas répondu à son message. Il décida de l'appeler. Il fut heureux qu'il décroche aussitôt, mais son soulagement fut de courte durée lorsqu'il entendit le récit effroyable de la matinée à la Pointe de la Douane. Cillian l'informa qu'Estelle pourrait quitter l'hôpital dans quarante-huit heures et qu'il comptait l'emmener se reposer quelques jours à Ballintoy avant que Cassandre n'arrive à Belfast. Jason était très mal à l'aise et ne savait pas ce qu'il devait faire. Il n'avait pas imaginé un tel scénario. Il intima cependant Cillian de ne rien révéler de la présence de Marcus et de Da Silva à Venise à qui que se soit. Il appellerait De Gallereau dans la journée. Dans trois semaines se jouerait le dernier acte de cette folie qui réclamerait la présence de tous ses acteurs. Les risques qu'avait pris Estelle étaient démesurés et Cillian avait prévenu Jason qu'il n'y en aurait aucun autre.

Quand il arriva chez lui un mal de tête avait commencé à serrer son crâne. Il était un plus de neuf heures et Cassandre était déjà levée. Plusieurs grandes feuilles de papier étaient étalées sur le sol du salon et des fragments de paysages aux couleurs intenses se dévoilaient sous les pinceaux et les gouaches. Elle lui sourit dès qu'il franchit la porte.

— Je voulais être là pour ton retour. Tu as l'air fatigué…

Il posa son sac. Il l'embrassa et s'installa dans le canapé en grimaçant un peu.

— C'est une joie d'être accueillie par toi. J'ai un épouvantable mal de tête.

— Alors tu es contrarié. Ça ne s'est pas bien passé avec Kanno ?

— Si très bien. C'est Estelle. Il y a eu un problème à Venise…

Il ne parvenait pas à en parler. Il prit son crâne entre ses mains et soupira bruyamment.

— Je n'aurais pas dû laisser faire ça…

Cassandre s'approcha de lui. Elle ne l'avait jamais vu aussi affecté et s'en inquiéta.

— Que s'est-il passé ? Il lui est arrivé quelque chose ?

Il lui expliqua rapidement le douloureux accident. Il ne pouvait s'empêcher de s'infliger la plus grande part de la responsabilité de ce guet-apens.

— Jason arrête ! Tu n'es pas responsable ! Et puis Cillian était et est avec elle, elle ne risque plus rien maintenant.

— Je ne l'ai même pas remercié, c'est…

— Bon OK. Je te prépare une aspirine et tu vas dormir un peu. Tu ne peux rien faire de toute façon pour l'instant.

— Cassandre, ils sont capables de tout. Ils ont atteint Estelle, je ne me pardonnerai pas qu'il t'arrive quoique ce soit.

— Nous sommes ensemble et c'est ce qui compte le plus.

Après deux heures d'un repos nerveux, Jason s'était éveillé libéré de sa migraine. Il avait appelé Jean de Gallereau. Il le rassura d'abord sur l'état d'Estelle. Puis il lui révéla toute l'histoire en espérant qu'il réussirait à faire passer ce lamentable épisode pour un accident. Il lui confirma enfin son entière collaboration avant de l'informer qu'une vidéo réalisée par un des visiteurs avait été postée sur les réseaux sociaux. Fort heureusement la prise de vue et la piètre qualité de l'image ne permettaient pas d'identifier les protagonistes de la scène. Il s'assurerait également que ce regrettable accès de démence ne fasse l'objet d'aucune enquête judiciaire.

lundi 8 avril

Venise

Marcus avait rejoint Cillian au Molino Stucky vers treize heures trente. Il l'avait appelé un peu plus tôt pour savoir comment aller Estelle. Bien qu'il ait été surpris et plutôt réticent, Cillian avait accepté de le rencontrer espérant bien comprendre qui il était vraiment. Il était impatient de retrouver Estelle dont il avait eu des nouvelles rassurantes de la part de l'hôpital. Il la rejoindrait aussitôt son entrevue avec Marcus terminée. Il ne l'avait vu qu'une seule fois, mais il lui sembla que sa pâleur était permanente. Il l'attendait dans un des salons de l'hôtel et se leva dès qu'il apparût. La tension était palpable. Ils se serrèrent la main, mais la mâchoire de Cillian était crispée.

— Je suppose que vous avez une explication à me donner ?

Pour toute réponse, Marcus sortit la capsule de sa poche et la tendit à Cillian qui la saisit avec hésitation. Après quelques secondes d'observation, il le fixa d'un air dubitatif et méfiant. Marcus déglutit avant de répondre.

— C'est la seconde capsule, celle que je n'ai pas mise dans le verre d'Estelle…

Il n'eut pas le temps de poursuivre. Cillian venait de lui décocher une droite en pleine mâchoire qui le fit vaciller. Une femme qui passait par là s'éloigna en hâte lorsqu'elle assista à la correction. Marcus se redressa et le regarda en soupirant. Il sentit le sang affluer dans ses narines. Il essuya son nez d'un revers de la main.

— Je regrette tellement ce qui est arrivé, mais grâce à nous et à cause de moi, ils n'ont pas obtenu ce qu'ils souhaitaient et les fissures dans leur édifice tordu leur sont de plus en plus préjudiciables.

Cillian se rappelait les paroles de Jason, mais il lui était difficile d'accepter l'évidence. Il regardait Marcus avec mépris.

— J'ai besoin de savoir, vous étiez prêt à aller jusqu'où ?

— J'y suis allé. Dites la vérité à Estelle.

Il partit sans un autre mot. Cillian le regarda s'éloigner. Il ne savait plus exactement quoi penser. Il fixait la capsule qui roulait au creux de sa main.

Il arriva à l'hôpital San Giovanni et Paolo vers quatorze heures trente. Il traversa l'immense salle aux colonnes puis se dirigea vers la chambre d'Estelle. La porte était entrouverte, elle était assise sur le lit et regardait vers la fenêtre.

— Bonjour Cillian O'Lochlainn.

Elle n'avait ni bougé ni tourné la tête. Il vint s'asseoir près d'elle sur le lit. Il prit sa main qu'elle avait posée sur sa cuisse. Elle tourna son visage vers lui. Elle était extrêmement pâle, ses yeux encore irrités brillaient d'un éclat étrange. Son sourire était d'une douceur incroyable. Il l'attrapa délicatement par le cou et embrassa sa bouche. Ses lèvres étaient un peu sèches.

— Comment te sens-tu ?

— Je ne veux pas rester ici, je veux que nous partions… Maintenant.

— Estelle, je ne sais pas si…

— Le médecin est d'accord. Je serai juste fatiguée…

Il la serra soudain dans ses bras puis planta ses yeux bleus dans les siens en la maintenant par les épaules.

— Estelle, j'ai eu si peur, je n'ai pas su te protéger et...

— Je me souviens maintenant de ce qui est arrivé et je me souviens aussi que tu étais là non ? Je sais aussi pourquoi tout cela a eu lieu et je crois même savoir que c'est Marcus qui a dû accomplir cette sale besogne...

— Je lui ai mis mon poing dans la figure il y a moins d'une heure.

Elle n'avait pu s'empêcher de sourire lorsqu'il avait passé sa main dans ses cheveux en prononçant ces mots.

— Rentrons en Irlande s'il te plaît.

— Nous ne pourrons pas partir avant demain matin. J'ai gardé la chambre au Molino. Je t'aide à te préparer.

Elle se leva. Elle portait encore la tunique de l'hôpital lacée uniquement dans le cou et il aperçut brièvement ses fesses. Elle fut prête en quelques minutes. Il vit la fatigue de tout son corps. Ils étaient rentrés directement à l'hôtel. Elle était simplement épuisée par ce court trajet. Elle se déshabilla et se glissa dans le lit aussitôt. Elle attira Cillian près d'elle et se blottit contre lui. Elle s'endormit dans les minutes qui suivirent. Il sentait sa poitrine se soulever contre son flanc. Lorsqu'elle fut profondément ensommeillée, il rédigea un message à Lorna et Michael pour les avertir de leur présence prochaine à Ballintoy.

Estelle fut secouée de sursauts nerveux et l'un d'eux la réveilla brusquement. Elle était désorientée lorsqu'elle ouvrit les yeux, mais la présence de Cillian la rassura aussitôt. Elle lui sourit gentiment avant de se redresser et de sortir du lit. Elle était nue. Il vit les hématomes qui couvraient ses jambes et sa taille, son bras gauche encore strié de coupures. Il vint l'enlacer tendrement. Elle soupira.

— Je ne pensais pas t'avoir serrée si fort... Je suis tellement désolé.

Elle passa un doigt le long de la longue griffe qui barrait sa joue.

— Tu es une vraie furie Estelle Rambrant. J'ai eu le souffle coupé quand tu m'as donné un coup de tête dans la poitrine et j'ai dû te serrer plus fort.

— Je voulais savoir si tu savais te battre…

Elle le regardait avec un air malicieux. Il sourit de même et colla sa bouche sur la sienne. Elle se cambra légèrement. Il posa ses mains sur le bas de son dos, sa peau si douce.

— Allons dîner chez Alberta et Ignazio !

— Avec plaisir !

Ils avaient dîné en compagnie des bienveillants amis italiens. Estelle se fatiguait vite et ils rejoignirent l'hôtel rapidement. Ils s'étendirent l'un contre l'autre, profitant de la chaleur apaisante de leurs corps. Elle s'endormit aussitôt. Cillian la regarda un long moment avant de sombrer dans le sommeil. Il y eut encore un réveil apeuré et fiévreux au milieu de la nuit.

mardi 9 avril

Londres

Marcus était arrivé la veille dans la soirée. Il devait retrouver Da Silva en fin de matinée chez lui. L'accident de dimanche avait certainement chamboulé le programme et il se demandait ce que ce prochain rendez-vous lui réservait. Il avait le souvenir encore cuisant du poing de Cillian sur son visage et sa culpabilité envers Estelle lui semblait indélébile. Il avait décidé de la contacter dès qu'il serait de retour à Belfast même s'il devait une fois de plus subir la colère de son compagnon. Il marchait lentement dans Brick Lane et s'étonnait que Da Silva puisse vivre dans ce quartier. Il avait perçu toute la complexité du personnage, mais n'en demeurait pas moins dégoûté par son cynisme et sa cruauté. Il arriva quelques minutes en avance. Da Silva ouvrit la porte en esquissant presque un sourire, mais ses yeux noirs coloraient en permanence son visage d'une gravité sombre et perturbante. Il conduisit Marcus sans un mot vers une immense pièce dont un des murs était occupé par une impressionnante bibliothèque de livres d'art. L'endroit était plutôt chaleureux et un peu brouillon. Objets, dessins, petites peintures, photographies et gravures envahissaient les tables, consoles et autres murs. On devinait un long couloir au bout de cet espace animé. Da Silva l'invita à s'asseoir dans un vieux canapé en cuir qui tournait le dos à la bibliothèque et partit chercher du vin. Marcus se leva pour jeter un œil sur les livres qui emplissaient les rayonnages.

Il y avait là une collection fantastique d'essais sur l'art contemporain et l'histoire de l'art, de catalogues d'expositions et de musées, de monographies... Marcus ne pouvait comprendre comment un homme si cultivé et si intelligent avait pu rejoindre cette funeste organisation. Sa haine pour Gloves était-elle à ce point féroce ?

— Vous vous demandez pourquoi je fais tout cela n'est-ce pas ?

Marcus fut surpris par sa présence et se tourna rapidement. Il lui tendit un verre de vin rouge.

— Peut-être.

Un homme en costume et cheveux gris venait d'entrer dans la pièce et s'avançait vers Marcus, un désagréable petit sourire narquois au coin des lèvres.

— Parce qu'il est plus intelligent et plus déterminé que nous tous. Jacques Berthelot. Enchanté.

Il tendit la main à Marcus en l'observant minutieusement. Marcus soupçonna alors un piège, une mise à l'épreuve. Il avait relevé les questions insidieuses de Da Silva à Venise et savait qu'il devait redoubler de prudence et de ruse.

— Ravi de vous rencontrer.

Ils s'installèrent dans les canapés.

— Nous sommes très contrariés par ce qui est arrivé, ou je devrais plutôt dire, par ce qui n'est pas arrivé à la Pointe de la Douane dimanche. Joachim m'a fait part de votre zèle envers Estelle Rambrant et je me demandais s'il n'avait pas légèrement facilité notre déconvenue.

— Joachim vous a certainement dit aussi que son... amant l'accompagnait. Il a réussi à stopper sa fureur et je peux vous assurer qu'elle était déchaînée. Tout était joué dès cet instant et je n'ai rien facilité en essayant d'aider ce gars. Comment aurait-il réagi si aucun de nous deux n'avait eu une once de compassion et de solidarité devant la folie d'Estelle ?

— Il ne vous aurait peut-être pas frappé le lendemain ?

Marcus ne s'attendait pas à cela. Da Silva était donc resté à Venise et l'avait suivi. La situation était encore plus délicate qu'il ne le pensait. Il se tourna vers Da Silva.

— Vous auriez dû m'accompagner au lieu de jouer la filature. J'ai en effet eu tort de croire qu'il apprécierait que je vienne prendre des nouvelles d'Estelle. Il est, disons… impulsif. Et très attaché à elle.

— Que vous a-t-il dit ?

— Qu'il se demandait comment elle avait pu fréquenter un type aussi lâche que moi et qu'il me conseillait de disparaître avant qu'il ne cogne ma joue gauche.

Berthelot continuait de l'observer. Marcus sentait une chaleur désagréable envahir son corps et il espérait qu'aucun signe extérieur de son malaise ne soit visible. A priori, Da Silva n'avait pas vu qu'il avait remis la capsule à Cillian et il en fut soulagé. Berthelot en sirotant son vin avait regardé Da Silva dont les yeux éloquents et les mâchoires vibrant compulsivement trahissaient à quel point il ne croyait pas un mot de ce qu'il venait de raconter.

— Vous devez vous douter que l'échec de Venise aurait pu compromettre notre projet, mais nous avons une chance inouïe. Le merveilleux directeur de la Pointe de la Douane a complètement étouffé l'événement. Pas de presse, pas d'enquête, une minable vidéo sur un téléphone portable qui n'a intéressé personne. À croire qu'on lui a demandé de ne pas ébruiter cette triste histoire. Savez-vous que Gloves le connaît très bien ?

— Non, mais je n'en suis pas étonné. Gloves connaît tellement de monde. Où voulez-vous en venir ?

— Eh bien Gloves est intelligent, peut-être plus que nous le pensons. Vous avez merveilleusement attiré son attention et celle de sa nièce, mais… Il est un ami fidèle d'Estelle Rambrant et il ne fait aucun doute qu'il ne sera plus question pour vous à présent de les approcher et c'est dommage. Nous aurions aimé jusqu'au bout que vous puissiez jouer l'ami dévoué et attentif.

— Cillian O'Lochlainn m'a mis un coup de poing dans la mâchoire parce qu'il me prend pour un lâche pas parce qu'il me soupçonne d'être à l'origine de ce qui est arrivé !

— Il sait forcément qu'Estelle a été droguée et à sa place…

— Il n'a aucune raison de me soupçonner, il ne m'a pas vu une seule fois avec Estelle avant dimanche.

— Si elle ne lui a pas déjà parlé de vous il lui posera la question soyez en sûr. Ne le sous-estimez pas. Nous l'avons croisé en Irlande il y a quelques semaines alors que nous cherchions des documents qui auraient pu nous éclairer sur les pistes qu'elle avait ébauchées sur notre entreprise. Non seulement nous n'avons rien trouvé, mais nous ne savons pas s'il est au courant de toute cette histoire. Quelque chose nous a échappé. Il n'était au départ qu'un accident de rencontre et il est à présent l'amant attitré d'Estelle Rambrant. Entre les deux nous ignorons ce qui s'est passé, ni quand, ni comment, ni avec qui… Même Murray Dunne le fidèle ami irlandais n'a obtenu aucune information si ce n'est celle de découvrir qu'ils couchaient ensemble et il n'a apparemment pas apprécié.

Il regarda Marcus quelques secondes qui lui parurent des heures.

— Retrouvez la confiance d'Estelle Rambrant quoiqu'il arrive. Il ne nous reste pas beaucoup de temps avant le dernier acte. Vous trompez si bien vos proches monsieur Garbot, vous y parviendrez bien encore quelques jours. Gloves ne doit pas se méfier et si vous conservez la faveur d'Estelle, il sera lui-même en confiance.

— J'aurai certainement un obstacle de taille à présent.

— Vous êtes malin, si malin. Il ne vous résistera pas.

— Si je vous comprends bien, je dois être à Belfast jusqu'au dix-neuf ?

— Exactement. Ce sera un vernissage grandiose.

Marcus regarda Da Silva qui n'avait pas encore dit un mot.

— Vous serez parmi nous, je suppose ? À moins que vous ne veniez avant surveiller mes faits et gestes ?

— Ne soyez pas susceptible Garbot. Je suis juste de nature méfiante.

— Bon Messieurs, vous aurez tout le loisir de vous chamailler quand je serai parti. Mais une dernière information. Suzann Lennon a contacté Cassandre Jeanson à New York et lui a fait savoir que nous étions très attentifs à sa nouvelle petite amie botaniste. La nièce de Gloves n'a pas froid aux yeux et il fallait un autre argument que son oncle chéri pour la persuader de collaborer. Elle sera bien plus raisonnable. Vous n'avez peut-être pas encore vu la très belle invitation que le MAC a réalisée pour son vernissage.

Il se leva lentement en réajustant sa veste. Il en sortit deux cartons pliés sans aucune précaution qu'il tendit à Marcus et Da Silva.

— Oh ! j'allais oublier. Vous aurez le plaisir de rencontrer l'homme qui est à l'origine de cette aventure unique et qui nous l'espérons ne fait que commencer. Alors, il ne peut plus y avoir d'autre obstacle ou d'autres trahisons. Joachim, vous savez ce qu'il vous reste à faire avec Cassandre, quant à vous Marcus, vous prendrez soin de la petite famille.

Il les salua en inclinant la tête. Marcus attrapa en hâte son manteau et le suivit. Il regarda Da Silva une dernière fois.

— Je ne reste pas plus longtemps, aucun doute que nous nous croiserons à Belfast.

Berthelot était directement reparti à Heathrow pour rentrer à Paris. Il n'avait pas vraiment dit la vérité sur l'échec vénitien à Grosmann. Il avait évoqué l'annulation en urgence de l'opération suite à la présence imprévue d'un ami d'Estelle Rambrant. Grosmann avait vociféré. Il l'intima d'avancer l'événement avec le Pontormo pour le vernissage de l'exposition à Bilbao. Mais peu lui importait les conséquences, il fallait une fois encore marquer les esprits avant la chute de Gloves. Berthelot avait bien compris qu'un échec de plus le mettrait personnellement en danger. Il devait confier cette mission spéciale à quelqu'un qui ne faillirait en aucun cas. Il estima que Suzann Lennon était suffisamment fêlée et entièrement dévouée au projet pour accepter au pied levé. Elle connaissait les enjeux et savait en quoi consistait le jeu. Elle était une collectionneuse fantasque, imprévisible, mais avec qui il fallait compter dans ce petit monde de l'art contemporain. Elle n'avait pas beaucoup fait parler d'elle depuis deux ans, elle adorerait être à nouveau sous les projecteurs.

*
**

Belfast

Murray sirotait sa troisième Guinness. Assis depuis plus d'une heure à sa table préférée au John Hewitt, il ruminait de sombres pensées. Berthelot en personne l'avait appelé en lui ordonnant de garder le contact avec Cillian et Estelle et d'aller leur présenter ses excuses. Il n'imaginait pas que cela soit encore possible, mais avait-il vraiment le choix ? Il n'avait eu aucune nouvelle d'Estelle et de l'opération à Venise. Il avait tenté de joindre Michael plusieurs fois, mais le téléphone était resté désespérément muet. L'incident avec Cillian quelques jours auparavant à Ballintoy avait laissé des traces. Il ne s'était pas excusé auprès de ses amis et ne savait plus à présent comment le faire. Il commençait à craindre qu'il ait été démasqué et il redoutait la colère de ses commanditaires. Tilmor l'humiliait, Garbot le prenait pour un lâche et Da Silva le méprisait.

Il venait certainement de perdre ses meilleurs amis. Il n'avait pas prévu cela, pas du tout. Ce qu'il avait entrevu comme une parenthèse, une pause dans son amitié, une solution temporaire et presque inoffensive à ses galères en était une bien plus hasardeuse et inextricable. Sa fragilité et son désespoir avaient eu raison de sa conscience, de sa gentillesse, de son honnêteté. Il était trop tard pour les regrets. Il envisageait de rejoindre son fils à Londres. Il ne vit pas Michael qui s'approchait de lui.

— Salut Murray.

Murray reconnut sa voix et l'invita à s'asseoir en commandant une autre bière. Il se tordait un peu sur son siège et tapotait nerveusement sa pinte. Il avait baissé les yeux et ne parvenait pas à parler. Michael n'attendit pas qu'il le regarde.

— Je te casserais bien la gueule pour ce que tu as fait. Tu n'es qu'un imbécile Murray Dunne. Mais qu'est-ce qui t'a pris bon sang ? Qu'est-ce que tu fais ?

— Je… Je… Je pensais m'en sortir. J'ai perdu le contrôle… Je…

— En effet oui et tu t'es comporté comme un salaud. Si tu aimes tant Estelle comme tu le prétends, laisse-la tranquille maintenant et Cillian aussi. Estelle a toujours été franche avec toi non ? Tu aurais dû t'excuser ! Je ne te parle même pas d'Estelle. Lorna n'a pas compris Murray… Je n'ai pas compris.

— Je vais partir un moment à Londres aider mon fils.

— C'est une bonne idée. Je ne vois pas qui pourrait te retenir ici plus longtemps.

Malgré sa colère et sa déception, Michael éprouvait de la pitié pour Murray. Il ne lui avait pas avoué qu'il savait exactement ce qui se passait. Il avait juste voulu lui signifier à sa manière « amicale » son trouble et son indignation. Il se leva sans finir sa bière. Murray le regarda alors comme avant, avant tout ce chaos.

— Eh bien bonne chance !

Les mots sonnaient comme un adieu. Il n'avait pas su répondre tant sa gorge était sèche et ses paroles inutiles devant la déception de son ami. Il était seul et sans l'argent qu'on lui devait encore. Et il en avait besoin. Encore. Il avait perdu. Il avait aussi perdu son amour propre. Alors il pouvait bien attendre quelques jours de plus avant de quitter Belfast.

Estelle et Cillian étaient rentrés de Venise par Dublin et Michael était arrivé à la gare routière de Belfast en même temps que le bus qui les ramenait du sud. Il avait insisté pour venir les chercher. Il remarqua immédiatement les lunettes de soleil sur le nez d'Estelle. Cillian lui adressa un chaleureux sourire en descendant. Michael serra affectueusement Estelle dans ses bras.

— Tu as une vraie dégaine de star avec tes lunettes !!!

Elle lui sourit en les retirant. Ses yeux étaient encore irrités.

— Ce n'est qu'une ruse de camouflage comme tu peux le constater…

— Ah, mais c'est très chic les yeux rouges… Je vous emmène à Knockargh, Lorna est impatiente de vous voir.

Cillian prit Estelle par l'épaule alors qu'ils marchaient vers la voiture. Michael avait attrapé sa valise. Ils déposèrent les bagages dans le coffre et grimpèrent dans la berline. Estelle était montée devant. Elle toussota doucement.

— Michael, nous voudrions être à Ballintoy ce soir. Je suis plutôt fatiguée depuis dimanche et je ne crois pas que j'aurai envie de reprendre la route demain matin. Je serais bien restée à Belfast, mais j'ai promis à Cillian et…

— Ne t'inquiète pas. On passe juste boire un verre à la maison. Lorna demanderait le divorce si elle ne pouvait pas vous embrasser…

Il souriait tout en conduisant. Cillian posa une main sur son épaule.

— Passons d'abord chez Estelle prendre quelques affaires et récupérer ma voiture. Ils furent à Knokargh quarante minutes plus tard. Lorna les accueillit avec une affectueuse effusion. Elle ne dit pas à Estelle combien elle était peinée de la voir aussi pâle et fatiguée. Ils partagèrent du thé et des bières sans jamais évoquer l'accident de dimanche, mais en savourant à l'avance les moments d'amitié qu'ils passeraient ensemble samedi à Ballintoy. Cillian ne cessait d'observer Estelle et surveillait ses paupières diaphanes et ses traits tirés. Elle se tourna vers lui comme si elle percevait son inquiétude et lui adressa un doux sourire. Michael tapota ses genoux gentiment.

— Vous devriez partir maintenant. Vous serez là-bas vers vingt heures trente.

Lorna avait disparu précipitamment et revint avec un grand plat encore chaud dans les mains.

— J'avais préparé un curry d'agneau. Emmenez-le !

Il ne fallait jamais refuser une offre de Lorna surtout lorsqu'il s'agissait de cuisine. Cillian prit le saladier avec respect et se leva. Estelle fit de même. Elle eut un léger étourdissement qui la fit tituber quelques secondes. Michael la saisit gentiment par le bras.

— Pas de whiskey pendant un moment non ?

Elle s'était endormie assez vite dans la voiture. Elle avait peu parlé depuis dimanche. Cillian savait les cauchemars, les vertiges et les brûlures dans les yeux. Il ne voulait pas l'importuner avec des questions dont elle n'avait pas envie, mais il sentait son malaise et sa tristesse quasi permanents. Elle s'éveilla peu avant qu'ils n'arrivent chez Cillian. Elle regarda défiler le paysage dans la nuit quelques minutes.

— J'aimerais descendre sur la plage.

Il avait pris soin de l'envelopper dans un plaid. Il faisait doux et la musique lente et régulière des vagues était apaisante. Elle était immobile devant l'océan. Il était resté derrière elle, silencieux. Il devinait le réconfort que lui procurait ce face-à-face nocturne. Elle se tourna vers lui. Elle pleurait, ses yeux irrités à nouveau par les larmes salées. Elle vint poser sa tête sur sa poitrine en reniflant. Il l'attrapa entre ses mains et essuya doucement ses joues avec ses pouces. Elle tremblait un peu. Elle l'embrassa soudain, exaltée, impatiente. Elle s'était dressée sur la pointe des pieds et avait saisi sa nuque des deux mains. Le plaid était tombé sur le sable. Cillian sentait son corps brûlant et frémissant. Il n'osait pas laisser libre cours à son propre désir, il descendit ses mains sur sa taille et accueillit son baiser salé avec volupté. Elle s'éloigna de quelques centimètres.

— Tu ne me laisseras pas seule n'est-ce pas ?

— Je n'ai pas prévu ça du tout. Tu me plais absolument à présent, ce serait vraiment dommage non ?

Elle aperçut son irrésistible sourire et en fut réconfortée. Elle savait l'évidence de leurs sentiments amoureux, mais son esprit et son corps étaient si tourmentés depuis trois jours, agités par des crises d'angoisse, d'euphorie, de fatigue et de tristesse qu'elle ne parvenait pas encore à maîtriser. Les effets de la drogue se dissiperaient d'ici quelques jours, mais cette instabilité lui faisait peur, craignant qu'elle n'altère sa personnalité plus en profondeur. Elle devait en parler à Cillian, mais cette même peur l'empêchait de lui dévoiler ce qu'elle pensait être une faiblesse, une faille qu'il n'aimerait peut-être pas connaître. Il sentit son malaise. Il remit le plaid sur ses épaules et leva gentiment son menton vers lui.

— N'essaie pas de résister à tout ce qui te submerge depuis dimanche. N'aie pas peur et surtout, n'aie pas peur de moi. Je suis avec toi, inconditionnellement. Et… J'ai bien réfléchi, je ne te quitterai pas si tu pleures encore un peu.

Elle rit malgré elle alors que les larmes coulaient sur ses joues. Elle se blottit contre lui et il la serra un peu plus. Il soupira lentement.

mercredi 10 avril

New York

Cassandre commençait à sentir la pression monter. Les invitations étaient parties, la communication avait été élaborée avec efficacité et le graphisme de l'ensemble des supports générait un écho élégant et mystérieux aux propositions picturales. Mulligan avait confirmé l'arrivée des sept grandes toiles au MAC. Elle partait samedi soir avec un ensemble de gouaches et lui avait proposé de créer sur place une de ses « peintures masquées » sur Plexiglas dont elle avait expliqué avec moult détails le processus et les enjeux de peinture. Il avait été séduit par le protocole et lui avait assuré qu'il trouverait la solution pour l'accrochage et la performance. Il n'avait pas manqué de lui demander si Gloves assisterait au vernissage. Elle confirma sa présence. Elle avait failli lui demander s'il connaissait Suzann Lennon, mais il valait mieux ne pas compliquer les choses. Elle serait au MAC lundi matin. Jason la rejoignait peu de temps après. Elle ne parvenait pas à dissocier la préparation de l'exposition de ce qu'ils devraient affronter au cours du vernissage et des menaces à peine voilées qui pesaient sur Elian. Bien qu'elle sût qu'Estelle et lui avaient préparé avec leurs alliés un soutien inconditionnel, elle appréhendait ces instants où elle devrait tenir un autre rôle que celui d'artiste pour mettre fin à cette folie. Sa colère et son incompréhension immenses lui donneraient les gestes et les mots justes au moment adéquat. Elle était heureuse de retrouver Estelle et avait hâte de rencontrer Cillian. Trop de choses se mêlaient dans son esprit et elle redoutait que ce manque de sérénité ne vienne cruellement perturber ces prochains jours.

Alors qu'elle refaisait pour la troisième fois la liste de ce qu'elle devait emmener à Belfast, elle entendit la porte de l'appartement s'ouvrir et Jason apparut. Il revenait de l'Université de Columbia où il donnait régulièrement des conférences. Il s'assit près d'elle au milieu des gouaches, des papiers et des cahiers qu'elle avait étalés devant elle.

— Prête à partir ?

— Je commence à avoir la trouille en fait.

— Tu peux encore tout arrêter si tu veux. Tu n'as pas à subir toute cette fureur.

— Tu plaisantes ? Je ne lâcherai rien, ni toi, ni Estelle, ni Elian, ni mon expo… ni cette bande de psychopathes.

— Pense à toi Cassandre, nous serons avec toi. Je sais que l'exposition sera magnifique et déconcertante… comme toi.

Elle ne savait plus très bien en fait ce qu'elle serait capable de réussir ou pas. Elle ne voulait pas inquiéter Jason, mais elle sentait l'affolement s'emparer d'elle. Elle aurait aimé que ce ne soit que le trac d'une première exposition personnelle. Elle sourit gentiment à Jason.

— Je vais dire à Estelle de laisser tomber le texte qu'elle a proposé d'écrire. Je…

— Tu ne parviendras pas à la convaincre et tu te priverais d'un magnifique texte crois-moi. Envoie-lui un message pour confirmer ton arrivée dimanche à Belfast.

— Et toi tu arriveras vite ?

Elle avait posé la question avec un voile d'inquiétude dans la voix. Il vit soudain dans son regard l'enfant qui demeurait encore un peu dans ce corps d'adulte. Il lui prit la main affectueusement.

— Oui, je serai là mercredi en début d'après-midi.

— Tu n'oublieras pas Elian.

— Tu as raison de me le rappeler…

Elle émit un petit rire qui sonnait comme un soupir puis replaça ses longs cheveux en chignon au-dessus de sa tête, sa manière infaillible de mettre un peu d'ordre dans ses pensées.

CHAPITRE 30

jeudi 11 avril

Londres

Suzann Lennon avait rejoint Da Silva devant la Saatchi Gallery. Elle arborait l'un de ses manteaux aux couleurs acidulées qui soulignaient excessivement sa surprenante mobilité. Elle s'approcha de lui en souriant et son regard perçant saisit immédiatement la contrariété sur ses traits.

— Cher Joachim, quelque chose ne va pas ? Que vous arrive-t-il ?

— Je vous en prie Suzann, évitons les simagrées.

— Soit ! Vous avez tellement confiance en vous, Joachim. Vous êtes brillant, mais vous manquez cruellement de fantaisie et croyez-moi il en faudra un peu.

— Peut-être, mais je connais Pontormo comme personne et j'aurais su le convaincre d'accepter notre proposition mieux que quiconque.

— Bla bla bla Joachim. Vous êtes agaçant et vous êtes surtout vexé de ne pas avoir été choisi pour cette opération... J'ai passé quelques jours en compagnie de notre « ami » et je m'y suis attaché, j'aurais même pu comprendre comment Bill avait pu être si inspiré... Mais... J'ai besoin de quelques-unes de vos lumières pour mener à bien cette délicate affaire. Alors, offrez-moi un thé et transmettez-moi votre précieuse érudition que je puisse briller samedi à Bilbao.

Da Silva sortit de sa poche une clef USB qu'il tendit à Suzann Lennon. Il la regarda des pieds à la tête jusqu'à ce qu'il croise ses petits yeux bleu pâle qu'elle venait de plisser.

— Je n'aime pas le thé Suzann. Tout ce que vous devez savoir est là. Je vous souhaite bonne chance.

Il s'était déjà retourné et s'apprêtait à partir. Elle le retint par la manche de sa redingote l'obligeant à se tourner à nouveau vers elle.

— Vous savez ce qui vous manque Joachim ?

Il haussa les sourcils et tapota sa cuisse en signe d'impatience.

— Du sentiment... Vous voyez ce que je veux dire ? Du plaisir, de la peur, de l'envie, de l'ardeur...

Il avait cette fois fait demi-tour et s'était mis à marcher lentement. Suzann Lennon continuait son énumération et il entendit les derniers mots qu'elle lui avait lancés en élevant la voix.

— De l'amour Joachim, vous n'avez pas d'amour !

Il leva les yeux au ciel en entendant les divagations de Suzann, mais elles résonnaient étrangement fort comme si son cœur sec et vide depuis tant d'années avait eu soudain besoin de cet écho. Il effaça cette pensée fugitive en remontant le col de son manteau.

vendredi 12 avril

Belfast

Marcus avait traîné sans entrain à Londres avant de se décider à rejoindre Belfast. Trois semaines qu'il avait quitté Toulouse. Il n'avait pas soupçonné être happé par un tel tourbillon nocif en si peu de temps. Il avait sous-estimé ses adversaires et mis en danger Estelle au-delà de ce qui était acceptable. Cette pensée le tourmentait. Il devait la voir, lui parler, lui expliquer l'inexplicable. Il savait que Cillian s'opposerait fermement à une rencontre. Il espérait que la seconde capsule qu'il lui avait confiée deviendrait une preuve accablante contre Berthelot et sa clique. Sa dernière rencontre aussi brève qu'explosive avec Cillian ne lui avait pas laissé le loisir de suggérer une analyse de son contenu, mais il ne doutait pas qu'il saurait quoi en faire. Il était revenu au Hilton, repris la même chambre et ses pensées incertaines flottaient dans la lumière pâle de l'après-midi au-dessus des silhouettes des grues et des bâtiments du port de Belfast. Il s'assit sur le lit et saisit le petit téléphone qu'il avait acquis sur les conseils d'Estelle à son retour de Ballycastle. Son premier message lui était adressé.

Bonjour Estelle, je dois absolument te parler. Je regrette infiniment ce qui est arrivé à Venise. Je voudrais te le dire de vive voix et bien d'autres choses encore. Pardonne-moi. Fais-moi signe d'une manière ou d'une autre. Je suis à Belfast. Marcus

Son second message s'adressait à Gloves.

Jason, si nous avons évité le pire à Venise c'est parce que je n'ai pas donné toute la quantité de drogue à Estelle. Entre lui faire du mal en personne et laisser ces ordures s'en charger, j'ai préféré la première alternative. Au moins ai-je réussi dans mon pitoyable choix à la préserver d'un danger encore plus grave. Si Cillian n'avait pas été là, nous n'aurions pas pu déjouer leur plan. Je lui ai donné une des capsules de psychotrope… Avant qu'il ne me mette son poing dans la figure. Je ne vous ai pas trahi Jason. Je pense qu'ils ont de plus en plus de doutes sur moi. Da Silva est redoutable. Il sera à Belfast bientôt pour y rencontrer Cassandre. J'y suis également. Marcus

Marcus avait posé l'appareil près de lui et regardait sans le voir le mur d'en face. Il se leva et attrapa son portable posé sur la console. Ce dernier était destiné à Sue.

Chère Sue, tu ne m'en voudras pas de répondre si tardivement à ton message que j'ai apprécié plus que tu ne pourrais l'imaginer. Je suis un véritable aventurier depuis trois semaines, mais le jeu prendra certainement fin prochainement. Je compte être de retour dans quelques jours et j'aurai grand plaisir à te voir. Marcus

New York

Jason était préoccupé. Il lui était impossible d'avancer la date de son départ pour Belfast. Il avait reçu le triste message de Marcus et s'inquiétait de la rencontre évoquée entre sa nièce et Da Silva. Il savait à quel point ces individus étaient abjects et il ne parvenait pas à blâmer Marcus d'avoir mis en danger Estelle dans de telles conditions de menace. Il se demandait d'ailleurs ce qu'elle connaissait exactement des circonstances de son accident. Au moment où il s'apprêtait à appeler Cillian, son téléphone sonna.

— Bonjour Jason, Eduardo Buarque, comment allez-vous ?

— Un peu inquiet à l'approche de l'exposition de ma nièce. Que puis-je faire pour vous Eduardo ?

— Accepter que je sois votre compagnon de voyage pour Belfast.

— Avec grand plaisir. Nous serons avec Elian. Merci.

— Quand partez-vous ?

— Mardi soir.

— Alors je vous rejoindrai à l'aéroport. Envoyez-moi les infos.

— Ça sera un réel plaisir. À mardi.

— Jason ?

— Oui.

— Les papiers d'« adoption » sont prêts… À mardi.

⁎⁎

Ballintoy

Estelle et Cillian avaient passé la matinée à Ballycastle. Elle avait enfin rencontré Jeffrey qui ne cessait de dévisager Cillian comme s'il le voyait pour la première fois. Il expliqua à Estelle qu'il ne l'avait jamais vu aussi rayonnant et qu'il comprenait pourquoi il s'était tellement langui lors de leur dernière traversée. Cillian avait levé les yeux au ciel et gentiment bousculé son coéquipier pour qu'il cesse ces commentaires adolescents. Il était plus nerveux qu'il ne paraissait. Ils partaient dans dix jours pour un parcours de reconnaissance de régate autour des îles écossaises. Ils navigueraient une semaine environ d'Islay à Mull, de Skye aux Hébrides Extérieures. Il craignait les événements des prochains jours et n'envisageait pas de partir s'il n'était pas assuré qu'Estelle ne coure plus le moindre danger. Le matin même, il avait déposé la capsule que lui avait remise Marcus dans un petit laboratoire afin d'en connaître la composition.

Elle avait retrouvé un sommeil apaisé, ses yeux étaient encore très sensibles à la lumière et les vagues soudaines de fatigue qui la submergeaient ne lui laissaient pas d'autre choix que de dormir là où elle se trouvait quand elles surgissaient. Elle était impatiente et son état de fragilité l'agaçait beaucoup. Elle peinait à écrire et voulait tenir sa promesse de proposer un texte à Cassandre pour son exposition. Cillian veillait sur elle avec une incroyable délicatesse et réglait les moments d'incertitude ou de nervosité avec beaucoup d'humour et de patience. Ils avaient peu parlé des événements vénitiens depuis leur retour, mais elle semblait parfaitement avoir compris le rôle délicat de Marcus. Elle était plus clémente que lui, mais n'avait pas insisté lorsqu'elle avait perçu sa tension encore exacerbée à la simple évocation de cet épisode. Ils avaient déjeuné tous les trois chez Fergus. Cillian et Jeffrey avaient englouti un fish & ship gargantuesque tandis qu'Estelle, qui n'avait pas retrouvé son bel appétit, avait grignoté du bout des doigts quelques pommes de terre frites et un peu de salade accompagnées d'un verre de vin rosé. Ils étaient rentrés à Ballintoy vers quatorze heures trente. Elle s'était endormie dans le canapé en quelques secondes. Cillian l'avait couverte d'un plaid moelleux. Il avait déplié une carte marine sur une des tables basses lorsqu'on frappa à la porte d'entrée. Les coups n'avaient pas réveillé Estelle. Il alla ouvrir. Il s'était immobilisé la main sur la poignée, une crispation soudaine serrant ses mâchoires. Il avait réussi à articuler quelques mots.

— Qu'est-ce que tu fais ici ?

Murray se tenait en face de Cillian, tout aussi tendu que lui, essayant de soutenir son regard bleu presque métallique.

— Je suis venu m'excuser…

— Tu devrais partir Murray. Je t'assure… Le plus vite possible…

Il s'était avancé vers lui. Murray aperçut quelqu'un remuer dans le canapé et il comprit aussitôt que c'était Estelle. Il ne contrôlait pas son trouble lorsqu'il la voyait avec Cillian. Une bouffée de jalousie haineuse le submergea. Il mordit sa lèvre supérieure et passa lentement sa main sur son crâne chauve. Il savait qu'il devait partir maintenant, mais il ne put s'empêcher de le toiser. Il regarda en direction du canapé.

— Tu l'as épuisée à Venise on dirait… Tu as toujours été vigoureux.

Cillian respirait fort par le nez, les mâchoires de plus en plus contractées. Il s'était approché à quelques centimètres de Murray qui avait légèrement reculé.

— Je t'en prie Murray… va-t'en !

— Ooouuuhh ! J'ai peur. Je veux juste la voir avant de partir.

Cillian ferma les yeux quelques secondes comme si cela l'aidait à maîtriser son envie de le frapper.

— L'embrasser une dernière fois, un vrai baiser d'adieu. Tu crois qu'elle accepterait ? Elle est tellement bienveillante.

— Ne pense même pas à l'approcher !

— Tu devrais tout de même lui demander qui sait ? Elle en a peut-être toujours eu envie depuis toutes ces années…

— Ça suffit !

La voix d'Estelle avait retenti. Elle était apparue derrière Cillian et l'avait poussé sur le côté pour mieux voir Murray. Son regard était sombre et la pâleur de son visage inquiétante. Cillian la laissa avancer. Murray avait soudain perdu sa morgue et recula imperceptiblement.

— Murray, je ne peux pas croire que ce que je viens d'entendre soit sorti de ta bouche. Pourquoi toute cette haine, pourquoi ? Je croyais que nous étions amis. Je ne t'ai jamais laissé croire qu'il pouvait y avoir autre chose entre nous qu'une profonde amitié. Tu me brises le cœur.

Murray la regardait étrangement, presque effrayé soudainement dans son effarement. Il se frotta les yeux avec vigueur comme s'il voulait effacer les dernières cinq minutes.

— Je suis désolé Estelle, tellement désolé. J'ai perdu l'esprit. Pardonne-moi !

La colère avait crispé un peu plus les traits d'Estelle et ses mains s'étaient mises à trembler légèrement. Cillian la surveillait discrètement.

— Pardonner quoi ? Ta lâcheté, ta traîtrise, ton inconcevable jalousie ? Je ne sais pas ce qui s'est passé et je ne veux pas le savoir d'ailleurs. Je ne sais pas si je pourrai te pardonner un jour Murray. Je veux juste que tu me laisses tranquille, que tu nous laisses tranquilles. Et si tu as envie de te battre, fais-le donc. Mais ne t'avise pas de le blesser parce que tu aurais affaire à moi.

Cillian et Murray se regardèrent quelques secondes avec étonnement. La petite phrase d'Estelle, qui aurait pu en d'autres circonstances se teinter d'une note comique, sonnait alors comme un sérieux avertissement qu'il ne fallait pas prendre à la légère. Elle croisa les bras sur son ventre pour cacher les tremblements de ses mains qui s'amplifiaient. Elle avait des fourmis dans les jambes et sentait la nausée monter dans son œsophage. Murray avait ouvert la bouche, mais aucun son n'en sortit. Il recula lentement en regardant Estelle puis finit par faire demi-tour et s'éloigner sur la route.

Estelle sentit ses genoux s'affaisser, mais Cillian la rattrapa avant qu'elle ne tombe. Il ne put cependant empêcher le haut-le-cœur qui la fit vomir sur le seuil de la porte. Elle s'essuya la bouche d'un revers de main. Elle se dégagea lentement et se dirigea vers la cuisine pour se désaltérer. Elle revint vers lui qui s'était avancé dans le salon. La rage avait dilaté ses pupilles. Il remit en place ses cheveux et lui sourit timidement.

— Je veux voir souffrir tous ces monstres, tous !

Elle regardait droit devant elle et ne parvenait pas à lui rendre son sourire. Il évita tout commentaire et dissimula sa propre contrariété. Puis elle vint poser son front contre sa poitrine. Elle soupira longuement avant de relever la tête.

— Allons voir l'océan.

Il attrapa le plaid qu'il enroula autour de ses épaules, vida un grand verre d'eau sur le seuil pour le nettoyer et la prit la main.

samedi 13 avril

Bilbao

Le vernissage de la rétrospective Bill Viola au Guggenheim de Bilbao était commencé depuis une heure environ. Une foule dense arpentait les salles de l'exposition qui réunissait dans une scénographie exceptionnelle les œuvres majeures du vidéaste américain depuis ses recherches étudiantes jusqu'à ses plus récentes créations. Suzann Lennon avait pris soin d'annoncer sa présence. Elle savourait encore un instant sous l'araignée géante en bronze de Louise Bourgeois, sa promenade le long de la grande fleur carnivore en titane de Franck O'Gehry qui s'étirait en surplombant le Nervion.

Elle avait prévu son « intervention » pendant les discours qui ne manqueraient pas d'être un peu longuets. Elle se délectait à l'avance du spectacle qu'elle avait élaboré pour l'occasion. Elle était prête à toutes les éventualités et spécialement celles qui pourraient aller à l'encontre de la réalisation de ses plans. En ayant pris soin d'annoncer sa venue à la direction, avec un cadeau surprise pour l'artiste, elle savait qu'elle était attendue comme une invitée influente, évitant la fouille habituelle réservée au public, bénéficiant d'une rencontre personnelle avec Bill Viola dont elle admirait les recherches depuis longtemps. Il était temps d'accomplir sa mission. Engoncée dans un tailleur rose pâle, elle se présenta tout sourire à l'entrée nord du musée et fut accompagnée avec son « carton surprise » au second étage où les discours s'égrainaient depuis près d'une demi-heure. Elle n'eut aucune difficulté à trouver la salle où était projeté « The Greeting » et aucune autre à repérer le vidéo projecteur qui assurait la diffusion de la scène.

« The Greeting » était une pièce magnifique, une interprétation sensible et sublimée de la Visitation de Pontormo, une lecture technique et cinématographique unique qui transcendait l'original. Le ralenti qui exacerbait les couleurs, les drapés, les gestes ; l'émotion et le mystère qui émanaient de la rencontre entre les deux femmes, leurs regards et leurs murmures devinés ; la perspective urbaine nocturne qui abolissait le temps et l'espace. Et plus encore que l'image, l'écran ou le lieu de la projection, c'était l'esprit du spectateur qui demeurait l'endroit essentiel de son existence et de sa féerie.

Suzann s'était laissée happer par l'émotion. Elle secoua la tête énergiquement comme pour se réveiller et se tourna, dos à la projection. Il n'y avait que quelques spectateurs et pas de gardien en vue. Les discours se poursuivaient et viendrait dans quelques minutes celui toujours très attendu de l'artiste. Elle tenait le fameux dessin avec amour dans une sorte de sac en tissu qu'elle portait en bandoulière. Elle s'avança vers le fond de la salle où était suspendu à environ trois mètres du sol un volumineux vidéo projecteur. Avec une agilité et une vitesse surprenantes, elle sortit précipitamment de son sac un gros galet noir qu'elle projeta sur l'appareil. Quelques visiteurs qui avaient assisté à la scène restaient tétanisés en attendant la suite des événements. Suzann ne leur prêtait aucune attention. Elle crut que son geste avait été vain. Le projecteur continuait sa diffusion, seule l'image avait été décalée sur le mur et cela ne suffirait pas pour assurer son spectacle. Au moment où elle tapait du pied de colère, il glissa lentement de son support et finit par s'écraser sur le sol avec fracas. Plus de Greeting, plus de femmes, plus de couleurs. Elle retourna se poster là devant la vidéo interrompue. Deux gardiens approchaient dans la salle, alertés par des visiteurs. Suzann Lennon leva son index avec autorité vers eux.

— Je suis Suzann Lennon. Je vous prie de bien vouloir prévenir

Monsieur Vartedi et monsieur Viola que je les attends ici. Merci.

Les deux hommes ne savaient pas comment réagir. Ils se regardèrent et l'un d'eux quitta la pièce tandis que l'autre surveillait Suzann. Il y eut un brouhaha pas loin. Le directeur et l'artiste s'approchaient suivis par de nombreux invités. L'un et l'autre connaissaient la collectionneuse de réputation, mais ils ne s'attendaient certainement pas à la rencontrer de cette manière. La salle fut alors éclairée. Elle leur adressa un merveilleux sourire. Le silence s'installa en quelques secondes, le malaise aussi. Personne ne savait ce que cette femme allait faire et aucun risque ne serait pris pour intervenir à cet instant. Le directeur adressa un discret signe de tête au gardien toujours en faction près d'elle. Elle s'éclaircit la gorge.

— Merci, messieurs, d'être venus à moi. C'est un grand honneur de vous rencontrer et je dois bien vous avouer que je suis un peu intimidée. Voyez-vous, je suis ici pour vous faire un cadeau, un précieux cadeau.

Elle tira vers elle le sac dans lequel se trouvait le dessin et l'ouvrit. Il y eut un imperceptible mouvement de recul de l'assemblée qu'elle perçut.

— Oh, je vous en prie. Rassurez-vous ! Je n'ai aucune intention criminelle !

Elle poursuivit l'ouverture du paquet sans quitter des yeux le gardien. Elle dé-clipsa en un tour de main les attaches de la protection qui glissa sur le sol alors qu'elle tenait le dessin du bout des doigts.

— Voici la seconde étude de Jacopo de Pontormo pour la Visitation, que j'ai le plaisir de mettre à votre disposition pour la durée de l'exposition. Comme vous le savez, la première est aux Offices à Florence. Je sais que vous l'apprécierez comme elle le mérite.

Elle regarda Viola dont l'étonnement teinté d'inquiétude se lisait sur le visage.

— Oh ! ce n'est pas une copie, monsieur Viola si c'est cela qui vous inquiète. Il fallait bien une étude originale pour saluer votre merveilleux travail. Je vous admire depuis si longtemps. Alors, disons que ceci est ma contribution spéciale et dévouée à votre œuvre. Un hommage irremplaçable à celui dont la peinture vous a si magnifiquement animé. Une manière unique de nous souvenir, toujours, des origines de nos inspirations contemporaines que certains considèrent souvent et parfois à juste titre comme de simples et inutiles plaisanteries n'est-ce pas ? Alors savourez sans modération cette beauté.

La foule était médusée par l'aplomb et l'attitude de cette femme corpulente et élégante qui dispensait sans aucune réserve sa petite leçon à l'un des plus grands artistes contemporains. Personne ne broncha lorsqu'elle prit deux punaises dans son sac et qu'elle se tourna prestement vers le mur pour y accrocher le dessin de Pontormo. Un murmure de désapprobation traversa l'assemblée. Elle fit face en souriant.

— Vous le remettrez d'aplomb j'en suis persuadée. Une dernière chose. Je puis vous assurer que cette œuvre n'a pas été dérobée. Je… Je n'ai pas réfléchi à la suite des événements. Je suppose que je ne serai pas invitée au dîner de vernissage non ? Ni que vous me laisserez quitter le musée paisiblement ?

Elle sortit une enveloppe de son sac.

— Je vous ai préparé un chèque pour que vous puissiez remplacer le vidéo projecteur que j'ai détruit. Si le montant n'était pas suffisant, merci de me le faire savoir.

Deux policiers venaient d'entrer dans la salle. Suzann Lennon les aperçut et leur fit un petit signe en haussant les sourcils.

— Ah, Messieurs, je suppose que c'est vous qui allez m'escorter vers la sortie n'est-ce pas ?

Elle s'avança vers eux sans hésiter et sans un regard vers le directeur ou vers l'artiste. Elle vint se placer entre les deux hommes. Elle réajusta son tailleur et passa sa main dans ses cheveux avant de les suivre.

Le directeur s'élança vers le dessin. Alors qu'il était sur le point de le décrocher du mur, Bill Viola posa sa main sur son épaule.

— Nous pourrions le laisser, juste ce soir. C'est une inattendue présence.

Suzann Lennon fut retenue pendant quarante-huit heures dans les locaux de la police. Monsieur Vartedi confirma que le dessin était bien un original et qu'il appartenait à la collectionneuse, que le chèque couvrait intégralement le remplacement du matériel détérioré. Le musée et l'artiste ne souhaitaient pas engager de poursuites contre elle à condition qu'elle récupère l'œuvre dans les plus brefs délais. Ce qu'elle fit avant de rentrer à Londres, non sans s'assurer que les médias et les réseaux sociaux aient relayé abondamment sa « performance ». Elle reçut un chaleureux message de félicitations de la part de Berthelot.

*
**

Ballintoy

La peinture de Cassandre Jeanson recèle, sous ses petits airs figuratifs si bien ficelés, des propositions de fictions picturales et de narrations romanesques bien plus complexes et mystérieuses qu'il n'y paraît. Un vent d'aventures initiatiques souffle sur la série réalisée à Anchorage cet hiver. Les sept grandes toiles nous entraînent dans une expérience physique, sensuelle et spirituelle avec le paysage et ses êtres, celui, magique d'une nature sauvage et secrète et celui plus vertical et urbain de la cité entourée des Monts Chugach.

On entre ici dans la peinture comme on pénètre dans une forêt enchantée ou ensorcelée. Le trouble s'installe plus vite qu'on ne le pense et l'on ne sait plus dire si la luminosité et l'obscurité s'affrontent ou s'enlacent. Du moins est-on certain d'y être englouti et d'y rencontrer quelques créatures inconnues, mi-homme, mi-animal, mi-végétal, mi-matière. Ce que racontent ces histoires peintes dans l'exubérance et l'audace de leurs sujets et de leur traitement relèvent autant du conte fantastique que de la provocation picturale.

À y regarder de plus près, la minuscule figure humaine qui semble vagabonder au long des sept toiles ne serait peut-être que celle du peintre, foulant dans une pure sensation de découverte, des territoires vierges d'invention, de réflexion, d'amour. Le réel ici est plus magique que l'idée de la magie elle-même et a presque suscité une vocation chamanique.

Alors la rencontre entre les paysages, les êtres, le regard du peintre et la peinture s'illumine, exalte des récits multiples et saisissants, ouvre des espaces aussi déconcertants qu'irrésistiblement envoûtants, traversés avec curiosité, élégance et spontanéité par les esprits facétieux ou graves des hommes, des pierres, des animaux ou des arbres.

Cassandre Jeanson dévoile dans un monde visible presque familier ce qui est notre invisible, troublant, stimulant, perturbant.

Estelle Rambrant. Avril 2019

Estelle n'était pas sûre de la justesse du texte qu'elle avait péniblement réussi à écrire et qui lui avait demandé pas moins de deux heures… Elle avait hâte à présent de découvrir les toiles de Cassandre dont elle n'avait vu que des reproductions affichées sur son écran d'ordinateur. Cillian avait rejoint Lorna et Michael qui étaient arrivés à Bendhu en milieu d'après-midi. Elle les retrouverait vers dix-neuf heures. Il était presque dix-huit heures. Elle copia le texte et l'envoya à Jason avec ce message.

Bonjour Jason, j'ai besoin de ton avis avant de proposer le texte à Cassandre. J'ai hâte de la voir et j'ai hâte de te voir. J'ai reçu un message de Marcus. C'est un peu difficile de porter tout cela… je t'embrasse.

La réponse de Jason ne se fit pas attendre longtemps.

Estelle, j'aime ton texte (même si je pense qu'ils sont toujours trop courts). Il est presque aussi mystérieux que la peinture de Cassandre. Je lui ai montré. Tu risques d'avoir un de ses messages d'ici peu. Elle est très stressée. Moi aussi d'ailleurs. J'espère que tu te sens mieux. Marcus m'a contacté également. Je sais ce qui s'est passé. Nous ne devons pas le juger trop sévèrement ni le lâcher maintenant. Da Silva veut rencontrer Cassandre, elle ne le sait pas encore. Il faudra absolument essayer de savoir quand. Tout ceci sera bientôt terminé. Je t'embrasse. PS Je viens avec Elian l'amie de Cassandre et Buarque nous accompagne.

Estelle avait toujours fait confiance en l'appréciation de Jason en matière d'écrits sur l'art. Il connaissait parfaitement sa manière d'écrire et aimait cette façon distanciée et parfois romanesque qu'elle utilisait pour aborder l'œuvre d'un artiste. Elle était rassurée. Bien que son état se soit amélioré depuis dimanche, elle n'avait pas encore récupéré toutes ses facultés et le temps interminable qui lui avait été nécessaire pour produire ces quelques lignes lui avait fait douter de certaines de ses capacités. Son téléphone retentit à nouveau. Cassandre lui adressait ce message.

Estelle, je suis tellement touchée par tes mots. C'est génial. Je te remercie de m'avoir consacré ce temps. Plus que quelques heures avant de te retrouver. Je me languis… Et j'ai trop envie de rencontrer ton amoureux ! Baisers. À demain !

Il restait encore un peu de temps avant de descendre. Estelle se sentit un peu fébrile au moment de répondre au message de Marcus. Ses sentiments étaient confus et la complexité de la situation de Marcus ne facilitait rien. Elle lui en voulait bien sûr de l'avoir drogué, de ne pas avoir pu trouver une autre solution, mais elle s'interrogeait sur ce qui lui serait arrivé s'il n'avait pas accepté. Peut-être ne s'agissait-il que d'une menace, mais comment pouvait-il en être sûr ? Elle avait tourné et retourné la question sans jamais obtenir de réponse définitive.

Marcus, nous nous verrons à Belfast. Estelle

Elle ouvrit la petite porte blanche de Bendhu à dix-neuf heures tapantes. Lorna, Michael et Cillian étaient tous les trois dans la cuisine et discutaient vivement de l'intrusion de Murray la veille. Lorna affirmait qu'il ne servait à rien de le blâmer plus encore, car il était suffisamment puni en perdant ses amis. Estelle s'approcha. Cillian vint la prendre dans ses bras et l'embrassa tendrement.

— Comment te sens-tu ?

— Mieux, beaucoup mieux… Et Cillian veille sur moi.

Michael vint l'embrasser.

— C'est un malin celui-là, il sait comment obtenir tes faveurs…

Ils rirent tous les quatre. Cillian prit sa main.

— Alors ? Tu as réussi ?

— Oui. Il plaît à Cassandre et à Jason.

— Tant mieux. Tu me le feras lire ?

— Évidemment.

Michael sortit quelques bouteilles et des verres. Il souleva une bouteille de whiskey en regardant Estelle.

— Prête ?

— Avec plaisir.

La soirée fut délicieuse. On ne parla plus ni de Murray ni de toute cette histoire. Chacun savourait la compagnie des autres. On grignota plus qu'on ne dîna, on parla assez fort, on rit, on but un peu plus qu'il ne fallait, on chanta même quelques chansons irlandaises. Estelle entendit la belle voix de Michael. Le whiskey lui avait fait plus d'effet que d'habitude. Elle était détendue, assise dans le grand canapé blanc les jambes repliées sous elle. La large encolure du pull bleu avait glissé et une de ses épaules s'était découverte. Cillian le remarqua aussitôt et il rêva un instant sa bouche au creux de son cou. Elle reconnut ce regard et lui adressa un sourire énigmatique. Elle se leva et descendit ostensiblement au rez-de-chaussée. Une minute plus tard, Cillian prétexta vérifier l'état d'Estelle et descendit à son tour. La lumière de la nuit éclairait le petit salon et il la devina près de la table. Il eut à peine le temps de s'approcher qu'elle l'avait enlacé brusquement. Elle l'embrassait avec fougue et sa main plongeait vers son ventre. Elle pressa son sexe à travers l'étoffe du pantalon.

— Estelle... Attendons d'être rentrés non ?

Pour toute réponse, elle enleva son jean à toute vitesse et entreprit de déboutonner le ceinturon de Cillian qui fit glisser le sien le long de ses hanches. Ils étaient incroyablement excités. Il y eut un instant d'hésitation avant que Cillian ne la retourne contre lui. Elle se pencha alors en avant en lui offrant son sexe brûlant. Il gémit, englouti par le plaisir. Leur orgasme fut éclatant. Il avait dû poser sa main sur la bouche d'Estelle pour éviter qu'on ne les entende. Il la prit vite dans ses bras. Ils restèrent ainsi quelques minutes afin de reprendre leur souffle. Puis il posa ses lèvres aux creux de son cou et l'embrassa doucement. Il la regarda gentiment.

— C'est tout ce que je voulais tout à l'heure, embrasser ton cou.

— Pas moi...

Ils rejoignirent leurs amis quelques minutes plus tard. Michael leur avait adressé un sourire malicieux lorsqu'il avait vu la couleur des oreilles de Cillian et son tee-shirt pas tout à fait à sa place ainsi que les joues rosées et les cheveux décoiffés d'Estelle. Lorna avait souri également tout en se levant.

— Une tisane peut-être avant de rentrer ?

33

dimanche 14 avril

Belfast

Cassandre regardait Belfast apparaître sous ses yeux. L'avion avait entamé sa descente vers la ville et elle serait avec Estelle d'ici une bonne vingtaine de minutes. Le voyage depuis New York lui avait semblé interminable. Elle qui se délectait d'habitude des longs vols et du plaisir si particulier qu'elle y trouvait n'avait réussi ni à dormir ni à s'enivrer doucement au fil des petits alcools servis par les hôtesses, encore moins à vider son esprit encombré en visionnant quelques films sur l'écran de son siège. Elle était fatiguée, mais aussi excitée, angoissée, impatiente.

Elle dut attendre quelques minutes avant de récupérer le grand carton à dessins qui avait été déposé en soute. Elle cala son sac à dos sur ses épaules, empoigna le carton et se dirigea avec un soupir d'émotion vers la sortie. Elle reconnut Estelle dès que les portes s'ouvrirent. Son sourire si doux et bienveillant était celui dont elle se souvenait précisément. Elle s'avança vers elle lentement pour savourer cette vision chaleureuse. Estelle enleva ses lunettes de soleil et vint vers elle en tendant les bras. Cassandre avait posé son attirail le long de sa jambe et accueillit Estelle les larmes aux yeux. Elle était peu sujette aux démonstrations d'émotion (certainement une marque de fabrique familiale), mais les conditions si particulières de sa venue avaient enflammé sa sensibilité. Estelle la garda quelques longues secondes dans ses bras avant de la regarder.

— Bienvenue à Belfast Cassandre Jeanson. Tu ne peux pas savoir à quel point je suis heureuse de t'accueillir ici. Tu es splendide !

— Je suis tellement contente. Je n'aurais jamais imaginé te revoir dans de telles circonstances.

Cillian était resté un peu en arrière et les observait avec tendresse. Estelle prit le carton à dessins d'une main et l'épaule de Cassandre de l'autre. Elles s'avancèrent vers Cillian qui leur adressa un prodigieux sourire.

— Cassandre, je te présente Cillian O'Lochlainn.

— Enchantée Cassandre.

— Bonjour. Moi aussi. Jason m'a parlé de vous et... Je... Et il avait raison...

Estelle et Cillian avaient haussé en même temps les sourcils en signe d'interrogation.

— Enfin oui il vous a décrit tel que vous êtes. Et... Je suis très contente que vous soyez l'amoureux d'Estelle.

Il lança un regard complice à Estelle avant de lui répondre.

— Moi aussi.

Ils arrivèrent rapidement chez Estelle. La lumière était éclatante et Cassandre fut immédiatement séduite par le spectacle du port de Belfast qu'elle découvrait de l'appartement. Estelle lui proposa d'y aller marcher si elle le souhaitait dès qu'elle serait installée. Elle avait déplié le canapé-lit dans son bureau qui servirait de chambre à sa jeune protégée pendant son séjour. On pouvait lire la fatigue sur le visage de Cassandre, mais aussi une curiosité enjouée qui illuminait son regard. Cillian sentait le plaisir des deux femmes à se retrouver. Le lien qui existait entre elles était bien plus qu'amical et la complicité simple qu'elles partageaient spontanément les unissait comme deux sœurs. Il avait préparé du thé et sorti des scones frais du matin. Ce goûter improvisé fut délicieux et inattendu.

Cassandre, dans son impatience à dire l'état de sa peinture, avait ouvert le grand carton et commencé à étaler sur le sol quelques gouaches et dessins. Elle parlait passionnément de ce qu'elle faisait, de comment elle le faisait. Estelle regardait intensément les études, les maquettes et autres recherches qui défilaient sous ses yeux. Elle ne faisait pas de commentaires, elle s'attardait juste un peu plus longtemps sur l'une ou l'autre d'entre elles en les tournant vers elle. Cassandre savait qu'elle ne faisait pas souvent de remarques instantanées sur un travail d'artiste. Mais elle connaissait aussi ce regard et elle fut presque rassurée qu'elle garde le silence. Cillian appréciait de voir ces grandes gouaches étonnantes et déroutantes même s'il avait des codes et des repères différents pour les appréhender.

— Quel genre de sortilège lances-tu à celui qui regarde ta peinture ?

Estelle et Cassandre le dévisagèrent avec la même expression de stupéfaction.

— J'ai dit quelque chose de ridicule ?

— Absolument pas. Tu n'as pas lu le texte d'Estelle ?

— Pas encore.

Estelle se pencha vers lui, plissa son nez et l'embrassa.

— Tu aurais peut-être dû l'écrire… Allons nous balader maintenant, nous n'en aurons plus le loisir ces prochains jours.

— Allez-y toutes les deux non ? Je vais enfin lire ce texte…

Il embrassa sa main gentiment avant qu'elle ne se lève. Cassandre avait rangé les grandes feuilles dans son étui. Estelle avait remis ses lunettes sur le nez.

Elles marchaient tranquillement le long des quais qui menaient un peu plus loin vers l'ancienne cale sèche où avait été construit le Titanic. Cassandre enregistrait tout, les bruits, les parfums, les couleurs, les formes, les mouvements. Elles avaient déambulé silencieusement pendant de longues minutes puis Estelle s'arrêta. Elle leva la tête, droit devant elle en respirant profondément. Cassandre s'était approchée.

— Cassandre, tu n'aurais jamais dû être mêlée à cette sale histoire. Je suis tellement désolée.

Elle s'était tournée vers elle et avait saisi ses deux mains.

— Tu n'y es pour rien ni Jason. Je sais ce qui t'est arrivé. On est tous dans la même galère on dirait. Mais ils ne peuvent pas encore imaginer ce qui les attend vendredi.

— Tu es tellement confiante…

— Ne crois pas ça, mais on est une sacrée équipe de malins, de têtus et d'intelligents et ils n'en ont aucune idée. Jason arrive mercredi avec du renfort, enfin avec Elian en tout cas… Ma copine.

— Il me l'a dit. Ce sera un plaisir de faire sa connaissance. D'ici là, je ne te lâcherai pas d'une semelle, sauf si tu me le demandes évidemment. Tu as certainement entendu parler de Joachim Da Silva ?

Cassandre opina de la tête.

— Il veut te rencontrer avant le vernissage. Il ne faut sous aucun prétexte que tu retrouves seule avec lui. Ce type est toxique alors s'il te contacte, tu me le dis d'accord ?

— OK. Tu le connais ?

— Oui. Depuis longtemps.

Elles reprirent leur marche, lentement.

— Je peux te dire quelque chose Estelle ?

— Bien sûr.

— Ça ne me regarde pas vraiment, mais… Je suis contente que tu aies rencontré Cillian, il a l'air super et… Il est beau gosse en plus.

Estelle rit sincèrement.

— Venant de ta part, le compliment est savoureux.

Elle l'attrapa par l'épaule. Elle aimait cette jeune femme et n'imaginait pas qu'il puisse lui arriver quoique ce soit.

— Tu vas être très sollicitée durant les cinq prochains jours. Si quelque chose te chagrine, si quelqu'un t'importune, si tu as le moindre doute, si le stress te submerge, tu dois m'en parler, absolument et sans hésitation et en parler à Jason. Et tu peux aussi compter sur Cillian. Je dois savoir que tu le feras.

— Je te promets.

— Rentrons maintenant.

*
**

New York

Jason avait reçu un message enthousiaste de sa nièce qui s'impatientait déjà de son arrivée dans trois jours. Il était sorti tôt et flânait dans Central Park autour du Lake. La journée était splendide avec un goût prononcé de printemps qui avait fait apparaître les joggers, les marcheurs et les touristes en quête d'écureuils à photographier ou de chevaux à caresser avant un tour en calèche. Il savourait la douceur du matin, le son de ses pas sur l'allée, le bruit assourdi du trafic, le parfum des arbres, le regard des passants. Il prenait de la sérénité et de la force avant d'aller affronter un ennemi qu'il n'était pas tout à fait certain de vaincre malgré sa détermination.

Il avait eu des nouvelles étonnantes de l'« Exposition » en France. Depuis plusieurs jours, des visiteurs de plus en plus nombreux venaient vivre l'orage des œuvres en adoptant une attitude singulière. Ils s'allongeaient sur le sol pour assister à la descente du plafond et la plupart d'entre eux demeuraient ainsi un long moment pour observer les pièces à leur portée. Petisel lui avait suggéré que le musée mette à leur disposition des petits coussins noirs pour améliorer leur confort. L'« exposition » était en place encore trois mois. Jason estima que si le public avait pris cette initiative, la question du confort ne se posait pas. Malgré ces échos positifs, les critiques intelligentes et les articles favorables, l'inquiétude et la colère qui l'habitaient depuis quelques semaines l'empêchaient d'apprécier à sa juste valeur la réussite de sa dernière intervention. Il était sur le point de rentrer lorsque son téléphone sonna.

— Grosmann à l'appareil, je ne vous dérange pas ?

— Bonjour, non. Que puis-je faire pour vous ?

— J'ai reçu l'invitation pour l'exposition de votre nièce.

— Vous connaissez ma nièce ?

— Non, mais le courrier qui accompagnait le carton me l'a appris.

— Parfait. Et donc ?

— Je me demandais si vous pouviez me dire si cette exposition en valait la peine. Le visuel est énigmatique.

— Vous savez Grosmann, l'avis d'un membre de la famille est un peu faussé. Je ne me fierai pas à ce que je pourrais dire. Je voue une passion sans failles à la carrière de ma nièce... Attendez les critiques d'un arbitre moins impliqué que moi.

Il jouait une partition qu'il espérait convaincante. Il ne doutait plus de la culpabilité de Grosmann.

— Je suppose que vous irez la supporter à Belfast ?

— Je ne raterai cela pour rien au monde. Ne me dites pas que vous feriez ce grand voyage pour une jeune peintre inconnue ?

— Il fut un temps où j'aurais fait le tour du monde pour découvrir un artiste. Mais Belfast n'est pas au bout du monde que je sache.

— Je redoute que vous soyez sous le charme et que vous ne vouliez acquérir quelques-unes de ses toiles pour les soustraire aux regards…

— Ne soyez pas idiot Gloves. Peut-être ai-je vraiment envie de voir ça !

— Alors, venez ! Ce sera une belle célébration !

Grosmann viendrait, il en était persuadé, mais il restait troublé par le ton du galeriste plus enclin d'habitude à l'arrogance et à l'ironie.

34

lundi 15 avril

Belfast

Marcus se préparait un café dans la chambre. Il avait allumé la télévision. Il ne s'était pas beaucoup préoccupé du monde qui l'entourait ces dernières semaines. Il se sentait seul et avait hâte de revoir Estelle et Gloves même s'il devinait que les retrouvailles ne seraient pas spécialement amicales. Il s'était assis sur le lit, calé sur deux oreillers, croisé les jambes et attrapé la boisson bien chaude. Une chaîne d'information continue déroulait un chapelet incohérent d'actualités ponctué d'images insignifiantes, percutantes ou grossières.

Il reconnut immédiatement Suzann Lennon. Il poussa le volume du son et se redressa. L'image était de mauvaise qualité, filmée par un téléphone portable instable, mais on la voyait distinctement parler en tenant à bout de doigts le dessin de Pontormo sur lequel le vidéaste amateur avait zoomé. Puis l'objectif se déplaçait vers l'assemblée qui se trouvait devant elle et il reconnut alors Bill Viola. Le journaliste évoquait l'audacieuse intrusion de la célèbre collectionneuse londonienne pendant le vernissage de la rétrospective de l'artiste au Guggenheim de Bilbao et du cadeau invraisemblable qu'elle lui avait fait. Il asséna au passage un couplet assassin sur la démesure et l'extravagance du monde de l'art peuplé de nantis fantasques et inconséquents qui avaient la chance de pouvoir tromper leur ennui en s'exhibant avec des œuvres inestimables aux prix exorbitants. Marcus aurait vraiment aimé entendre ce qu'elle disait. Il la vit encore punaiser le dessin italien sur le mur et ne put s'empêcher de sourire. Cette femme était complètement folle, mais son audace et son aplomb étaient surprenants. Si elle avait voulu discréditer une fois de plus la création contemporaine, elle y était parvenue avec éclat et humour. Marcus pensa qu'elle aurait fait une talentueuse performeuse. S'il n'avait pas su d'où venait cette mascarade, il aurait souri un peu plus, mais il savait que ce coup d'éclat émanant de la triste clique n'avait d'autre objectif que de nourrir l'incompréhension et stigmatiser un peu plus l'art contemporain, exposé comme la seule affaire superficielle et spectaculaire d'un petit club élitiste.

Il éteint la télévision et finit son café. Il se doutait que tout le monde serait bientôt au courant des exploits de la collectionneuse. Son téléphone retentit. Un message s'affichait.

Bonjour Marcus, je commence le montage de l'expo au MAC ce matin. Jason m'a dit que vous étiez là. Passez me voir ! Cassandre

Il était heureux de lire l'invitation. Il appréciait la jeune femme et son tempérament et serait ravi de la revoir. Il devinait aussi qu'Estelle serait avec elle et une légère sensation d'anxiété envahit sa cage thoracique à l'idée d'un face-à-face avec elle.

Cassandre et Estelle attendaient devant l'entrée du MAC. Mulligan apparut derrière la porte vitrée qui glissa devant lui. Il portait des lunettes à monture jaune qu'un pin's en forme de banane épluchée de la même couleur venait rehausser sur le revers de sa veste noire. Il salua Estelle avec politesse et accueillit Cassandre avec une effusion superlative d'amabilités dont elle n'était pas coutumière. Elle lançait des regards étonnés à Estelle qui souriait avec un petit air moqueur. Tout en continuant de parler, il les invita à le suivre au second étage vers l'espace d'exposition. Estelle s'immobilisa lorsqu'elle aperçut les sept grandes toiles de deux mètres sur trois déjà posées le long de deux murs perpendiculaires. Elles paraissaient plus imposantes, plus impressionnantes que sur les images et les couleurs étaient plus intenses, plus vibrantes. Le troisième mur, peint comme un ciel bleu d'été, allait recevoir les cinquante gouaches et dessins qui patientaient dans le carton. Une plaque de plexi d'environ deux mètres sur un mètre cinquante dont on n'avait pas encore retiré le film protecteur était posée entre deux socles au centre de la salle. Cassandre avait commencé à arpenter la galerie. Elle redécouvrait la peinture qu'elle avait laissée quelques semaines plus tôt à Anchorage et les souvenirs éblouissants de ses rencontres, de ses visions, de ses longues déambulations refirent surface instantanément. Elle était impressionnée de pouvoir survoler en un seul regard l'ensemble de ses toiles. La salle avait de belles proportions qui faisaient écho à l'ampleur des formats et accentuait la limpidité de la narration. Elle se tourna vers Mulligan.

— Merci infiniment. Je n'étais plus tout à fait certaine de ce qui allait arriver ici. Je ne pensais pas voir un jour ces sept grandes choses alignées dans un si bel espace. C'est quelque chose de… Je… Je suis un peu désorientée…

Mulligan lui sourit. Estelle perçut la sincère émotion de Cassandre et s'approcha d'elle.

— C'est superbe. Et j'ai hâte de voir ce mur de dessins nous envoûter… Au travail.

Il y eut une petite réunion de préparation technique autour d'un café. Cassandre décida de ne pas faire encadrer les gouaches. Estelle lui proposa d'opter pour un accrochage indiscipliné qui pourrait ainsi taquiner le rythme linéaire des toiles. La question de la peinture masquée était plus délicate. Il fallait tout d'abord que Cassandre la réalise. Elle avait commencé à réfléchir à ce qu'elle dévoilerait sur le grand plexi et avait profité de son réveil très matinal pour esquisser quelques croquis. Elle avait expliqué à Mulligan et Estelle la manière dont elle peignait son sujet à l'envers sur le plexiglas et le protocole de découverte de la peinture finale qui apparaissait au fur et à mesure du décollement du film protecteur. Elle ne souhaitait pas le faire elle-même et il serait nécessaire d'inviter ou de désigner deux personnes dans le public pour exécuter cette tâche. Elle avait estimé qu'elle aurait besoin d'une à deux journées.

Il n'y avait pas d'énervement. Le stress était bien là évidemment, mais Cassandre gérait cette première expérience de l'exposition personnelle avec calme et concentration. Elle était tout entière absorbée par elle. Estelle fut frappée par ce professionnalisme spontané dont elle faisait preuve. Il fut convenu qu'elle dresse la liste du matériel dont elle avait besoin afin qu'elle puisse commencer à peindre dès l'après-midi. En attendant, elle disposerait les dessins avec Estelle en vue de leur accrochage.

Cillian devait les rejoindre pour le déjeuner. La lumière artificielle indisposait Estelle. Elle sentait un léger mal de tête comprimer ses paupières. Elle prit immédiatement un comprimé pour éviter que cela n'empire. Les deux heures suivantes furent consacrées à cette mise en place. Estelle avait été très touchée que Cassandre soit attentive à son avis. Elle sentit la fatigue l'envahir soudainement et lui proposa de faire une pause. Cillian avait évoqué les vagues de fatigue qui déferlaient de temps en temps sur Estelle auxquelles elle ne devait pas tenter de résister. Elles descendirent, s'installèrent dans l'une des alcôves du restaurant du Mac et commandèrent deux jus de fruits. Estelle avait posé sa tête sur le dossier de la banquette et fermé quelques instants ses yeux.

— Tu veux dormir un peu ?

— Non, juste soulager mes yeux et dévorer une salade géante. Cillian ne va pas tarder à nous rejoindre.

Ce n'est pas Cillian que vit arriver Cassandre, mais Marcus qui s'avançait vers elle. Il n'avait pas vu Estelle et il s'approcha sans crainte. Cassandre avait souri un peu malgré elle et n'eut pas le temps d'intervenir avant qu'il n'aperçoive Estelle assoupie. Il se raidit légèrement. Il était immobile devant la table et ne savait pas s'il devait rester ou filer. Estelle ouvrit les yeux. Elle se redressa précipitamment. Elle était plus embarrassée qu'en colère.

— Marcus ! Qu'est-ce que tu fais là ?

Il n'eut pas le temps de répondre. Cassandre posa sa main sur celle d'Estelle.

— C'est moi qui l'ai invité à passer me voir. Je... Je pensais que l'on pourrait parler un peu. Mais... ça n'est peut-être pas le bon moment.

— En effet !

Cillian venait d'apparaître derrière Marcus qui avait bien reconnu sa voix. Il se tourna vers lui. Ses yeux brillaient de colère et ses lèvres avaient pâli.

— Vous apportez une autre friandise à Estelle ? Ou est-ce le tour de Cassandre ?

— Je t'en prie Cillian.

Il fixa Estelle dont il vit immédiatement la contrariété et la fatigue. Cassandre ne savait pas quoi faire. Marcus n'avait pas bougé et avait bien l'intention de s'expliquer. Il y eut un instant flottant et silencieux que rompit Cassandre.

— Asseyez-vous Marcus. Ici par exemple.

Elle tapota le siège près d'elle. Cillian s'était déjà glissé auprès d'Estelle en continuant d'observer Marcus.

— Comme je le disais à l'instant, c'est moi qui ai demandé à Marcus...

— Cassandre, je vous dois quelques explications et plus encore à Estelle et Cillian. Je ne suis pas fier de ce que je t'ai fait subir Estelle et tu ne peux pas imaginer à quel point je le regrette, mais jusque vendredi mon seul but est de nous permettre d'accomplir notre plan et je dois impérativement continuer à leur faire croire que vous ne savez pas ce qu'ils concoctent. Je n'avais pas prévu Venise, j'étais piégé. Ils m'ont trompé, ils m'ont testé parce qu'ils avaient des doutes et ils en ont encore. Je t'assure que je ne savais pas à quel point ce serait violent et dangereux. Ce ne sont pas des excuses évidemment. Je suis tellement désolé. Ils savent que vous m'avez corrigé à Venise, mais ne savent pas qu'une des deux capsules est en votre possession. Ils m'ont encore taquiné à Londres en m'ordonnant de me rapprocher de vous tous, de garder les faveurs du giron familial tel qu'ils nomment le cercle que vous formez avec Jason. Je n'aurais pas confiance en moi à votre place, mais je vous garantis que je n'aurais pas su inventer une histoire aussi tordue.

Estelle ne l'avait pas quitté des yeux et Cillian le fusillait du regard. Il y eut un silence tendu. Marcus était sur le point de se lever lorsque Derek Mulligan se pencha sur la table.

— Tout va bien j'espère ?

Cassandre s'empressa de répondre.

— Superbement. Je vous présente Cillian O'Lochlainn, l'ami d'Estelle et Marcus Garbot, un bon ami de mon oncle et de moi-même. Messieurs, Derek Mulligan, directeur du pôle art contemporain du Mac.

— Parfait. Je vous laisse déjeuner. Je voulais juste vous prévenir que le matériel sera livré vers quinze heures. Bon appétit.

Cassandre fut la seule à adresser un merci à Mulligan. Ses compagnons de table demeuraient muets même si les visages s'étaient un tantinet détendus. C'est Cillian, contre toute attente, qui fit un premier pas vers la trêve.

— Votre mission vous empêche-t-elle de boire une bière ?

Les deux hommes se regardèrent sans ciller.

— Pas que je sache.

Si le déjeuner ne fut pas franchement joyeux, la crispation s'apaisa et il fut même possible d'évoquer l'exposition. Cillian avait beaucoup aimé le texte d'Estelle et avait demandé à Cassandre s'il était autorisé à voir les peintures avant vendredi ce qu'elle avait accepté avec plaisir. À la fin du repas, elle accompagna Marcus jusqu'à la galerie. Estelle semblait épuisée et Cillian prit sa tête et la posa sur son épaule.

— Tu devrais te reposer… Vraiment…

— Je vais bien je t'assure. Je suis soulagée que Marcus nous ait parlé.

— Peut-être bien. Je ne sais pas encore ce que j'en pense.

— C'est un gars bien ! Juste un peu prétentieux et arrogant. Il a cru trop fort que ce n'était qu'un jeu de piste.

Il esquissa un sourire crispé en soupirant.

— Repose-toi un peu s'il te plaît.

— Mais où ?

— Ici.

Il la prit dans ses bras de manière à ce qu'elle puisse se poser sur sa poitrine. Elle ferma à peine les yeux qu'elle sombra dans le sommeil. Il la laissa dormir ainsi une dizaine de minutes avant de la réveiller doucement. Elle vit son beau sourire au-dessus de sa tête.

— Je ne sais pas ce que je ferai sans toi…

— La même chose, sur la table.

Marcus venait de partir lorsqu'elle avait rejoint Cassandre qui dessinait sur un grand plateau blanc allongé sur deux tréteaux. Le matériel arriva bien vers quinze heures. Un étudiant de l'École d'art et de design titubait presque les bras chargés de paquets. Elle l'accueillit chaleureusement. Elle ne devait pas être beaucoup plus âgée que lui et fut heureuse d'apprendre qu'il serait son assistant durant le montage. Ils commencèrent tous les trois à accrocher les gouaches. Le mur azur, envahi sans retenue par des fragments de paysages rêvés, des portraits de famille débridés, des végétations sensuelles, de purs jeux de peinture et bien d'autres signes et traces ; portait un monde exubérant, fantastique et familier à la fois. Estelle était enchantée et oubliait, tout comme Cassandre, l'épreuve qui les attendait vendredi. Elles quittèrent le Mac vers dix-huit heures. Estelle n'osa pas la laisser aller boire un verre avec son assistant. Elle se sentait un peu rabat-joie, mais préférait aller déguster un whiskey chez elle.

La fatigue s'était abattue sur elle dès qu'elle avait franchi le seuil de l'appartement. Elle s'excusa auprès de Cassandre et de Cillian et fila dans sa chambre. Les deux passèrent une soirée bavarde, l'un et l'autre parlant de leurs passions, de leurs colères, de leurs souvenirs à grand renfort de rires, d'exclamations, de belles paroles et d'un peu d'alcool. Cassandre à son tour sentit les effets de la fatigue et partit se coucher. Malgré cela, elle s'endormit difficilement, l'anxiété parasitant petit à petit ses pensées brouillonnes. Cillian, qui dégustait un dernier whiskey, regardait les scintillements du port, l'esprit vagabondant vers des mers plus lointaines et plus tranquilles.

mardi 16 avril

Paris

Le commissaire Daniel Lelouch travaillait sans relâche depuis un mois sur l'affaire des ours goudronnés de la Galerie Porretin. Il n'avait encore aucune piste sérieuse sur la manière dont avait été organisé le saccage si ce n'est que l'homme masqué vêtu d'une combinaison noire qui avait réalisé le méfait était finalement une femme. Le visionnage attentif et répété du petit film par des spécialistes avait confirmé que la morphologie du « danseur » était féminine. La collaboration du galeriste avait été précieuse ainsi que celle de son propre fils qui, étudiant en quatrième année aux Beaux-Arts de Nantes, s'était avéré un assistant inattendu et bien renseigné. Après que Porretin lui ait parlé de la toile de Owens détruite à New York, il commença à chercher si d'autres attentats du même genre avaient eu lieu. Son fils lui avait parlé de la sculpture de Damien Hirst éclatée à coups de massue à Oslo. Les trois attaques avaient eu lieu le même jour. Une drôle de coïncidence qui mit son esprit d'enquêteur en alerte. Il apprit par ses collègues à Oslo et New York que les responsables des attaques avaient été sévèrement drogués à l'aide de puissants psychotropes qui leur avaient été administrés, d'après les analyses, pendant plusieurs jours avant les événements. Il n'avait pas été possible de retrouver d'où provenaient les stupéfiants de fabrication artisanale. Les interrogatoires n'avaient pas abouti, l'étudiante et le responsable des publics étaient encore hospitalisés, le second salement brûlé par l'acide qui s'était écoulé des caissons de Hirst. Ils demeuraient extrêmement fatigués et les souvenirs de leurs actes et de ce qui les avait précédés, totalement flous et incohérents.

La destruction de la jarre de Ai Wei Wei à Shangaï et plus récemment la teinture de la fontaine de Kara Walker à Londres avaient été exécutées de la même manière avec des agresseurs empoisonnés au préalable. Le dernier attentat à la Tate avait permis de le rapprocher clairement de celui de Paris. L'inscription peinte sur le mur de la galerie et les mots sur les papiers colorés lancés dans la fontaine dénigraient sans équivoque la plaisanterie ou la farce de la création contemporaine. Mais s'il était évident que toutes les scènes avaient un lien entre elles, Lelouch ne parvenait pas à identifier un ou des commanditaires. Les musées et les salles de vente étaient peu enclins à admettre que leurs systèmes de sécurité ou leurs équipes avaient pu être défaillants et aucune piste sérieuse n'avait pu démontrer des complicités au sein même des institutions. Les « acteurs » engagés malgré eux pour réaliser ces méfaits n'avaient absolument rien de criminels.

Bref, un mois d'investigations pour découvrir que la même drogue avait été utilisée sur les quatre cobayes, qu'un homme était en fait une femme, que le ou les responsables détestaient l'art contemporain et possédaient un réseau suffisamment étendu pour lancer des opérations aux quatre coins du monde. Porretin l'avait appelé pour l'informer d'un événement cocasse survenu samedi à Bilbao. Il lui expliqua le petit théâtre de Suzann Lennon avec le dessin de Pontormo et Bill Viola. Il n'était pas tout à fait certain que cela ait une relation avec l'affaire, mais l'événement était troublant. La collectionneuse avait fait un speech bien senti et plein d'humour où elle n'avait pas manqué d'épingler la création contemporaine en choisissant le mot « plaisanterie ». Il lui avait conseillé de visionner la vidéo qui tournait sur les réseaux sociaux. Il l'avait enfin invité à appeler Jason Gloves qui connaissait la fantasque Suzann Lennon.

Il se renseigna rapidement sur le célèbre critique américain. Un parcours impressionnant et discret à la fois, loin des médias, des coups d'éclat et des rumeurs qui collaient si souvent à l'image du monde de l'art. Il ne savait pas vraiment si cet appel serait utile, mais ça ne coûtait pas grand-chose d'avoir l'avis d'un professionnel sur toute cette histoire dont il devait être au courant. Il était seize heures quand il décrocha son téléphone.

— Jason Gloves bonjour.

— Bonjour monsieur Gloves, je suis le commissaire Lelouch et je vous appelle de Paris de la part de François Porretin.

— Bonjour monsieur, que puis-je faire pour vous ?

— Eh bien tout d'abord je dois dire que je ne parle pas bien l'anglais et…

— Nous parlerons en français alors, pas de problème.

— Je vous en remercie. Voilà, j'enquête depuis un mois sur ce qui s'est passé à la galerie Porretin et nous avons découvert les liens qui pouvaient réunir un ensemble d'attentats sur des œuvres d'art qui ont été commis dans plusieurs endroits…

— Je suis au courant, monsieur Lelouch. Votre enquête avance ?

— Malheureusement plus.

Lelouch entreprit de raconter à Jason tout ce qu'il savait. Il ne pensait pas être aussi bavard, mais il devinait l'attention que portait son interlocuteur à ces informations. Il poursuivit sans attendre de réponse et lui parla de l'exploit de Suzann Lennon à Bilbao.

— Suzann Lennon fait partie du complot.

Il y eut un silence prolongé.

— Pardon ???

— Si vous avez un moment à m'accorder, j'aimerais vous dire deux ou trois choses à propos de tout cela. Votre appel est inespéré.

— J'ai tout mon temps, Monsieur Gloves, tout mon temps.

Comme à son habitude, Jason résuma efficacement ce qu'il savait, ce qu'ils avaient entrepris avec Estelle, ce qui était arrivé et ce qui se préparait vendredi à Belfast. Lelouch n'en croyait pas ses oreilles.

— Pourquoi ne pas avoir contacté la police plus tôt ?

— Parce que nous craignions d'être démasqués avant qu'ils ne le soient. Nous avons pris des risques inutiles j'en conviens.

— Je ne vous le fais pas dire. Je ne comprends pas ce que le dernier épisode à Belfast a à voir avec toute cette histoire...

— Une petite touche plus personnelle de Grosmann. Un obscur désir de salir ma réputation pour souiller un peu plus celle du monde de l'art et de m'empêcher de vivre aussi, je suppose. J'ai beaucoup de mal à envisager un tel cheminement tordu de pensée, mais j'imagine parfaitement que cette erreur, car c'en est une que son arrogance n'a pas su évitée, lui sera fatale ainsi qu'à ses néfastes acolytes.

— Verriez-vous un inconvénient à ce que je vous rejoigne vendredi ?

— Si vous n'avez pas l'intention de nous empêcher d'agir à notre façon, pourquoi pas.

— En aucun cas, mais je pourrai assurer votre protection s'il devait survenir quelque chose d'imprévu. Je dois néanmoins contacter mon collègue d'Interpol à Londres... J'aurais dû vous appeler plus tôt.

— Je ne suis pas certain que je vous aurais confié autant d'informations... À vendredi.

Jason soupira en raccrochant. Il ne savait pas très bien pourquoi il s'était ainsi épanché auprès de l'enquêteur français. Besoin d'aide ou seulement d'une écoute attentive et convaincue avant l'issue du dernier round ? Encore quelques heures avant de rejoindre l'aéroport, Elian et Buarque et de voler vers Belfast retrouver les femmes de sa vie.

*
**

Belfast

Cassandre avait presque terminé la peinture sur plexi. Elle s'y était attelée dès son arrivée le matin. Elle avait étalé une dizaine de petits dessins et gouaches sur le sol avant de se lancer dans l'exécution de la pièce. La technique réclamait un processus de pensée spécifique qui permettait d'inverser la progression de la peinture, d'envisager un détail de premier plan comme un élément du fond et d'accepter de ne pas tout à fait reconnaître, au moment du dévoilement, l'image que l'on avait esquissée, projetée. Elle travaillait vite, fébrile, concentrée. Elle s'arrêta vers dix-huit heures. Elle était un peu pâle et son chignon noir avait légèrement glissé sur son crâne.

Elle retrouva Estelle et le jeune assistant au bar du musée. La discussion était animée autour de l'intervention de Suzann Lennon samedi à Bilbao. La petite saynète avait été vue par tous ceux qui s'intéressaient de près ou de loin aux événements exceptionnels du monde de l'art. Estelle lança un regard complice à Cassandre. Cillian s'approchait avec des bières. Elle se désaltéra avec plaisir avant de déclarer qu'elle mangerait bien un curé avec ses bottines. Estelle n'avait pas entendu cette expression depuis bien longtemps et rit de bon cœur. Cillian les invita tous à dîner. Pendant que Cassandre et l'étudiant étaient partis prendre leurs effets, il se glissa sur la banquette. Il observa Estelle attentivement quelques secondes avant de mordiller sa lèvre supérieure. Il ne put s'empêcher de l'embrasser plus sensuellement en soupirant et en attrapant sa nuque. Il y eut un petit toussotement près d'eux. Elle ouvrit les yeux et s'écarta doucement de Cillian. Il se retourna et sourit presque innocemment.

Cassandre les regardait tous les deux avec tendresse pendant que l'assistant fixait un point invisible sur le sol.

— Nous avons faim…

mercredi 17 avril

Belfast

Jason aperçut Cillian dès qu'il franchit le portillon de sortie à l'aéroport. Il ne put s'empêcher de penser à Estelle au même instant. Cillian lui sourit chaleureusement en s'avançant vers lui.

— Bienvenue Jason. Je suis content de te voir ici.

Jason cherchait Estelle du regard.

— Elle n'a pas voulu laisser Cassandre seule. Un véritable garde du corps…

— Je ne suis pas surpris.

Elian et Eduardo Buarque approchaient. Ce dernier détaillait avec intérêt la silhouette de Cillian.

— Je te présente Elian…, la compagne de Cassandre et Eduardo Buarque, un ami collectionneur.

— Enchanté, je suis Cillian O'Lochlainn, l'a…, l'ami d'Estelle Rambrant. Je crois que vous êtes tous attendus avec impatience.

Ils souhaitèrent se rendre au Mac avant toute chose. Cassandre terminait sa peinture quand ils arrivèrent. Elian avait presque couru vers elle et l'avait enlacée avec fougue. Jason parcourait des yeux les toiles et les gouaches. Estelle reconnut ce regard et sut qu'il était impressionné. Elle s'approcha de lui en souriant. Il la serra dans ses bras plus qu'il ne l'aurait souhaité. Elle l'embrassa bruyamment sur la bouche. Il en fut surpris et regarda rapidement du côté de Cillian qui les observait gentiment.

— C'est bien que tu sois là Jason Gloves, c'est tellement bien.

— Il me tardait d'être ici avec toi Estelle.

Cassandre approchait d'eux tenant Elian par la main.

— Elian, je te présente Estelle, la super femme que mon oncle n'aurait jamais dû quitter il y a longtemps et Cillian son super amoureux.

Ils se regardèrent tous les trois d'un air embarrassé avant que Cillian n'intervienne.

— Eh bien les choses sont dites simplement. De quoi dissiper le malaise le plus épais non ?

Estelle et Jason avaient esquissé un timide sourire alors que celui de Cassandre était radieux. Elle s'avançait vers Eduardo. Elle l'embrassa gentiment. Il se tourna vers Estelle.

— Et moi je suis Eduardo Buarque et je suis un ami de Jason. C'est cela Jason oui ?

— Oui, c'est bien cela…

Après les présentations, Cillian déposa Jason et Eduardo au Merchant Hôtel. Il fut convenu que tous se retrouveraient chez Estelle vers dix-neuf heures. Jason profita qu'Elian soit restée avec Cassandre pour informer Cillian qu'elle ne savait rien encore. Eduardo l'emmènerait un moment demain pour une course pendant qu'ils évoqueraient une dernière fois ce qu'ils avaient à réaliser.

Les filles étaient rentrées vers dix-huit heures se préparer pour une soirée amicale et détendue. Estelle était un peu fatiguée, mais se sentait mieux. Elle était heureuse que des êtres proches et chers soient réunis ce soir chez elle. Les garçons furent d'une ponctualité exemplaire. Eduardo avait amené un énorme bouquet de fleurs à Estelle, Cillian et Jason tenaient une bouteille de champagne dans chacune de leurs mains. Cillian remarqua la longue robe en soie d'Estelle, ses joues légèrement fardées de rose et ses lèvres carmin. Elle était resplendissante et il l'aurait certainement embrassée si Jason n'avait pas été là. Jason aussi l'avait regardé pensivement durant quelques secondes. Eduardo s'était planté devant la baie vitrée et s'extasiait en sa manière exubérante, du spectacle de l'architecture portuaire et de la qualité incomparable de la lumière qui baignait cet endroit inouï de la terre. Cassandre et Elian savouraient tendrement leurs retrouvailles entourées par des compagnons bienveillants et drôles. Il y avait bien eu un petit moment de gêne perceptible lorsque Marcus les avait rejoints, vite dissipé par l'attention de Jason et de Cassandre et la bonne humeur d'Eduardo.

On parla beaucoup d'art, mais de botanique aussi. Elian était une formidable conteuse et elle savait donner au moindre brin d'herbe qui traînait sur le bitume la rareté d'un diamant. Cassandre l'écoutait comme une enfant. On but pas mal de champagne et on fit déguster à Eduardo quelques whiskeys irlandais. La combinaison des deux alcools le rendit encore plus enjoué et drôle qu'il ne l'était naturellement et il entreprit de raconter comment il était devenu collectionneur à seize ans. Son accent brésilien était incomparable, sa description du São Paulo d'il y a trente ans savoureuse et ses imitations des personnages qui peuplaient avec extravagance son odyssée, épatantes. Il était peu respectueux de la chronologie, mais tous comprirent que la première œuvre dont il fit l'acquisition était une petite sculpture en céramique d'une femme nue — à l'époque disait-il, il pensait que l'amour se cachait par là — qu'il avait brisée accidentellement chez son oncle. Cette petite figurine était l'une des nombreuses créatures qu'un ami de son oncle fabriquait dans un minuscule atelier derrière sa cuisine. Son épouse, qui le prenait pour un obsédé, l'avait quitté et il passait le plus clair de son temps à façonner ses petites femmes sensuelles et désirables. Il commença à les distribuer aux hommes de la famille puis se mit à les vendre avec un vif succès. Eduardo, qui avait récupéré la sculpture de son oncle, était venu la faire réparer et en acheter une nouvelle pour son parent. Il lui en avait simplement offert une autre, restauré la sienne en lui ajoutant deux petites touches de peinture rose sur les tétons. Cette première aventure humaine et artistique lui avait donné la curiosité pour les objets différents, ceux qui à priori ne servaient à rien ou servaient à quelque chose avec fantaisie, excentricité, humour… Il était resté très attaché à la céramique qu'il pratiqua un peu lors d'un court séjour dans une école d'art. Il avait cru avoir l'âme d'un artiste, mais il n'en avait ni le courage ni la rage et ni le talent. Ni riche ni pauvre, il avait réussi à faire de sa première passion son métier et avait ouvert sa première boutique de design assez jeune. Son savoir-faire, ses choix, sa personnalité, sa générosité, la mode et les rencontres avaient construit sa vie, sa collection et sa réputation. Lorsqu'il se tut et qu'il regarda toute la compagnie attentive, il leur sourit merveilleusement et leur annonça simplement qu'il était ivre et épuisé et qu'il devait à tout prix aller se coucher avant qu'il ne raconte des choses plus privées et moins correctes de son existence. Il était adorable et Jason se demandait encore comment il avait pu succomber au piège de Grosmann. Il était temps pour eux de rentrer à l'hôtel. Cillian voulait les raccompagner, mais Jason appela un taxi. Ils prirent congé de leurs hôtes à grand renfort d'embrassades et d'accolades chaleureuses avant de disparaître dans l'ascenseur en riant fort.

En fait, tout le monde était un peu ivre et un peu fatigué. Il était presque une heure. C'est Estelle qui souhaita la première une bonne nuit à Cassandre et Elian en les prenant toutes les deux dans ses bras. Elle sentait l'effet de l'alcool et imaginait tout à fait le sourire niais qu'elle avait dû leur adresser. Elle marcha lentement jusqu'à la chambre dont elle ferma la porte derrière elle. Cillian la suivit en faisant un petit signe amical de la main aux filles.

Estelle était debout devant la baie. Elle entendit Cillian et se retourna. Il avait ôté sa chemise et s'approchait d'elle. Il remonta ses mains doucement le long de ses jambes sous la soie. Elle soupira.

— J'ai envie de te toucher depuis que je suis arrivé…

Il avait levé la robe sur ses hanches pendant qu'elle en déboutonnait le haut. Il la fit passer par-dessus sa tête. Elle ne portait que sa culotte. Elle le regardait intensément entre sourire et soupir.

— J'aimerais que tu m'embrasses.

Il saisit sa bouche délicate goulûment et leurs langues gourmandes se mêlèrent ardemment, leurs poitrines chaudes l'une contre l'autre, leurs doigts nerveux sur la peau douce et frémissante. Elle éloigna son visage pour le regarder encore et savourer ses yeux noirs. Ils souhaitaient de longs et lents délices.

— Je veux t'aimer longtemps, que ton plaisir soit infiniment doux.

Elle avait fait glissé sa culotte le long de ses cuisses et descendu sa main vers son ventre. Elle commença à se caresser lentement en posant celle de Cillian sur la sienne. Il accompagna son geste avec attention et délicatesse jusqu'à ce qu'elle murmure en soupirant.

— Déshabille-toi encore.

Il se débarrassa de son jean et revint nu contre elle. Elle caressa son dos et ses fesses du bout des doigts. Il frémissait. Il attrapa sa bouche, si douce, si chaude. Il était impétueux, vigoureux et savait dompter son désir. Elle se détacha de lui et l'invita jusqu'au lit. Il s'était instinctivement mis sur le dos et Estelle le chevaucha. Elle se pencha sur lui et il embrassa ses seins délicieusement, provoquant des ondes de plaisir intenses dans ses reins. Puis il descendit sous elle, sa bouche à la hauteur de son sexe qu'il dévora avec délectation jusqu'à ce qu'elle gémisse et tremble. Elle glissa sur son ventre et l'accueillit en elle. Il était submergé de plaisir. Ils se regardèrent au même moment, subjugués par tant d'amour. Estelle était épuisée. Elle savait que ce qui les unissait n'était pas une simple et foudroyante attirance physique. S'ils atteignaient cette forme d'extase amoureuse à chacune de leurs étreintes c'est qu'une autre forme d'amour les rassemblait, les soudait, un lien inaltérable, inconnu et unique qui ne regardait qu'eux deux. Elle aimait Cillian sans condition, aucune. Il vint se blottir contre elle.

jeudi 18 avril

Belfast

Le réveil fut pour certains laborieux. Les vapeurs du champagne et du whiskey de la veille ne s'étaient pas encore tout à fait dissipées. Cillian avait choisi de prendre l'air sur le port, Eduardo pria Jason de ne pas l'attendre, Cassandre et Elian regardaient fixement la baie vitrée en soufflant machinalement sur leurs cafés pourtant tièdes. Estelle avait préparé un solide petit déjeuner auquel elles avaient à peine touché. Il était temps de retourner au Mac, Cassandre devait y achever de couvrir sa peinture et les sept toiles seraient installées par les régisseurs du musée. Le texte d'Estelle en lettres aussi bleues que celui du mur des gouaches accueillerait les visiteurs sur un panneau laqué noir tendu à l'entrée de l'exposition intitulée « Esprits de peinture ».

Cassandre était plus silencieuse qu'à l'accoutumée et son anxiété était palpable. Elian était présente, mais discrète. Elle l'observait marcher de long en large dans la grande salle, s'approchant d'une des toiles pour y enlever une poussière imaginaire, s'immobilisant devant le film protecteur du plexi comme pour y apercevoir la peinture. C'était un moment de doute envahissant qu'il fallait maîtriser et dépasser. C'est à cet instant que la haute silhouette de Joachim Da Silva se dessina à l'autre bout de la pièce. Il s'avança lentement vers Cassandre qui lui tournait le dos.

— Cassandre Jeanson, ravi de vous revoir.

Elle sursauta en se retournant. Ce grand homme lui disait quelque chose, mais elle n'avait pas reconnu Da Silva.

— Bonjour monsieur, nous nous connaissons ?

— Joachim da Silva, un collègue de votre oncle.

Elle s'était instantanément crispée. Elle savait qui il était et souhaita soudain qu'Estelle qui était partie faire un point avec Mulligan revienne au plus vite.

— Vous étiez tellement plus jeune lorsque nous nous sommes rencontrés et vous n'aviez pas encore de pinceaux dans les mains.

Elle lui sourit poliment. Il regardait autour de lui.

— Très impressionnant… Très impressionnant… Très brouillon aussi non ?

Il se tourna lentement vers elle et planta son regard noir dans le sien. Elle déglutit, surprise par le commentaire abrupt. Il lui adressa un sourire énigmatique.

— Gloves ne vous a pas encore fait la remarque ?

Elle réalisa alors que Jason ne lui avait rien dit depuis son arrivée et elle eut un doute soudain sur la perception qu'il avait de sa peinture. Peut-être n'osait-il pas lui dire qu'il avait des réserves ou qu'il était déçu. Elle ne voulait pas se laisser déstabiliser.

— Mon oncle n'est pas très bavard en général. Et encore moins avec moi vous pouvez l'imaginer…

— Difficile je peux le concevoir d'être d'une totale objectivité avec un membre cher de sa famille. Si je peux vous donner un conseil, vous devriez explorer des toiles de format moyen avant de vous perdre dans des forêts qui risqueraient d'être trop profondes pour vous…

Cassandre avait légèrement pâli et ne parvenait pas à le quitter des yeux. Elle aperçut cependant Estelle qui avait reconnu la silhouette de Da Silva et qui se pressait vers eux.

— Comment es-tu entré ici Joachim ?

La colère avait tendu ses traits. Elle retira les lunettes sombres qu'elle portait encore de temps en temps et le regarda sans ciller.

— Bonjour Estelle. Je ne savais pas lequel des deux m'accueillerait chaleureusement, Jason ou toi. Heureusement que Mulligan sait encore apprécier et respecter un professionnel.

— Qu'est-ce que tu veux ?

— Juste avoir le privilège d'une petite visite en avant-première et d'un court échange avec l'artiste.

Il se pencha vers Estelle et chuchota presque.

— Un peu trop jeune encore pour un vrai débat... Tu as l'air en forme depuis la semaine dernière. J'ai su que tu avais eu quelques problèmes de santé. Je n'ai malheureusement pas eu le temps de prendre de tes nouvelles.

— Tu devrais attendre Jason, il ne va pas tarder. Vous pourriez alors avoir un bel échange de spécialistes...

— Tu connais nos désaccords, ce ne serait qu'une vaine discussion de plus.

Il se tourna vers Cassandre qui avait suivi immobile cette incroyable passe d'armes.

— Mademoiselle Jeanson, je ne vais pas... perturber plus longtemps votre préparation. J'aurai le plaisir d'assister à votre vernissage demain soir. Ne vous inquiétez pas, on parlera de vous sans aucun doute.

Il quitta les lieux aussitôt. Estelle avait pris Cassandre par le bras, Elian s'était approchée.

— Ce type est un enfoiré !

Estelle acquiesça en haussant les sourcils. Elian vit que Cassandre était perturbée.

— Que s'est-il passé ?

— Ce gars est un grand critique pervers qui déteste mon oncle depuis longtemps et qui a essayé de m'impressionner avec des commentaires blessants sur mon travail. Et… Je n'avais pas vraiment envie de ça maintenant.

Elle avait accusé le coup sans s'énerver, mais Da Silva avait réussi à semer un doute dans son esprit. Jason venait d'apparaître. Estelle s'avançait vers lui et il remarqua immédiatement son air contrarié.

— Tu n'as pas croisé Da Silva ?

— Pardon ?

— Il vient d'interpeller Cassandre et… Nous avons eu un petit échange aimable. Parle-lui, je crois qu'elle est un peu secouée.

Estelle fit signe à Elian de la rejoindre alors que Jason s'approchait de Cassandre.

— Ça va ?

— Oui. Je comprends que vous vous détestiez. Ce type est malsain. Mais…Il m'a dit des choses qui pourraient être vraies tout compte fait. Peut-être que je suis trop prétentieuse ?

— Mais de quoi parles-tu ?

— Il a dit que je me perdais dans des formats trop grands et des sujets trop complexes.

— Ah vraiment ?

— À peu près.

— Eh bien si on ne se perd pas dans certaines forêts enchantées ou ensorcelées comment crois-tu que l'on puisse accéder à une quelconque révélation ou à une initiation ?...

Les paroles de Jason sur sa peinture étaient si rares qu'elle n'était pas bien sûre d'avoir entendu celles-ci et même si elles demeuraient énigmatiques elle savait qu'elles étaient un encouragement sincère. Il la regardait intensément. Il la serra contre lui.

— Je ne te lâche plus jusqu'à demain.

Ils s'étaient tous retrouvés après le déjeuner dans la grande salle. Eduardo avait prié Elian de l'accompagner en ville parce qu'il souhaitait faire un cadeau à Cassandre à l'occasion de son exposition et qui mieux qu'elle pourrait le guider dans son choix. Il y avait donc un peu de temps pour la dernière mise au point avant l'événement. Jason annonça qu'il avait été contacté par l'inspecteur français qui connaissait maintenant absolument tout de l'histoire et qui serait ici demain soir pour les soutenir en cas de besoin.

Herbert Kanno et Angus Craig les rejoindraient également. C'est Cassandre et Jason qui prendraient la parole l'un après l'autre au moment des discours. Une inconnue de taille restait à éclaircir. Personne ne savait à quel moment et comment la terrible rumeur se répandrait publiquement. Marcus n'avait pas obtenu l'information, mais cela ne pouvait être qu'avant le vernissage, les médias et les curieux devant être au courant avant le début des « festivités ». Il serait alors préférable d'être sur place bien avant l'inauguration prévue à seize heures et d'avoir Mulligan sous la main pour neutraliser sa surprise et peut-être sa panique. L'un d'entre eux se chargerait de lui révéler le complot. Cassandre et Jason resteraient à l'abri de tout contact jusqu'à l'ouverture de l'exposition. Estelle accueillerait Kanno et Craig, Cillian surveillerait les mouvements des uns et des autres et pourrait, si cela était nécessaire alerter l'enquêteur Lelouch. Eduardo serait le chevalier-servant d'Elian.

Jason avait amené des portraits de toutes les personnes présentes le lendemain ou susceptibles d'y être afin que chacun puisse les identifier. Il était certain que Grosmann et sa bande ne s'attendaient pas à retrouver Buarque, Kanno et Craig. Il était persuadé aussi que Grosmann serait accompagné de Berthelot, de Da Silva, de Suzann Lennon et de ses acolytes Dunne et Tilmor. Enfin, il ne fallait en aucun cas négliger Marcus qui pourrait jusqu'au dernier moment détenir une information capitale et qui serait évidemment en danger dès qu'ils réaliseront leur complicité.

Cassandre était épatée par le pragmatisme de son oncle et malgré son angoisse grandissante elle ne put s'empêcher de leur dire qu'elle avait la sensation de préparer le casse du siècle pour un film de Soderbergh. La remarque avait allégé l'atmosphère et clos la réunion.

Les grandes toiles avaient été installées en un peu plus de deux heures et le moment où l'on ramasse le dernier marteau, où l'on replie l'escabeau arriva enfin. Cassandre aurait souhaité qu'il y ait encore une tonne de choses à faire d'ici le vernissage afin d'apaiser son stress et son inquiétude. Elle avait rendez-vous le lendemain matin pour la réalisation d'une vidéo sur son travail. Elle aurait bien évité cet exercice intimidant, mais il n'avait pas été possible d'y échapper. Elle passa la soirée avec Elian chez Estelle en visionnant un vieux film d'horreur. Au moins oublia-t-elle la vraie raison de sa peur pendant un moment.

Estelle, Cillian, Jason et Eduardo dînèrent en ville, pas aussi détendus qu'ils ne l'auraient souhaité, mais aucun d'entre eux n'évoqua plus le lendemain jusqu'à ce qu'ils se séparent. Au moment de rejoindre sa chambre, Eduardo s'approcha de Jason.

— Je vous remercie de m'avoir fait confiance. Demain, nous mettrons fin à ce triste cirque.

— J'en suis certain, Eduardo.

*
**

Los Angeles

Cecilia Kanno avait absolument tenu à accompagner Herbert à Belfast. Il redoutait que la confrontation presque évidente entre Grosmann et sa fille ne soit douloureuse, mais il n'avait pas trouvé les arguments pour entamer sa farouche détermination. Malgré sa confiance renaissante, il n'était pas à l'aise à l'idée de se retrouver face à face avec lui et il devait bien avouer que la présence de Cecilia lui procurait l'énergie dont il avait besoin. Ils venaient d'embarquer.

✳
✳✳

New York

Georges Grosmann était assis dans son bureau. Le taxi ne tarderait pas à arriver pour le conduire à JFK. Berthelot l'avait informé du spectaculaire succès de Suzann Lennon à Bilbao. Sa satisfaction avait été de courte durée comme si l'ennui revenait insidieusement s'emparer de lui. Il espérait que l'événement tant attendu du lendemain le comblerait. Mettre à genoux le grand Jason Gloves, voir la tête de certains de ses collaborateurs quand ils découvriront qu'il est le cerveau de cette entreprise et qui sait, ressentir une émotion, quelle qu'elle soit devant la peinture de cette jeune artiste. Un programme qui lui donnait encore un peu de courage pour supporter dix heures de vol.

✳
✳✳

Londres

Suzann Lennon n'avait pas cessé de savourer sa réussite de Bilbao. Elle regrettait simplement de ne pas avoir eu le temps d'un échange avec Bill Viola, mais le timing avait été parfait tout comme sa prestation. Elle se réjouissait à l'avance d'aller assister au vernissage de Cassandre Jeanson où elle pourrait agacer un peu Da Silva, boire une coupe de champagne avec le charmant Marcus Garbot et regarder la déconfiture de l'homme élégant et racé qu'était Jason

Gloves. Sa pauvre nièce ne méritait pas ce forfait, mais elle était jeune et saurait rebondir. Elle se demandait bien quel manteau elle porterait...

*
**

Édimbourg

Angus Craig était arrivé à Édimbourg. Il prendrait demain matin le premier vol pour Belfast. Ce qui le réjouissait le plus dans ce voyage qui n'avait pourtant rien de bien attrayant, c'était de revoir Estelle Rambrant dont il appréciait la belle intelligence, la logique, la générosité et l'engagement. Il était cependant fébrile se sachant maladroit et peureux lorsqu'il devait affronter une situation critique.

*
**

Paris

Jacques Berthelot était impatient. Il ne doutait pas que la fête du lendemain serait grandiose. Il aimait le panache et le spectacle et rien ne pouvait plus à présent empêcher le grand divertissement. Il venait de lire l'article de Maarit Heikinneen et la prochaine journée à Belfast serait explosive.

La journaliste avait poliment décliné l'invitation pour le vernissage. Il pouvait aisément imaginer qu'elle ne souhaitait pas se retrouver en face de Gloves après un tel papier fielleux, soit dit en passant très bien écrit.

*
**

Paris

Daniel Lelouch n'avait assisté qu'une seule fois à un vernissage, celui d'une exposition collective à laquelle son fils avait participé dans le cadre de son diplôme de troisième année. Il avait apprécié la compagnie de tous ces jeunes gens un peu fantasques et bruyants et avait éprouvé un sentiment de fierté lorsqu'il avait découvert les portraits photographiques de son fils dont l'un très surprenant de sa grand-mère, les épaules dénudées et enveloppées dans un drapé vaporeux de mousseline bleu nuit. D'abord perturbé, il avait ensuite vu toute la beauté de cette femme, la beauté de sa mère. Il imaginait que le vernissage du lendemain serait moins « familial ». Il avait étalé devant lui sur le lit le costume qu'il comptait porter à l'occasion.

*
**

Helsinki

Maarit Heikkineen savait qu'elle venait de mettre fin à sa carrière de critique d'art en écrivant cet article ignoble sur Jason Gloves. Elle espérait sans y croire qu'au milieu d'une presse élogieuse, spécialisée ou pas, sur l'« Exposition » son papier pourri serait relégué discrètement au rang de torchon revanchard et pitoyable, mais Berthelot avait programmé une diffusion massive de la chronique et il ne faisait aucun doute que certains médias s'empareraient de la rumeur malfaisante sans le moindre scrupule. La présence du « monstre » le soir même à Belfast pour le vernissage de sa nièce exciterait les pires chasseurs de scoops misérables et déplacerait peut-être un public inattendu. Berthelot l'avait ironiquement invitée.

38

vendredi 19 avril

Belfast

Jason fut réveillé par la sonnerie de son portable. Il était à peine huit heures. Il attrapa maladroitement l'appareil et se racla la gorge avant de répondre.

— Jason Gloves bonjour.

— Bonjour Jason.

Il reconnut immédiatement la voix de Da Silva et se redressa.

— Joachim…

— J'ai pensé que tu aimerais savoir que la journaliste du Grand Nord vient de publier un article passionnant sur l'« Exposition » et sur ce qui t'anime pour obtenir de tels résultats. Je suppose qu'elle te l'a envoyé. Sinon, il se répand comme une traînée de poudre sur toutes sortes de réseaux et de supports… Quelle notoriété ! Bravo !

Il avait raccroché sèchement avant que Jason n'ait pu réagir. Il bondit hors du lit et se saisit de son ordinateur portable. Il ouvrit en hâte la boîte mail et vit immédiatement le message.

Bonjour Jason Gloves, je vous avais informé que je n'étais pas douée pour les belles histoires… Je suis désolée que la nôtre ait été aussi brève. Maarit Heikkineen

Il cliqua sur le document intitulé « L'amour et l'art ».

Si vous n'avez pas encore visité l'Exposition, la dernière folie du renommé critique d'art et commissaire américain Jason Gloves, présentée à Toulouse en France, courez vite vous déboîter le cou pour essayer de compter les œuvres qui s'enchevêtrent sous le plafond du musée et qui glissent vers vous toutes les deux heures au son irritant d'une pluie battante. Inutile d'essayer de reconnaître les œuvres ou les artistes. Le jeu n'est pas là, il n'y a pas de jeu d'ailleurs. Gloves impose avec audace son utopie d'un déluge artistique et créatif. Un orage qui nous obligerait à considérer que les artistes, nombreux, et l'art, prolixe proposeraient une manière différente de voir et de penser le monde ou mieux, une alternative possible à sa folie. Soit.

Il faut des moyens et des soutiens considérables pour réussir une exposition comme celle-ci. Jason Gloves ne donne aucune information sur ses méthodes de travail et encore moins sur sa façon de vivre. Cette discrétion agaçante confine à la dissimulation. On ne peut pas être aussi obstinément silencieux sans avoir quelque chose à cacher.

La curiosité est un vilain défaut dit-on, mais quand elle permet de découvrir ce qui est tapi sous une brillante carrière, une renommée internationale et une réputation d'intégrité et d'incorruptibilité, elle s'avère salutaire.

Aujourd'hui a lieu au Mac de Belfast le vernissage de la première exposition personnelle de Cassandre Jeanson, sa nièce dont il est très proche depuis la mort accidentelle de ses parents il y a cinq ans. La jeune femme fragile qui a néanmoins obtenu un diplôme d'art en France, admire et aime sincèrement son oncle. Gloves également l'aime sincèrement, mais il a ajouté depuis peu une dimension supplémentaire à cette relation filiale qui n'a pas été démentie par Cassandre Jeanson elle-même. On peut aisément imaginer le malaise de la jeune artiste qui sera ce soir soutenue par l'oncle bienveillant et le plus renommé des critiques et conseillers que connaisse le monde de l'art contemporain.

Un tel secret en laissait présager d'autres quant aux méthodes de Gloves pour réussir de si merveilleux projets. On sait qu'il fait souvent appel à Estelle Rambrant, son ex-maîtresse, ou du moins le suppose-t-on, pour faciliter ses recherches et ses démarches auprès des collectionneurs. Peu reconnaissant, il ne cite jamais ses collaborateurs ni les donateurs qui le suivent depuis tant d'années. Sous l'élégance, la discrétion et la distance s'agitent en fait des penchants moins nobles que la grande maîtrise qu'il possède de lui-même parvient à occulter depuis toutes ces années. Si Jason Gloves est incontestablement un immense professionnel, il est aussi un bien triste sire dont il ne devrait pas être impossible à présent de se passer.

Jason était sidéré. Il s'attendait bien sûr depuis plusieurs jours à recevoir l'article de Maarit Heikkineen, mais n'aurait pu soupçonner un tel monceau d'âneries et de méchancetés en si peu de lignes. Il avait cru lors de sa rencontre avec la journaliste à Paris qu'il avait affaire à une femme plutôt intelligente, mais il devait reconnaître qu'il avait totalement manqué de clairvoyance. Ce qu'il ne voyait pas était les trois images qui accompagnaient le papier. Deux photographies de Cassandre et lui à New York où ils étaient enlacés tendrement et une troisième d'Estelle et lui dans les bras l'un de l'autre au jardin japonais de Toulouse. Les légendes étaient explicites.

Mulligan avait appelé Estelle vers dix heures. Il était passablement paniqué suite à la lecture de l'article qui était arrivé dans sa boîte un peu plus tôt. Estelle avait elle aussi lu le papier qui commençait à circuler un peu partout sur les réseaux. Avant de lui expliquer ce qui se passait, elle lui intima de ne répondre à aucune demande ou appel concernant l'article ou Gloves ou Cassandre et d'essayer de ne pas laisser de journalistes autres que connus par lui accéder au vernissage. Elle résuma l'affaire en dix minutes et assura Mulligan que tout se passerait bien. Ils arriveraient tous vers treize heures. Il l'invita à prendre l'entrée du personnel non loin du parking. Tous s'étaient retrouvés chez Estelle. Ils encaissaient calmement la secousse du torchon de Heikkineen et tentaient de ne pas céder à l'angoisse. Elian avait compris que quelque chose se préparait. Elle les regarda l'un après l'autre en silence.

— Il serait peut-être temps de me dire ce qui se passe. Je vais commencer à croire que vous ne me faites pas confiance.

Cassandre vint la prendre par la main avant de l'emmener dans le bureau dont elle ferma la porte. Gloves appela Marcus qui était encore à son hôtel. Il put juste lui confirmer que toute la bande serait présente. Il était temps de se préparer. Estelle et Cillian se changèrent dans la chambre. Elle enfila une robe grise presque sévère et des boots, il glissa sa veste bleu nuit au-dessus de son pull. Ils s'approchèrent l'un de l'autre. Il lui souleva le menton du bout des doigts.

— Aucun risque inutile Estelle Rambrant. Je te surveille.

Elle lui sourit et l'embrassa chèrement.

Tout était étrangement calme lorsqu'ils arrivèrent au Mac. Mulligan les avait accueillis nerveusement, presque aussi pâle que la monture crème de ses lunettes. Il avait fait préparer quelques sandwiches, mais on toucha à peine aux victuailles. Le téléphone du bureau et le portable de Mulligan ne cessaient de sonner. Cillian qui avait vu la bouteille de whisky sur une étagère, l'avait saisie et servi à chacun un petit verre de liquide ambré.

— Ça ne peut pas nous faire de mal non ?

Il eut un rire énervé et chacun lui sourit en attrapant son whisky. Ils l'avalèrent en une vive gorgée. Le temps s'égrainait et le moment de se rendre dans la salle d'exposition était arrivé. Les portes du Mac ouvriraient dans quelques minutes. Ils savourèrent une dernière fois le silence de l'espace et le chatoiement de la peinture avant que les premiers visiteurs n'apparaissent. Le maire de Belfast qui venait d'entrer se dirigea prestement vers Mulligan en lançant des regards suspicieux vers Gloves. Après une vive discussion, il vint vers Cassandre et Jason qui se tenaient côte à côte.

— Mademoiselle, je suis ravie de faire votre connaissance et de vous accueillir en ce haut lieu de la culture belfastoise.

Elle inclina la tête en signe de remerciement sans pouvoir prononcer un mot.

— Monsieur Gloves c'est un grand honneur de vous recevoir.

Le maire était sans conteste très mal à l'aise. Jason le regarda sans ciller en opinant de la tête. La galerie ne disposait que d'un seul accès et il était facile de voir qui entrait. Rien jusqu'à présent ne semblait anormal. Buarque et Elian s'étaient postés vers le fond de la salle, Cillian l'arpentait lentement et Estelle avait rejoint Cassandre et Jason. Mulligan n'était pas loin, accueillant avec ses épanchements coutumiers les visiteurs qu'ils connaissaient. Estelle aperçut Angus Craig et accourut vers lui.

— Professeur Craig, je suis tellement heureuse de vous voir. Merci infiniment d'être venu.

— Estelle ! Aye ! Quel plaisir enfin de vous retrouver ! Je ne vous remercierai jamais assez de m'avoir écouté et de m'avoir cru. Je suis impatient de revoir Herbert Kanno, mais je vous en prie, retournez auprès de vos amis nous nous croiserons plus tard.

Estelle apprécia d'entendre à nouveau l'extraordinaire accent écossais de Craig. Elle avait rejoint Cassandre et Jason à qui Mulligan présentait un professeur de philosophie de l'Université.

— C'est parfois une chance de pouvoir lire un torchon calomnieux et d'en rencontrer les protagonistes. Je ne crois pas le moindre mot qui est écrit ou plutôt vomi là-dedans. Monsieur Gloves, cette journaliste rêverait d'être une des deux femmes de votre vie. Pure jalousie.

Il regarda Cassandre et Estelle avec insistance avant de s'éloigner. Cassandre soupira.

— Ça promet on dirait. Vivement la suite.

Marcus, Berthelot et Da Silva venaient d'entrer. Jason qui avait découvert les joies de l'improvisation depuis quelque temps se précipita vers eux, saisit fermement Marcus par le bras en l'obligeant à se retourner. Feignant la colère il le toisa.

— Je suppose que vous aurez deux trois choses à me dire le moment venu ?

— Parler de votre imprudence peut-être ?

Jason fixa tour à tour Berthelot et Da Silva et fit demi-tour sans leur laisser l'occasion de prendre la parole. Ils regardèrent Marcus avec curiosité et Berthelot esquissa presque un sourire. Il y avait de plus en plus de monde et de brouhaha. C'est Angus Craig qui reconnut Herbert Kanno dans la foule qu'il traversa prestement pour le rejoindre. Le grand homme l'accueillit par une chaleureuse accolade.

— Angus, je ne pensais pas vous voir ici, je ne croyais plus jamais vous revoir en fait. Je suis heureux et tellement confus de vous avoir mis en mauvaise posture. Je… Je vous présente Cecilia mon épouse.

Angus était sincèrement ému.

— Herbert, nous devons nos retrouvailles à Estelle Rambrant et à Jason Gloves et je me réjouis de vous voir en bonne forme. Madame, enchanté de vous rencontrer enfin.

Murray Dunne et Jack Tilmor discutaient tranquillement devant une grande toile de Cassandre. Cillian n'en croyait pas ses yeux. L'assemblée était dense à présent et il était de plus en plus difficile de surveiller l'entrée du public. Mais Gloves vit arriver Grosmann, le visage fermé, les mains derrière le dos. Berthelot s'était empressé de le rejoindre et de l'attirer vers Marcus et Da Silva qui fut totalement surpris par sa présence. Il dévisagea les deux hommes sans un mot et jeta enfin un regard à Berthelot qui lui sourit triomphalement.

— Messieurs, la fête va bientôt commencer, je crois. Où est Lennon ?

— Elle ne va pas tarder, elle a toujours su ménager ses entrées… Messieurs, je vous présente Georges Grosmann qui préside aux destinées de notre mission.

— Calmez-vous Berthelot, calmez-vous.

Suzann Lennon avait enfin fait son entrée. Son chapeau était si large qu'il fallait s'écarter pour la laisser passer, son manteau ample bleu ciel tressaillait à chacun de ses pas. Elle se fraya sans difficulté un chemin vers Gloves. Elle se planta devant lui en arborant un air compatissant.

— Suzann...

— Oh Jason ! Je suis tellement désolée. Quel dommage, quel dommage de ruiner votre avenir pour des histoires ...

Elle murmura presque.

— de fesses... Je suis une de vos grandes admiratrices et... sincèrement quelle déception !

Elle regarda Estelle avec mépris. Elle soupira et se tourna vers Cassandre.

— Et vous pauvre enfant... Votre calvaire est bientôt terminé.

Cassandre, Estelle et Jason n'avaient pas bronché. Elle se retourna avec emphase alors que Berthelot venait la chercher. Elle devint exubérante devant Grosmann.

Mulligan avait saisi un micro et demandait l'attention du public. Dans quelques instants, la peinture au centre de la salle serait dévoilée. Il expliqua brièvement le protocole de cette recherche avant que deux étudiants ne s'approchent lentement du grand Plexiglas. Le silence s'installa rapidement alors que les visiteurs faisaient place. Les étudiants grimpèrent sur des petits escabeaux et attrapèrent chacun l'extrémité supérieure du film protecteur qu'ils commencèrent à décoller avec précaution. Petit à petit, la peinture révélait son mystère.

D'abord, un ciel menaçant apparut, dans lequel pointaient les deux silhouettes reconnaissables entre toutes de Samson et Goliath sur le port de Belfast. Au fur et à mesure que la pellicule plastifiée se détachait, les deux grues étaient englouties par une inextricable nature au cœur de laquelle deux femmes enlacées s'étaient assoupies. Le halo lumineux qui les entourait éclairait une végétation luxuriante dont chaque détail était époustouflant de précision, de poésie réaliste. Les couleurs intenses étaient exacerbées par la brillance du plexiglas. L'alliance entre les ciels hostiles et les engins dressés, entre la nature envahissante et l'amour apaisé, résonnait comme un résumé irrésistible d'un épisode de vie fantastique.

Cassandre avait assisté à la performance avec fébrilité et elle ne put s'empêcher de chercher Elian des yeux. Elle la regardait avec un sourire merveilleux quand que le public s'était mis à applaudir. Grosmann était bouleversé et il en fut aussitôt embarrassé. Alors qu'il souhaitait aller féliciter Cassandre, il aperçut sa fille au bras de Kanno. Il s'arrêta net, la surprise l'avait fait pâlir et il revint sur ses pas vers Berthelot. Il eut du mal à contrôler sa voix.

— Vous avez certainement une explication à me donner quant à la présence ici de Kanno et de ma fille ?

— Pardon ?

Berthelot blêmit lorsqu'il les vit à son tour. Da Silva et Lennon s'interrogeaient du regard et Marcus observa avec curiosité Grosmann qui semblait fulminer.

Mulligan avait de nouveau pris la parole pour annoncer le début des discours. C'est le maire qui commença la traditionnelle déclaration de bienvenue à l'artiste dans le lieu remarquable qu'était le Mac. Lorsque Mulligan invita Cassandre et Jason à s'avancer et qu'ils s'installèrent près du micro, des voix fortes s'élevèrent dans la foule, suivies par quelques sifflets.

— Allez Jason ! Parle-nous d'amour !!!

— Honte sur toi !!!

Mulligan s'approcha du micro, un sourire crispé au coin des lèvres.

— Je vous en prie. Je vous en prie, merci. C'est mademoiselle Jeanson qui parlera d'abord.

Une autre voix retentit.

— N'aie pas peur Cassandre on est avec toi…

Elle s'avança lentement, attrapa ses longs cheveux qu'elle avait exceptionnellement détachés mais qu'elle remonta en chignon sur sa tête en un geste vif et précis. Elle s'éclaircit la voix et regarda une dernière fois Jason avant de commencer à parler.

— Je suis plus à l'aise avec les pinceaux qu'avec les mots et je le suis encore moins avec les paroles. J'avais préparé une sorte de discours que j'allais vous lire parce que c'est plus rassurant de lire, mais les circonstances particulières de ce vernissage m'amènent à improviser. L'immense colère qui est en moi m'empêchera certainement de bafouiller. J'ai lu ce matin comme beaucoup d'entre vous ici ce papier infect qui dresse un portrait de mon oncle aussi grossier que ridicule et qui insinue que je suis la faible victime de ses agissements incestueux. On se demande quel esprit tordu a pu inventer un vaudeville pareil...

— Quelque chose ne tourne pas rond Berthelot je me trompe ?.

Grosmann avait sifflé dans l'oreille de Berthelot. Cassandre poursuivait sa déclaration. Da Silva s'approcha de Grosmann.

— Avez-vous invité Eduardo Buarque ?

— Pas vraiment non, il est ici ?

Da Silva acquiesça. La voix de Grosmann était devenue rauque. Il fusillait Berthelot du regard et il passa lentement sa main dans ses cheveux.

— Vous avez d'autres surprises Berthelot ?

— Je... Je ne comprends pas, je ne comprends pas du tout...

Da Silva se tourna vers Marcus.

— Et vous Marcus, vous y comprenez peut-être quelque chose ?

Pour toute réponse, Marcus soutint son regard pendant de longues secondes avant que Da Silva ne souffle à Berthelot.

— Je suppose que vous avez prévu un plan B ?

Suzann Lennon avait aperçu également Buarque et s'était

imperceptiblement rapprochée de lui ; elle fut surprise de le trouver en compagnie de la petite amie de Cassandre Jeanson et en prit ombrage. Elle vint vers lui un peu agacée et il ne put s'empêcher de hausser les sourcils quand il la vit presque devant lui. Elle s'agitait beaucoup et lui dit en essayant de chuchoter à son oreille.

— Vous êtes ridicule Buarque au bras de cette fille. Qui croirait un seul instant que vous aimez les femmes ? Regardez-vous !

Suzann avait saisi le poignet d'Elian et tentait de l'attirer vers elle. Buarque qui était encore si proche d'elle envoya valser son chapeau géant d'un petit mouvement sec de la main. Elle lâcha le bras d'Elian et remit précipitamment en place quelques mèches de cheveux sur son crâne. Il la regarda fixement et gravement quelques secondes.

— Ne vous avisez plus de la toucher Suzann.

Elle ramassa son chapeau et lui fit face une dernière fois.

— Vous n'êtes qu'un goujat homosexuel Eduardo.

— Exactement !

Pendant ce temps, Cassandre continuait de parler simplement et calmement.

— … Vous ne me croiriez pas si je vous disais de qui il s'agit et qu'il est certainement parmi nous. Parce que ce misérable épisode auquel nous assistons aujourd'hui n'est que l'une des nombreuses perversions de ce malade et de ses bandits. Celle de trop ! Celle à laquelle nous avons réussi à faire face et ça il ne pouvait même pas l'imaginer. L'arrogance a aussi ses limites. Je voudrais vous présenter une personne qui compte énormément pour moi et qui comptera de plus en plus.

Elle fit signe à Elian de s'approcher. Elle hésitait et Eduardo la poussa gentiment dans l'assemblée. Elle vint près de Cassandre qui lui prit la main.

— Voici Elian, ma compagne. Mon oncle l'apprécie énormément.

Il m'a toujours soutenu sans condition dans tous mes choix. J'aimerais avoir en face de moi la si lâche Madame Heikkineen qui a osé écrire de telles insanités sur lui et lui mettre mon poing dans la figure…

Ses yeux embués de larmes brillaient de colère.

— J'aurais aimé vous parler de peinture parce que c'est ma première exposition personnelle, tendue comme un piège c'est vrai, mais une vraie exposition, où je veux dire ce qui fait de moi une artiste, une chercheuse… J'espère que ce que je peins, ce que je vis, vous touchera. Des amis de mon oncle sont venus de loin pour nous rejoindre et dénoncer avec nous cette incroyable folie. Alors je vous demande sincèrement d'écouter encore quelques instants ce qu'il a à vous dire.

Des applaudissements retentissaient dans la salle. Cillian aperçut Murray et Jack Tilmor qui se dirigeaient vers l'entrée. Rapide comme l'éclair il fendit la foule et se trouva nez à nez avec eux au moment où ils s'apprêtaient à sortir.

— Bonsoir, messieurs, vous ne voudriez pas manquer ce que Jason Gloves va nous raconter n'est-ce pas ? C'est une telle chance de l'avoir parmi nous.

Il n'était pas question d'en venir aux mains même s'il n'aurait pas refusé une petite rixe avec Murray et ce sale type qui l'avait assommé. Michael était apparu et lui adressait un signe aimable de la tête. Les deux hommes demeurèrent silencieux et dociles.

Jason avait commencé son intervention.

— Ma nièce est une jeune femme extraordinaire, une artiste confondante et elle ne méritait pas de subir ce qu'elle a vécu ces dernières semaines. Je ne vous parlerai pas longtemps parce que je souhaite que vous preniez le temps de vous transporter dans sa peinture, c'est pour cette raison essentielle que nous sommes réunis ici. Le malentendu grotesque que nous vivons aujourd'hui est la volonté malade d'un homme puissant qui a pensé que son seul ennui, son dépit devant la création contemporaine l'autorisaient à détruire, à bafouer, à manipuler des personnes qui l'aideraient à fomenter et exécuter des actions terroristes contre des œuvres d'art dans des lieux iconiques du monde entier…

Alors que Jason poursuivait son exposé, Cecilia Kanno s'était approchée de son père qui lui tournait le dos. Berthelot qui l'avait aperçue lui fit un signe de tête. Il lui fit face. Elle tremblait légèrement.

— Je me disais que peut-être ce n'était pas vraiment toi qui avais conçu et organisé tout cela…

— Désolé de te décevoir…

— Qu'est-ce que tu vas faire maintenant ?

— Rien Cecilia, je pense que je ne vais plus rien faire…

Da Silva et Suzann étaient descendus dès le début de la prise de parole de Jason. Ils furent très contrariés de ne pas pouvoir sortir du Mac. Plusieurs policiers en civil veillaient à ce qu'aucun visiteur ne quitte le bâtiment. Ils remontèrent jusqu'à l'exposition. Da Silva aperçut Marcus qui s'était approché d'Estelle. Il fonça presque sur eux, la rage bloquant ses mâchoires. Il mit son visage à quelques centimètres de celui de Marcus.

— Vous devez jubiler Marcus devant votre minable victoire ? J'ai toujours eu un doute sur vos motivations… Je n'ai pas été assez prompt à vous démasquer. Mais quel dommage que vous deviez vivre votre petit triomphe avec le souvenir inoubliable de ce que vous avez fait subir à Estelle pour y parvenir !

Estelle avait saisi son bras pour qu'il la regarde.

— Nous ne pourrions pas parler de cette minable petite victoire s'il ne l'avait pas fait… Peut-être pas tout à fait comme tu le souhaitais d'ailleurs.

Da Silva s'était dégagé fermement.

— Tu as perdu Joachim, tu t'es perdu depuis si longtemps.

Jason finissait son intervention.

— Mais il est plus facile de s'en prendre à des objets qu'à des personnes. L'aveuglement et l'arrogance sans limites de cet homme lui ont fait croire qu'il devait m'atteindre, menacer ma nièce et mes proches pour compléter sa déplorable et indécente revanche sur l'art. Il a échoué parce qu'il a perdu son humanité et qu'il s'est trompé de quête, si cela en était vraiment une. Il a échoué parce que des amis, des collaborateurs, ma nièce elle-même ont pris de grands risques pour le confondre avec ses acolytes. Ils sont presque tous présents dans cette salle et ils rendront compte prochainement de leurs actes devant la justice.

L'art est un territoire irréductible de liberté, il ne peut être la propriété d'un seul, il doit être à la disposition de tous. Ce qui est loin d'être la réalité. Continuons non pas à posséder les œuvres, les cacher ou les détruire, mais à les montrer, les expliquer, les partager. Nourrissez-vous de ce que vous voyez ici ce soir !

Il y eut un silence éloquent avant qu'une salve d'applaudissements n'éclate. Mulligan lançait des regards presque ahuris autour de lui. Il tapait des mains plus fort que les autres et savourait sans réserve l'incroyable scène qui avait lieu « chez lui ».

Jason était venu serrer Cassandre dans ses bras. Il tremblait imperceptiblement. Il vit Grosmann s'approcher lentement.

— Bravo ! Quelle synthèse Gloves, quelle éloquence ! Et ne croyez pas que j'ironise. Vous savez, mon seul regret sera peut-être de ne pas avoir pu être votre ami.

— Pensez-vous vraiment que cela aurait été possible ? Je n'oublierai pas votre passion des artistes et le soutien que vous leur avez porté pendant de si longues années, mais je n'oublierai pas non plus l'homme dangereux et méprisant que vous êtes devenu.

Grosmann soupira et se tourna vers Cassandre qui semblait très impressionnée d'être en face de lui.

— Mademoiselle, votre peinture dévoilée m'a beaucoup troublé tout à l'heure et vous avez certainement compris que je n'avais plus beaucoup de relation avec l'émotion picturale… Me feriez-vous le plaisir de votre compagnie pour découvrir le reste de votre monde ? Je crains de ne pas disposer de beaucoup de temps…

Cassandre lança un regard interrogateur à Jason qui acquiesça discrètement. Elle fit un signe de la main à Grosmann en l'invitant à la suivre. Berthelot se sentit soudain très seul. Il savait que la partie était perdue. Suzann Lennon l'avait informé, totalement outrée, que personne ne pouvait quitter le musée et lui avait demandé si le grand Grosmann avait eu la prévoyance d'envisager une telle situation et surtout une solution pour en sortir. Berthelot l'avait regardée en soupirant.

— Faites comme lui Suzann, profitez de l'instant présent…

Daniel Lelouch attendait patiemment que Jason soit disponible. Il le rejoint dès le départ de Cassandre avec Grosmann.

— Jason Gloves bonsoir, je suis Daniel Lelouch.

— Ravi de vous rencontrer. Merci infiniment d'être venu.

— Merci à vous. Le bâtiment est bouclé et aucun des suspects qui ont été signalés ne pourra en sortir sans être appréhendé. Je vous avais promis de ne pas intervenir pendant le vernissage, mais il faudra penser à clore l'événement d'ici une heure au plus tard. Nous ne pouvons pas prendre de risque.

— Profitez de l'exposition. Porretin m'a dit que votre fils était étudiant en art.

— Oh, il vous a dit ça. Oui et j'en suis très fier.

Estelle cherchait Cillian du regard. Lorna s'approchait.

— Tu n'as pas vu Cillian ?

Lorna tourna la tête vers l'entrée. Elle la remercia en s'éloignant. Elle le trouva en effet en pleine discussion avec Michael devant le grand panneau à l'entrée de la galerie. Cillian l'aperçut et décocha un irrésistible sourire. Elle vint vers lui qui l'embrassa en la prenant par la taille. Michael les regardait tous les deux avec bienveillance. Il aimait ce garçon depuis longtemps, comme un fils et il aimait le voir si heureux avec Estelle.

Personne n'assista à l'arrestation de Grosmann et de ses comparses. Quand tous les visiteurs furent sortis, Mulligan, ravi et exténué par tant d'émotions, fit dresser une grande table dans la galerie autour de laquelle ils se retrouvèrent tous : Cassandre, Elian, Estelle, Lorna, Cecilia, Jason, Cillian, Michael, Marcus, Herbert, Eduardo, Derek et Angus. Ce dernier dit quelques mots à Mulligan qui disparut en courant de la salle. Il revint à peine quelques minutes plus tard accompagnée par Doreen McEnzie, la jeune assistante d'Angus qui s'avéra être d'ailleurs un peu plus que sa collaboratrice.

Il y eut un long silence entre eux tous avant qu'Eduardo ne lève son verre.

— À Cassandre Jeanson, une magnifique artiste et une fille épatante !

Tous trinquèrent à la santé de Cassandre qui avait rougi lorsqu'Eduardo avait enroulé son poignet d'un délicat bracelet en argent orné de motifs végétaux anciens. Sans que cela ait été décidé, personne n'aborda plus au cours du dîner ce qui s'était passé ce soir et depuis toutes ces semaines. Il fallait simplement profiter de ce moment de soulagement, de retrouvailles amicales qui n'étaient plus perturbées ou altérées par la peur, l'inquiétude et l'incertitude. Il serait bien temps pour chacun de témoigner de ce qu'il avait fait ou subi dans cette affaire. Seul Marcus était soucieux bien que Jason l'ait assuré de son soutien total.

samedi 20 avril

Belfast

Jason, Buarque et Marcus avaient rejoint l'appartement d'Estelle dans la matinée. Marcus rentrait à Toulouse dans l'après-midi tandis que Cassandre, Elian, Jason et Buarque prenaient le même vol pour atterrir à New York dans quelques heures. Ils étaient tous un peu fatigués par les récentes aventures, mais semblaient apaisés à présent.

Beaucoup d'événements importants et de changements de vie étaient intervenus depuis quelques semaines et chacun envisageait les jours à venir avec de nouvelles perspectives. Cassandre s'approcha de Jason.

— Voilà, avant de rentrer je voulais te dire que j'ai l'intention de prolonger mon séjour à New York.

— Rien ne peut me faire plus plaisir Cassandre.

— Et je passerai te rendre visite régulièrement avec Elian. On ne sera pas loin de chez toi.

Estelle s'était approchée d'eux et posait ses mains sur leurs épaules.

— Trois bonnes raisons cette fois pour venir plus souvent à New York…

Jason avait pris la main d'Estelle.

— Estelle, tu sais, je me dis parfois que j'ai été un imbécile de te laisser partir et je me le suis dit souvent ces dernières semaines.

— Tu es jaloux !

Elle souriait.

— Sans aucun doute ! Tu es resplendissante Estelle et tu l'es encore plus avec lui.

Elle baissa légèrement la tête et regarda Cillian qui plaisantait avec Eduardo.

— Tu as des projets ?

— Oui, je rejoins enfin Stefano à Syracuse. Cette fois, on appellera cela des vacances. Puis Eduardo et moi échafauderons un programme original autour de la création brésilienne... Il n'a plus aucune raison à présent de se séparer de sa collection. À suivre... Et toi, vas-tu t'accorder un peu de répit ?

— Un long voyage avec Cillian peut-être avant de préparer mon planning vénitien. J'aimerais rejoindre une chère amie dans les Caraïbes, en espérant qu'elle y soit toujours. Mais, je n'en ai pas encore parlé avec lui...

Cette conversation était agréable, simple, douce et curieuse comme l'amitié. Ils savaient tous les deux qu'ils ne se verraient pas pendant un moment. Ils se promirent des nouvelles fréquentes et des visites régulières.

Jason avait appelé un taxi. Au l'instant du départ, les « au revoir » furent affectueux et chaleureux. Tous savaient qu'il y aurait un temps flottant, presque incertain, nécessaire à leur équilibre bousculé, à leurs horizons nouveaux.

dimanche 28 avril

New York

Jason était rentré de Syracuse la veille. Cette semaine avec Stefano avait été un pur délice de farniente en plein cœur d'une nature éblouissante et l'exercice de l'oubli des récents tourments fut incroyablement facile. L'appartement résonnait autrement en l'absence de Cassandre et il ne s'attendait pas à ce sentiment perturbant de solitude. Il fut envahi soudain par les souvenirs désordonnés des semaines passées et soupira bruyamment. Il attrapa son courrier et repéra une lettre venant de Paris dont l'expéditeur était Daniel Lelouch. Il ouvrit l'enveloppe même s'il avait un peu envie de savourer les images siciliennes encore présentes à son esprit.

Cher Jason Gloves

Ne pouvant faire l'effort de parler correctement anglais lors d'une conversation, j'ai préféré celui d'une lettre, elle-même en français dont je sais que vous maîtrisez parfaitement les subtilités.

Nous avons beaucoup avancé sur l'affaire « Farces et attrapes ». Et oui, nous avons emprunté ce titre que vous connaissez pour qualifier ces criminels qui sont pour le moment retenus à Londres. Georges Grosmann s'est montré extrêmement coopératif et il s'avère qu'il n'était pas toujours au courant de tout ce que concoctait son homme de main Jacques Berthelot.

Il s'était entouré de sommités si l'on peut dire pour assurer le spectacle et gagner les meilleurs à sa cause désespérée, d'autres comme Murray Dunne ou Jack Tilmor étaient chargés de besognes moins reluisantes. Tilmor est un vrai criminel qui n'a pas hésité à droguer des innocents à plusieurs reprises et agresser Cillian O'Lochlainn. En ce qui concerne Marcus Garbot que j'ai personnellement interrogé ici et qui ne risque rien, Joachim Da Silva avait deviné son double jeu, mais n'a pas réussi à convaincre à temps Berthelot. Garbot a été plutôt courageux si je puis dire, la partie qu'il jouait était bourrée d'embûches et pour un amateur, je dois reconnaître qu'il s'en est bien sorti. Ce Da Silva est redoutable, quelle noirceur ! Il vous porte une haine féroce que j'ai rarement eu l'occasion de voir, une haine qui a fini par le consumer entièrement. Berthelot lui est une véritable et efficace ordure qui a utilisé les énormes moyens mis à sa disposition par Grosmann pour exécuter le programme. On rêverait presque d'en avoir un comme lui à la « maison ». Quant à Suzann Lennon, eh bien, cette femme est complètement folle, persuadée d'avoir joué le premier rôle dans cette tragicomédie... et d'être la propriétaire du Pontormo, acheté d'ailleurs par Dimitri Tchekov pour Jeopardy. Nous avons réussi à retrouver les autres collectionneurs Guan Wei et James Newton, le premier ayant cautionné la destruction du Ai Wei Wei à Shanghai, le second ayant procédé à l'acquisition du Bansky à Londres pour le compte de Grosmann. La collection réunie par Grosmann sous couvert de son agence-écran est impressionnante, vous seriez épaté ! Eduardo Buarque a lâché quelques-unes de ses œuvres pour une bouchée de pain... Et vous n'aurez pas besoin d'adopter le reste de sa collection... Nous allons nommer un comité d'experts qui pourra bientôt évaluer l'ensemble des œuvres et étudier leurs destinations futures.

D'ailleurs au sujet du Banksy, Grosmann m'a demandé si vous accepteriez de bien vouloir en son nom en réaliser la donation au Musée Arnolfini de Bristol. Il a fait rédiger les documents et vous avez carte blanche pour que The Devolded Parliament rejoigne les collections au plus vite et le plus médiatiquement possible. J'espère que vous accepterez le dernier geste sensé de cet homme perdu. La journaliste finlandaise qui a écrit ce portrait de vous si amical a disparu sans laisser aucune trace.

Voilà, je crois avoir résumé la situation. Je n'arrive pas encore tout à fait à réaliser que cela soit arrivé, qu'un homme ravagé en fait par son dégoût de lui-même ait pu imaginer un tel scénario, ait pu se prendre pour un démiurge en quelque sorte. Fallait-il avoir perdu tout contact avec le réel et la vie pour en arriver à cette extrémité ?

Dernière chose. Nous n'avons toujours pas résolu l'affaire de la danseuse de la Galerie Porretin. Aucun de nos suspects n'a pu nous éclairer... Et j'allais oublier, la capsule qui a été analysée en Irlande est de la même fabrication que les autres drogues. Nous suivons la piste du médecin personnel de Grosmann.

Monsieur Gloves, merci encore pour votre collaboration. Nous n'aurions pas pu résoudre cette triste affaire sans votre intervention et celle de vos amis. Je ne manquerai pas de vous tenir informé de la suite des événements judiciaires.

Très cordialement,
Daniel Lelouch.

PS Mon fils Thomas m'a dit que j'avais une sacrée chance de pouvoir discuter avec vous...

*
**

Ballintoy

Estelle avait passé la nuit à Bendhu. Cillian rentrait en fin de matinée de son périple écossais et elle avait eu envie de savourer une fois encore cette incomparable sensation qui l'envahissait lorsqu'elle se trouvait ici. Elle avait passé de longs moments dans la maison blanche et à chaque fois son cœur battait différemment, son corps vibrait différemment. Elle connaissait son histoire sur le bout des doigts et aimait penser que l'esprit de Penprase veillait sur elle. Elle gardait en mémoire le court poème tapé à la machine à écrire, conservé dans un petit cadre près de la porte d'entrée et qui évoquait l'étroit escalier taillé dans la falaise qui descendait vers la plage.

Not often shall I descend these steps
Which I have chiselled to the shore
For soon I shall depart for foreign lands
And if perchance, there is extended consciousness
Then I shall face another mystery beyond the door.

Je ne descendrai pas souvent ces marches
Que j'ai ciselées jusqu'au rivage
Car bientôt je partirai pour des terres étrangères
Et si par hasard, il y a une conscience étendue
Alors je ferai face à un autre mystère derrière la porte.

Elle tournait la perle noire entre ses doigts. Elle ne l'avait plus quittée depuis que Cillian lui avait offert. Le souvenir de l'aventure lu donna envie de descendre sur la plage. Le ciel était intensément bleu et l'océan frisottait brillamment. Elle emprunta l'escalier dérobé de Penprase au bout du jardin et rejoignit la petite plage de sable fin abritée par la falaise. Elle laissait filer son regard sur l'eau, les îles et par-delà l'horizon, elle reniflait lentement l'air autour d'elle. Elle demeura ainsi dans cette forme de contemplation sereine pendant quelques minutes. Elle avait senti la présence de Cillian bien avant qu'il ne parle.

— Je savais que je te trouverais ici.

Il resta derrière elle et posa un délicieux baiser dans son cou. Elle ne résistait jamais à sa bouche sensuelle. Elle décida de savourer son souffle chaud quelques secondes. Il avait croisé ses bras autour de sa poitrine et collé son ventre contre elle. Ils étaient sans cesse à fleur de peau, rien n'avait changé depuis leur rencontre comme si cette première étreinte en Écosse avait scellé la forme et l'intensité de leur désir et libéré l'évidence d'un amour naissant. Le tourbillon qui les avait emportés depuis quarante-cinq jours ne leur avait pas laissé le temps de penser à l'avenir. Ils étaient indépendants et n'avaient pas imaginé un autre mode de vie que celui qu'ils menaient avec passion et engagement depuis plusieurs années. Les récents événements avaient bousculé les règles, mais plus encore leur besoin d'être ensemble était devenu authentique et impérieux. Ils avaient profité de ces cinq jours en solitaire pour goûter un peu de la sérénité qui leur avait manqué. Mais il fallut bien se rendre à l'évidence qu'ils souhaitaient se retrouver au plus vite.

Elle se tourna vers lui. Elle le regardait étrangement comme si elle cherchait à pénétrer son esprit. Elle ne souriait pas vraiment et n'avait pas réalisé que son comportement l'avait inquiété. Il le fut encore plus lorsqu'elle se remit face à l'océan. Il prit sa taille doucement. Elle ne bougeait pas.

— Cillian, j'ai bien réfléchi.

Il croisa ses mains sur son ventre.

— J'aimerais aller saluer mon amie Hélène à Carthagène.... Avec toi si tu es d'accord....

Il soupira de soulagement. Il la tourna vers lui. Il tripotait les mèches de cheveux qui balayaient son visage.

— Tu es prête à traverser l'atlantique ?

— Avec toi oui.

— Tu es prête à vivre vingt-quatre sur vingt-quatre avec moi sur un voilier pendant plus de deux mois ?

— Je prends le risque.

— Ça sera certainement une belle traversée.

Il était sur le point de l'embrasser, mais son attention fut captée par un petit événement sur les flots. Il la pivota de nouveau face à l'eau.

— Regarde.

À quelques dizaines de mètres, un groupe de cinq marsouins longeaient le chenal entre la Sheep Island et la plage en direction de White Park Bay. Il était fréquent de les apercevoir ici. Estelle et Cillian ne se lassaient jamais de ce spectacle unique qu'ils regardaient ensemble pour la première fois.

mercredi 1er mai

Beuvron en Auge

Cassandre avait garé la voiture devant la grande maison à colombages. Il faisait particulièrement chaud en ce tout début mai. Elle était fébrile et avait presque envie de faire demi-tour. Quand Jason l'avait appelé pour lui annoncer le rendez-vous, elle avait ri nerveusement. Elle était retournée en France pour régler quelques affaires avant son installation définitive à New York. Elle n'avait pas tout à fait réalisé ce qui arrivait jusqu'à maintenant. Elle avait dix minutes d'avance. Elle avait le trac. Elle répétait toutes les phrases, toutes les questions qu'elle avait préparées, testait son sourire. Elle sursauta quand on tapa sur la vitre. Elle en enclencha la descente automatique.

— Vous êtes mademoiselle Jeanson, Cassandre Jeanson ?

— Oui.

Elle réalisa soudain que David Hockney était penché vers elle, un large sourire éclairant son visage lunaire, les lunettes rondes sur le nez, une cigarette à la main. Elle se sentit totalement ridicule et bafouillait en prenant son sac près d'elle.

— Oui… Bien sûr… C'est moi…

Elle ne bougeait pas.

— Je vous en prie mademoiselle. Bienvenue. Accompagnez-moi.

Il s'écarta de la portière et elle sortit de la voiture aussitôt. Il était grand, mince, élégant. Elle aurait voulu l'attraper et le serrer dans ses bras. Elle n'arrivait pas à croire qu'il était devant elle. Il se retourna au moment où elle fermait intensément les yeux. Alors qu'elle les ouvrait, il la regardait avec bienveillance.

— Jason m'avait prévenu que vous seriez très impressionnée. Détendez-vous mademoiselle Jeanson, nous sommes juste réels vous et moi.

— Je suis une fan inconditionnelle de votre œuvre, Monsieur Hockney. Vous m'inspirez. Vous êtes le seul homme que j'aime, je rêve de faire votre portrait…

Elle avait évidemment oublié tous les mots qu'elle avait si longuement préparés. David Hockney riait sincèrement. Cette jeune femme était naturelle, directe, drôle. Jason lui avait montré la vidéo de son exposition à Belfast et il avait apprécié l'hommage original qu'elle rendait à son œuvre, mais surtout l'incroyable faculté qu'elle possédait à « enchanter » le réel sans jamais l'adoucir ou l'abîmer.

— Allons faire un tour à l'atelier, nous pourrons parler un peu d'amour.

jeudi 2 mai

Toulouse

Marcus était retourné voir l'« Exposition ». Le souvenir de sa première rencontre avec Gloves avait refait surface lorsqu'il avait poussé la porte vitrée du musée ainsi que l'avalanche des événements qu'il avait vécus. Il était rentré plus secoué et perturbé qu'il ne croyait l'être. Il avait passé de longues heures avec le commissaire Lelouch et son témoignage fut très précieux même si ces entretiens avaient été inconfortables et pénibles. Il avait pris quelques jours pour tenter d'y voir plus clair, mais sa culpabilité envers Estelle, bien qu'estompée, demeurait vive. Il avait retrouvé ses amis, son équipe et son antre dans le centre d'art. Tous avaient remarqué que son assurance coutumière avait laissé place à des épisodes fréquents de morosité silencieuse. Seule Sue avait trouvé grâce à ses yeux et parvenait à lui faire oublier ses pensées chagrines. Ils avaient pris l'habitude depuis son retour de se retrouver pour de longues balades quotidiennes, bavardes et spirituelles. Son portable retentit alors qu'il quittait le parvis du musée. C'était Gloves. Il répondit aussitôt.

— Bonjour Marcus, je ne vous dérange pas ?

— Au contraire, je suis très heureux de vous entendre.

— Comment vous sentez-vous ?

— Merci de vous inquiéter de mes états d'âme Jason. Je ne suis pas certain d'avoir tout à fait repris mes esprits.

— Eh bien faites le rapidement alors. Eduardo Buarque et moi nous demandions si vous seriez disponible pour travailler un moment avec nous. Qu'en pensez-vous ?

Le visage de Marcus s'éclaira d'un sourire qui n'était pas apparu sur ses lèvres depuis des semaines.

Mille mercis
à Hélène pour son soutien enthousiaste et inconditionnel,
à Patrick mon mari, pour sa patience et son amour,
à Laurent pour ses encouragements énergiques et fraternels,
à Marie pour sa lecture assidue et exaltée
à Laure pour sa précieuse attention.